"John Doerr ensinou a uma geração de empreendedores e filantropos que execução é tudo. *Avalie o que Importa* mostra como qualquer organização ou equipe pode ter um grande objetivo, agir rapidamente e se destacar."

— Sheryl Sandberg, COO do Facebook e fundadora do LeanIn.org e da Option.org

"*Avalie o que Importa* mudará sua visão quanto à abordagem do estabelecimento de suas metas, sejam elas pessoais ou para sua organização. Quer você esteja em uma pequena startup ou em uma grande empresa global, John Doerr incentiva todos os líderes a pensarem profundamente sobre a criação de um ambiente de negócios focado em propósitos."

— Mellody Hobson, presidente da Ariel Investments

"John Doerr é uma lenda do Vale do Silício. Ele explica como a definição transparente dos objetivos e dos principais resultados podem alinhar as organizações e motivar o alto desempenho."

— Jonathan Levin, reitor da Stanford Graduate School of Business

"*Avalie o que Importa* é uma dádiva para qualquer líder ou empreendedor que busque uma equipe mais transparente, responsável e eficaz. A obra encoraja apostas grandes e ousadas que podem transformar uma organização."

— John Chambers, presidente executivo da Cisco

"Além de ser uma história pessoal incrível da área de tecnologia no Vale do Silício, *Avalie o que Importa* é um manual essencial para pequenas e grandes organizações; os métodos descritos impulsionarão de forma definitiva grandes realizações."

— Diane Greene, fundadora e CEO da VMware, membro do conselho da Alphabet e CEO do Google Cloud

Avalie o que Importa

Para Ann, Mary e Esther e a
maravilha do amor incondicional delas

BEST-SELLER DO THE NEW YORK TIMES

Avalie o que Importa

Como o Google, Bono Vox e a Fundação Gates sacudiram o mundo com os OKRs

John Doerr

PREFÁCIO DE LARRY PAGE

ALTA BOOKS
EDITORA
Rio de Janeiro, 2019

Avalie o que Importa: Como o Google, Bono Vox e a Fundação Gates sacudiram o mundo com os OKRs
Copyright © 2019 da Starlin Alta Editora e Consultoria Eireli. ISBN: 978-85-508-0455-2

Translated from original Measure What Matters. Copyright © 2018 by Bennett Group, LLC. ISBN 9780525536222. This translation is published and sold by permission of Penguin Random House LLC, the owner of all rights to publish and sell the same. PORTUGUESE language edition published by Starlin Alta Editora e Consultoria Eireli, Copyright © 2019 by Starlin Alta Editora e Consultoria Eireli.

Impresso no Brasil — 1ª Edição, 2019 — Edição revisada conforme o Acordo Ortográfico da Língua Portuguesa de 2009.

Publique seu livro com a Alta Books. Para mais informações envie um e-mail para autoria@altabooks.com.br

Obra disponível para venda corporativa e/ou personalizada. Para mais informações, fale com projetos@altabooks.com.br

Produção Editorial
Editora Alta Books

Produtor Editorial
Thiê Alves

Gerência Editorial
Anderson Vieira

Assistente Editorial
Juliana de Oliveira

Produtor Editorial (Design)
Aurélio Corrêa

Marketing Editorial
Silas Amaro
marketing@altabooks.com.br

Editor de Aquisição
José Rugeri
j.rugeri@altabooks.com.br

Ouvidoria
ouvidoria@altabooks.com.br

Vendas Atacado e Varejo
Daniele Fonseca
Viviane Paiva
comercial@altabooks.com.br

Equipe Editorial
Aline Vieira
Bianca Teodoro
Ian Verçosa
Illysabelle Trajano
Juliana de Oliveira
Kelry Oliveira
Paulo Gomes
Thales Silva
Viviane Rodrigues

Tradução
Bruno Menezes

Copidesque
Kathleen Miozzo

Revisão Gramatical
Hellen Suzuki
Jana Araujo

Revisão Técnica
Guilherme Calôba
Doutor em Engenharia de Produção, PMP

Diagramação
Lucia Quaresma

Dados Internacionais de Catalogação na Publicação (CIP) de acordo com ISBD

D652a Doerr, John

Avalie o que importa: como o Google, Bono Vox e a Fundação Gates sacudiram o mundo com os OKRs / John Doerr ; traduzido por Bruno Menezes. - Rio de Janeiro : Alta Books, 2019.
320 p. ; il. ; 14cm x 21cm.

Tradução de: Measure What Matters: How Google, Bono, and the Gates Foundation Rock the World with OKRs
Inclui índice.
ISBN: 978-85-508-0455-2

1. Administração de empresas. 2. Empreendedorismo. 3. Tecnologias da informação. 4. OKRs. I. Menezes, Bruno. II. Título.

2018-1796 CDD 658.401
CDU 658.011.2

Elaborado por Odilio Hilario Moreira Junior - CRB-8/9949

Rua Viúva Cláudio, 291 — Bairro Industrial do Jacaré
CEP: 20.970-031 — Rio de Janeiro (RJ)
Tels.: (21) 3278-8069 / 3278-8419
www.altabooks.com.br — altabooks@altabooks.com.br
www.facebook.com/altabooks — www.instagram.com/altabooks

SUMÁRIO

PREFÁCIO

Larry Page

CEO da Alphabet e cofundador do Google

Eu gostaria de ter lido este livro 19 anos atrás, quando fundamos o Google, ou até mesmo antes disso, quando eu estava apenas me gerenciando! Embora odeie processos, boas ideias com ótima execução são os elementos para a mágica acontecer. É aí que entram os OKRs.

John Doerr apareceu um dia em 1999 e nos apresentou uma palestra sobre objetivos e principais resultados, e como devemos administrar a empresa com base em sua experiência na Intel. Sabíamos que a Intel funcionava bem e a fala de John fazia muito sentido intuitivamente, então decidimos tentar. Eu acho que funcionou muito bem.

Os OKRs são elementos de um processo simples que ajuda a impulsionar as mais variadas organizações. Adaptamos o modo como usamos esse processo ao longo dos anos. Tome-o como um modelo e se aproprie dele com base no que você quer que aconteça!

Para os líderes, os OKRs dão muita visibilidade a uma organização. Eles também oferecem uma maneira produtiva de dar um passo para trás. Por exemplo, você pode se perguntar: "Por que os usuários não poderiam carregar um vídeo no YouTube quase que instantaneamente? Isso não seria mais importante do que um outro objetivo que você pretende realizar no próximo trimestre?"

Fico feliz em me unir à celebração à memória de Bill Campbell, coisa que John fez muito bem na conclusão do livro. Bill era um ser humano fantasticamente caloroso e que tinha o dom de quase sempre estar certo, especialmente sobre as pessoas. Ele não tinha medo de dizer a alguém o quão "ridícula" essa pessoa era, e de alguma forma essa pessoa ainda gostava dele depois disso. Eu sinto muita falta dos sermões semanais do Bill. Desejo que todos tenham um Bill Campbell em suas vidas, ou mesmo se esforcem para se tornar um pouco mais como ele!

Não tenho o costume de escrever muitos prefácios. No entanto, concordei em fazer este porque John deu ao Google um presente incrível por todos esses anos passados. Os OKRs nos ajudaram a crescer dez vezes mais. Até mais, em alguns casos. Eles ajudaram a tornar nossa missão louca de "organizar as informações do mundo" viável, talvez. Mantiveram a mim e ao resto da empresa na hora certa e no caminho certo quando mais importava. E eu queria ter certeza de que as pessoas soubessem disso.

Larry Page e John Doerr, em 2014.

PARTE UM:

OKRs em Ação

1

Google, Apresento-lhes os OKRs

Quando não se sabe aonde está indo, talvez não
se consiga chegar a lugar algum.
— *Yogi Berra*

Em um dia de outono de 1999, no coração do Vale do Silício, cheguei ao prédio de dois andares, em formato de L, na rodovia 101. Lá era a sede do jovem Google, e eu chegava com um presente.

A empresa havia alugado o prédio há dois meses, superando um espaço acima de uma sorveteria no centro de Palo Alto. Dois meses antes disso, fiz minha maior aposta em 19 anos como capitalista de risco. Uma aposta de US$11,8 milhões por 12% de uma startup fundada por uma dupla de alunos que abandonaram a faculdade em Stanford. Eu me juntava ao conselho do Google. Estava comprometido, financeira e emocionalmente, a fazer tudo o que pudesse para ajudá-lo a ter sucesso.

Apenas um ano depois de sua constituição, o Google havia estabelecido seu lema: "Organizar as informações do mundo e torná-las universalmente acessíveis e úteis." Isso pode ter soado grandioso, mas eu tinha confiança em Larry Page e Sergey Brin. Eles eram autoconfiantes, até ousados, mas também curiosos e reflexivos. Ouviam e mostravam resultados.

Sergey era ativo, imprevisível, de opinião forte e capaz de superar abismos intelectuais de uma só vez. Imigrante, nascido na União Soviética, ele era um negociador sagaz e criativo, além de um líder de princípios. Sergey era inquieto, sempre ambicioso; tinha a capacidade de se jogar no chão e começar a fazer uma série de flexões no meio de uma reunião. Larry era um engenheiro criado por um engenheiro: seu pai foi um pioneiro da ciência da computação. Ele era um inconformado de fala mansa, um rebelde com uma causa dez vezes maior do que todas: tornar a internet exponencialmente mais relevante. Enquanto Sergey desenvolvia a parte comercial da tecnologia, Larry trabalhava no produto e imaginava o impossível. Ele era um pensador que queria chegar ao céu, porém com os pés no chão.

No começo daquele ano, quando os dois vieram ao meu escritório para me apresentar a ideia, o PowerPoint deles tinha somente 17 slides, e apenas dois com números (eles adicionaram três tirinhas só para esclarecer a apresentação). Embora tivessem feito um pequeno negócio com o *Washington Post*, o Google ainda precisava descobrir o valor dos anúncios segmentados por palavras-chave. Sendo o décimo oitavo motor de busca a chegar à web, a empresa estava muito atrasada para a festa. Normalmente, ceder uma distância tão longa para a concorrência, especialmente na área de tecnologia, é fatal.*

Só que nada disso impediu que Larry me ensinasse sobre a má qualidade das buscas no mercado, o quanto poderia ser melhorado e quão grande seria o futuro. Ele e Sergey não tinham dúvidas de que inovariam, não importando a falta de um plano de negócios. O algoritmo deles, o PageRank, era muito melhor do que aquele da concorrência, mesmo na versão beta.

* As raras exceções são verdadeiros pontos fora da curva. Evidência B: O iPod chegou depois de pelo menos nove outros reprodutores de áudio digital em produção comercial. Em três anos, ele engoliu mais de 70% do mercado.

Larry Page e Sergey Brin no berço do Google: a garagem em Santa Margarita, nº 232, em Menlo Park, em 1999.

Perguntei a eles: "Qual seria o tamanho disso na sua opinião?" Eu já havia feito meu próprio cálculo: se tudo desse certo, o Google poderia alcançar um valor de mercado de US$1 bilhão. Mas queria avaliar os sonhos deles.

E Larry respondeu: "Dez bilhões de dólares."

Só para me certificar, perguntei: "Você quer dizer o valor de mercado, certo?"

Larry respondeu: "Não, eu não quero dizer o valor de mercado. Eu quero dizer receita."

Fiquei chocado. Assumindo uma taxa de crescimento normal para uma empresa de tecnologia lucrativa, US$10 bilhões em receita implicariam um valor de mercado de US$100 bilhões. Esta era a posição de empresas como Microsoft, IBM e Intel. Aquela criatura era mais rara do que um unicórnio. Não havia fanfarronice em Larry. Era apenas um julgamento calmo e ponderado. Não debati com ele; eu estava genuinamente impressionado. Ele e Sergey estavam determinados a mudar o mundo e eu acreditava que eles tinham uma chance.

Muito antes do Gmail, do Android ou do Chrome, o Google estava repleto de grandes ideias. Os fundadores eram visionários por excelência, com extrema energia empreendedora. O que lhes faltava era a experiência de gestão.* Para que o Google tivesse um impacto real, ou mesmo decolasse, eles teriam que aprender a fazer escolhas difíceis e manter sua equipe no caminho certo. Dado seu apetite saudável pelo risco, eles precisariam sair do modo "perdedores" diretamente para o modo "detecção rápida de falhas".†

Não menos importante seria a demanda de dados oportunos e relevantes. Para registrar seu progresso, para medir o que importava.

E então: naquele dia ameno em Mountain View, cheguei com meu presente para o Google. Seria uma ferramenta afiada para tarefas de nível mundial. Eu a usei pela primeira vez na década de 1970, como engenheiro na Intel. Lá, Andy Grove, o maior gerente de sua época, ou de qualquer outra, dirigia a empresa mais bem administrada que eu já tinha visto na vida. Desde que entrei na Kleiner Perkins, a empresa de capital de risco de Menlo Park, eu já havia rodado por cerca de 50 empresas, ou mais, disseminando a ideia de Groove.

Para esclarecer as coisas, tenho uma grande reverência pelos empreendedores. Sou um técnico inveterado que reza na igreja da inovação. Mas também já vi muitas startups tendo dificuldades com o crescimento, com a escala e com fazer as coisas certas. Então cheguei a uma filosofia, meu mantra:

Ideias são fáceis. Execução é tudo.

No início dos anos 1980, tirei um período sabático de 14 meses da Kleiner para liderar a divisão de desktops da Sun Microsystems. De repente, me vi no comando de centenas de pessoas. Fiquei desesperado. Porém, o sistema de Andy Grove era meu bastião em uma tempestade. Uma espécie de fonte de clareza em todas as reuniões que eu conduzia. Esse sistema capacitou minha equipe executiva e reuniu toda a operação. Sim, tivemos nossa parcela de erros. Mas também conseguimos coisas incríveis, incluindo uma nova arquitetura de mi-

* Em 2001, por sugestão minha, os fundadores recrutaram Eric Schmidt, meu antigo colega na Sun Microsystems, para ser o CEO deles. Eric fez os trens rodarem no horário e desempatou os votos. Então eu apresentei Bill Campbell para ser o coach de todos os três.

† Eu, particularmente, tive essa experiência na Intel nos anos 70. Gordon Moore, a lenda que antecedeu Andy Grove como CEO da Intel, dizia: "Eu vejo o fracasso deste ano como a oportunidade de tentar novamente no próximo ano."

croprocessador RISC, que garantiu a liderança da Sun no mercado de estações de trabalho. Essa foi a minha prova pessoal do que eu trazia então, tantos anos depois, para o Google.

A prática que me moldou na Intel e me salvou na Sun, e que ainda me inspira hoje, chama-se OKRs. Sigla para *Objectives and Key Results* (Objetivos e Resultados-Chave, em português). É um protocolo colaborativo de definição de metas para empresas, equipes e indivíduos. Só que os OKRs não são a salvação da lavoura. Eles não podem substituir o bom senso, a liderança forte ou a cultura criativa do local de trabalho. No entanto, se esses fundamentos estiverem em vigor, os OKRs podem operar como um guia ao topo da montanha.

Larry e Sergey, juntamente com Marissa Mayer, Susan Wojcicki, Salar Kamangar e outros 30 ou mais, praticamente toda a empresa na época, se reuniram para me ouvir. Eles estavam em volta de uma mesa de pingue-pongue (que era o dobro da mesa da sala de reuniões), ou estendidos em pufes, como em um dormitório. Meu primeiro slide do PowerPoint definia os OKRs: "Uma metodologia de gestão que ajuda a garantir que a empresa concentre esforços nas mesmas questões importantes em toda a organização."

Um *OBJETIVO*, expliquei, é simplesmente *O QUE* deve ser alcançado. Nem mais, nem menos. Por definição, os objetivos são significativos, concretos, orientados por ações e (de maneira ideal) inspiradores. Quando adequadamente projetados e implantados, são uma vacina contra o pensamento e a execução confusos.

Os *RESULTADOS-CHAVE* (KR) estabelecem e monitoram *COMO* chegamos ao objetivo. Os KRs efetivos são específicos e limitados no tempo, agressivos, porém realistas. Acima de tudo, são mensuráveis e verificáveis (como a aluna premiada Marissa Mayer diria: "Não é um resultado-chave a menos que tenha um número."). Os requisitos de um resultado-chave são atendidos ou não; não há área cinzenta, não há espaço para dúvidas. No final do período designado, normalmente um trimestre, declaramos se o resultado-chave foi cumprido ou não. Caso um objetivo seja de longa duração, por um ano ou mais, os resultados-chave evoluem à medida que o trabalho avança. Quando todos eles forem cumpridos, o objetivo é necessariamente alcançado (se não o for, o OKR foi, acima de tudo, mal projetado).

Meu objetivo naquele dia, eu disse ao grupo de jovens googlers, era construir um modelo de planejamento para a empresa, medido por três resultados principais:

KR nº 1: Eu terminaria minha apresentação na hora certa.

KR nº 2: Nós criaríamos um conjunto de amostras de OKRs trimestrais do Google.

KR nº 3: Eu ganharia consentimento gerencial para um teste de OKRs por três meses.

A título de ilustração, esbocei dois cenários de OKRs. O primeiro envolvia um time de futebol americano fictício, cujo gerente-geral partiria de um objetivo de nível superior ao longo do organograma da franquia. O segundo mostrava um drama da vida real no qual eu já tinha um assento cativo ao lado do ringue: a Operação Crush. Era uma campanha para restaurar o domínio da Intel no mercado de microprocessadores (exploraremos a campanha em detalhes mais tarde).

Concluí a apresentação recapitulando uma proposta de valor não menos convincente para os dias de hoje. Os OKRs expõem os principais objetivos que você tem. Eles canalizam esforços e coordenação. Conectam diversas operações, emprestando propósito e unidade a toda organização.

Interrompi minha fala aos 90 minutos na hora certa.

Agora a bola estava com o Google.

Em 2009, a Harvard Business School publicou um artigo intitulado "Goals Gone Wild" ("Metas Insanas", em tradução livre). Ele trazia um catálogo de exemplos de "perseguição destrutiva de metas": a explosão de tanques de combustível do Ford Pinto, corrosão nos preços no atacado em oficinas automotivas da Sears, metas de vendas imprudentemente infladas na Enron e o desastre do Monte Everest, em 1996, que causou a morte de oito alpinistas. As metas, os autores advertiram, eram "um medicamento prescrito que exige uma dosagem cuidadosa... e uma supervisão próxima". No artigo, os autores até deixavam um aviso: "Metas podem causar problemas sistemáticos nas organizações devido ao foco reduzido, comportamento antiético, maior risco, menor cooperação e menor motivação." O lado obscuro do estabelecimento de metas poderia anular quaisquer benefícios. Esse era o argumento deles.

⚠ ATENÇÃO!

Metas podem causar problemas sistemáticos nas organizações devido ao foco reduzido, comportamento antiético, maior risco, menor cooperação e menor motivação.

Tenha cuidado ao aplicar metas em sua organização.

O artigo mexeu com os nervos e ainda é amplamente citado. Sua ressalva não era ausente de mérito. Como qualquer sistema de gerenciamento, os OKRs podem ser executados bem ou mal; o objetivo deste livro, porém, é ajudá-lo a usá-los bem. Mas não se engane. Para qualquer um que busque um alto desempenho no local de trabalho, os objetivos são extremamente necessários.

Em 1968, ano em que a Intel foi fundada, um professor de psicologia da Universidade de Maryland lançou uma teoria que certamente influenciou Andy Grove. Primeiro, disse Edwin Locke, "metas difíceis" impulsionam o desempenho de forma mais eficaz do que metas fáceis. Segundo, metas *específicas* e *difíceis* "produzem um nível mais alto de resultado" do que as vagamente formuladas.

Nesse meio século, mais de mil estudos confirmaram a descoberta de Locke como "uma das ideias mais testadas e comprovadas em toda a teoria da administração". Entre os experimentos no campo, 90% confirmam que a produtividade é aprimorada por metas desafiadoras e bem definidas.

Ano após ano, as pesquisas da Gallup atestam uma "crise global de engajamento dos funcionários". Menos de um terço dos trabalhadores nos EUA são "envolvidos, entusiasmados e comprometidos com seu trabalho e local de trabalho". Desses milhões de desengajados, mais da metade deixaria a empresa por um aumento de 20% ou menos. No setor de tecnologia, dois em cada três funcionários acham que poderiam encontrar um emprego melhor em até dois meses.

Nos negócios, a alienação não é um problema filosófico abstrato; ela mina a base. Grupos de trabalho mais engajados geram mais lucro e menos atrito. De acordo com a Deloitte, a firma de consultoria em gestão e liderança, as questões de "retenção e engajamento subiram para o segundo lugar na mente dos líderes empresariais, perdendo apenas para o desafio da construção de uma liderança global".

Mas, então, *de que forma* se constrói o engajamento? Um estudo da Deloitte feito ao longo de dois anos constatou que nenhum fator isolado tem mais impacto do que "metas claramente definidas, que estejam estabelecidas e livremente compartilhadas... As metas criam alinhamento, clareza e satisfação no trabalho".

A definição de metas, porém, não é inabalável: "Quando as pessoas têm prioridades conflitantes ou objetivos pouco claros, sem sentido ou arbitrários, elas tornam-se frustradas, cínicas e desmotivadas." Um sistema eficaz de gerenciamento de metas, um sistema OKR, vincula metas à missão mais ampla de uma equipe. Respeita metas e prazos, ao mesmo tempo em que se adapta às circunstâncias. Promove feedback e celebra vitórias, sejam elas grandes ou pequenas. Além disso, e o mais importante, expande nossos limites. Nos move a lutar pelo que pode parecer além do nosso alcance.

Como até a galera do artigo "Goals Gone Wild" admitiu, as metas "são capazes de inspirar funcionários e melhorar o desempenho". Em poucas palavras, essa foi a minha mensagem para Larry, Sergey e companhia.

Quando abri o microfone para perguntas, minha plateia parecia intrigada. Imaginei que eles pudessem dar uma chance aos OKRs, embora não pudesse prever a profundidade da determinação deles. Sergey disse: "Bem, precisamos ter *algum* princípio organizador. Não temos nenhum, e este pode funcionar." No entanto, o casamento entre o Google e os OKRs não foi por acaso. Foi uma ótima combinação de impedância, uma transcrição genética sem falhas para o RNA mensageiro do Google. Os OKRs eram um aparelho elástico e acionado por dados em prol de um empreendimento descontraído e de adoração aos dados.* Eles prometiam transparência para uma equipe que tinha como padrão a abertura: o *open source*, os sistemas abertos, a web aberta. Eles recompensa-

* Conforme escrito por Steven Levy em *Google — A Biografia*, "Doerr ganhou o Google nas métricas".

vam o "bom fracasso" e a ousadia para dois dos mais ousados pensadores do seu tempo.

Google, apresento-lhes os OKRs. O casamento perfeito.

Embora Larry e Sergey tivessem poucos preconceitos sobre administrar um negócio, eles sabiam que estabelecer os objetivos os tornaria reais.* Eles adoravam a ideia de mostrar o que mais importava para eles, em uma ou duas páginas sucintas, e torná-las públicas para todos no Google. Eles intuitivamente entenderam como os OKRs poderiam manter uma organização no caminho certo ao longo dos períodos de competitividade ou no tumulto de uma curva de crescimento instável.

Junto com Eric Schmidt, que dois anos depois se tornaria o CEO do Google, Larry e Sergey seriam firmes, insistentes, e até mesmo conflituosos, no uso dos OKRs. Conforme Eric disse ao autor Steven Levy: "O objetivo do Google é ser o inovador sistemático de escala. Inovador significa coisas novas. E escala significa modos grandes e sistemáticos de visualizar realizações feitas de uma maneira reproduzível." Junto, o triunvirato trouxe um ingrediente decisivo para o sucesso dos OKRs: convicção e participação acima de tudo.

No papel de investidor, trabalho com OKRs há muito tempo. À medida que os pupilos Google e Intel continuam migrando e espalhando a boa nova, centenas de empresas de todos os tipos e tamanhos estão se comprometendo atualmente com a definição de metas estruturadas. Os OKRs são canivetes suíços, adaptáveis a qualquer ambiente. Vemos a adoção deles de forma mais ampla na área de tecnologia, pois nesse ambiente a agilidade e o trabalho em equipe são imperativos absolutos. Além das empresas que você conhecerá neste livro, entre os adeptos dos OKRs estão AOL, Dropbox, LinkedIn, Oracle, Slack, Spotify e Twitter. No entanto, o sistema também foi adotado por nomes familiares muito além do Vale do Silício: Anheuser-Busch, BMW, Disney, Exxon, Samsung. Na economia contemporânea, a mudança é um fato da vida. Não

* No começo, o Google contava com "snippets", que eram relatórios de status de três ou quatro linhas sobre o trabalho de cada indivíduo.

podemos nos apegar ao que funcionou e esperar pelo melhor. Precisamos de uma foice confiável para traçar um caminho para além da curva.

Em pequenas startups, nas quais as pessoas precisam remar na mesma direção, os OKRs são uma ferramenta de sobrevivência. No setor de tecnologia, em particular, as empresas jovens precisam crescer rapidamente para conseguir financiamento antes que seus capitais se esgotem. As metas estruturadas dão aos patrocinadores um critério para o sucesso: *Vamos construir este produto e analisamos o mercado falando com 25 clientes, e aqui está o quanto eles estão dispostos a pagar.* Em organizações de tamanho médio, com dimensionamento rápido, os OKRs são um idioma compartilhado para as realizações. Eles esclarecem as expectativas: *O que precisamos fazer (e rápido) e quem está trabalhando nisso?* Mantêm os funcionários alinhados, vertical e horizontalmente.

Em empresas maiores, os OKRs são sinais de trânsito com iluminação neon. Eles destroem os isolamentos e cultivam conexões entre os colaboradores distantes. Ao permitir a autonomia na linha de frente, geram novas soluções. Além disso, eles mantêm até as organizações mais bem-sucedidas se esforçando cada vez mais.

Benefícios similares também são vistos no mundo sem fins lucrativos. Na Fundação Bill & Melinda Gates, uma startup de US$20 bilhões, os OKRs fornecem em tempo real os dados que Bill Gates precisa para lutar contra a malária, a poliomielite e o HIV. Sylvia Mathews Burwell, uma ex-aluna da Gates, conduziu o processo no Departamento Federal de Administração e Orçamento dos EUA e depois no Departamento de Saúde e Serviços Humanos dos EUA. Em ambos os departamentos, Burwell ajudou o governo estadunidense a combater o ebola.

No entanto, talvez nenhuma organização, nem mesmo a Intel, tenha dimensionado os OKRs de forma tão eficaz quanto o Google. Embora conceitualmente simples, o regime de Andy Grove exige rigor, compromisso, pensamento claro e comunicação intencional. Não estamos apenas fazendo uma lista e a verificando duas vezes. Estamos construindo nossa capacidade, nosso músculo. Em prol de ganhos significativos, sempre há alguma dor. No entanto, os líderes do Google nunca vacilaram. A fome deles de aprender e melhorar sempre permanece insaciável.

Como Eric Schmidt e Jonathan Rosenberg observaram em seu livro *Como o Google Funciona*, os OKRs se tornaram a "ferramenta simples que institucionalizou o *ethos* de 'pensar grande' dos fundadores". Nos primeiros anos do Google, Larry Page reservou dois dias por trimestre para examinar pessoalmente os OKRs para cada engenheiro de software. Eu participava de algumas dessas análises, e a magia analítica de Larry, sua capacidade sobrenatural de encontrar coerência em tantas peças móveis, era inesquecível. À medida que a empresa se expandia, Larry continuava a dar início a cada trimestre com uma maratona de debates sobre os objetivos de sua equipe de liderança.

Hoje, quase duas décadas depois da minha apresentação de slides na mesa de pingue-pongue, os OKRs continuam a fazer parte do cotidiano do Google. Com o crescimento e a complexidade do atendimento, os líderes da empresa poderiam ter se estabelecido em métodos mais burocráticos ou OKRs desmembrados, em virtude da mais recente moda gerencial. Em vez disso, eles permaneceram alinhados. O sistema está vivo e bem. Os OKRs são a assistência para os belos gols assinados pelo Google. Entre estes sucessos, há produtos com um bilhão ou mais de usuários: Pesquisa, Chrome, Android, Maps, YouTube, Google Play e Gmail. Em 2008, um OKR de toda a empresa reuniu todas as mãos em torno de uma batalha contra a latência, inimiga mortal do Google, que é o atraso na recuperação de dados da nuvem. Os OKRs de base trabalham lado a lado, com "20% de tempo", o que libera os engenheiros da base para mergulharem em projetos paralelos promissores.

Muitas empresas têm uma "regra de sete", limitando os gerentes a um máximo de sete subordinados diretos. Em alguns casos, o Google mudou a regra para um *mínimo* de sete. Quando Jonathan Rosenberg liderou a equipe de produtos do Google, ele tinha até 20. Quanto maior a proporção de subordinados, mais plano é o organograma. Isso significa menos supervisão de cima para baixo, maior autonomia na linha de frente e solo mais fértil para o próximo avanço. Os OKRs ajudam a tornar todas essas coisas boas possíveis.

Em outubro de 2018, pelo vigésimo quinto trimestre consecutivo, o CEO do Google fará com que toda a empresa avalie seu progresso em relação aos objetivos de alto nível e aos resultados-chave. Em novembro e dezembro, cada equipe e cada área de produtos desenvolverá seus próprios planos para o próximo ano e os transformarão em OKRs. Em janeiro, como me disse o CEO Sundar Pichai, "vamos voltar à frente da empresa e articular o seguinte: 'essa é a nossa estratégia de alto nível, e aqui estão as OKRs que escrevemos para o ano'".* (De acordo com a tradição da empresa, a equipe executiva também avaliará os OKRs do Google do ano anterior, com falhas dissecadas sem hesitação.)

Nas semanas e meses seguintes, milhares de googlers formularão, discutirão, revisarão e classificarão seus OKRs individuais e da equipe. Como sempre, eles terão carta branca para navegar em sua intranet e visualizar como outras equipes estão medindo o sucesso. Eles poderão acompanhar como o trabalho deles se conecta para cima, para baixo e para os lados, e como esse trabalho se encaixa no quadro geral do Google.

Vinte anos depois, a projeção assustadora de Larry agora parece conservadora. Enquanto este livro é publicado, o valor de mercado da empresa-mãe Alphabet ultrapassa US$700 bilhões, tornando-se a segunda empresa mais valiosa do mundo. Em 2017, pelo sexto ano consecutivo, o Google ficou em primeiro lugar na lista das "Melhores Empresas para Trabalhar" da revista *Fortune*. Esse grande sucesso está enraizado em uma liderança forte e estável, uma riqueza de recursos técnicos e uma cultura baseada em valores de transparência, trabalho em equipe e inovação implacável. No entanto, os OKRs também desempenharam um papel vital. Não consigo imaginar o Googleplex rodando sem eles, muito menos Larry e Sergey.

Como você verá nas próximas páginas, os objetivos e os resultados-chave promovem clareza, responsabilidade e a busca sem limite pela grandiosidade. O próprio Eric Schmidt disse e credita aos OKRs a capacidade de "mudar o rumo da empresa para sempre".

Por décadas, eu tenho sido o semeador dos OKRs, fazendo o meu melhor para disseminar a genialidade de Andy Grove com meus 20 slides e minha

* O Google originalmente usou os OKRs trimestrais e adicionou OKRs anuais para um processo de via dupla. Desde que sucedeu Larry Page como CEO, Sundar Pichai mudou o processo para uma estrutura anual de uma só via. Para manter as metas vitais e temporais do processo em andamento, cada departamento relata seu progresso trimestralmente ou, às vezes, a cada seis semanas – os resultados-chave, de fato. Agora como CEO da Alphabet, Larry faz com que os OKRs sejam usados nas outras subsidiárias da controladora. Além disso, ele ainda estabelece seus próprios OKRs individuais a cada trimestre.

proposta sincera. Mas sempre senti que ficava patinando, e que realmente não estava fazendo o trabalho direito. Há alguns anos, decidi que valeria a pena tentar novamente. Só que, desta vez, por meio impresso e com profundidade suficiente para fazer justiça ao assunto. Este livro, juntamente com seu site associado, o whatmatters.com (em inglês), são a minha chance de trazer uma paixão de longa data a você, meu leitor. Espero que o ache útil. Posso afirmar que isso mudou minha vida.

Introduzi o sistema OKR para a organização sem fins lucrativos mais ambiciosa do mundo e para um icônico astro do rock irlandês (e você saberá o que eles pensam a respeito dele). Testemunhei inúmeras pessoas usando os objetivos e os resultados-chave para evoluir o pensamento de forma mais disciplinada, ter mais clareza na comunicação e mais propósitos na ação. Se este livro fosse um OKR, eu classificaria sua aspiração objetiva como: tornar a vida das pessoas, *inclusive a sua*, mais gratificante.

Grove estava à frente de seu tempo. Foco aprimorado, compartilhamento aberto, medição exata, licença para pensar grande. Essas são as marcas da moderna ciência dos objetivos. Onde os OKRs criam raízes, o mérito supera a antiguidade. Gestores se tornam capacitadores, mentores e arquitetos. Ações e dados falam mais alto do que palavras.

Em suma, os objetivos e os resultados-chave são uma força potente e comprovada em prol da excelência operacional. Se funcionou para o Google, então por que não funcionaria para você?

Como os próprios OKRs, este livro vem em duas seções complementares. A Parte Um considera as principais características do sistema e como ele transforma boas ideias em práticas de excelência e satisfação no local de trabalho. Começamos com a história de origem dos OKRs na Intel de Andy Grove, pois lá foi onde me tornei um entusiasmado convertido. Em seguida, apresento os quatro "superpoderes" dos OKRs: foco, alinhamento, acompanhamento e esforço.

Superpoder nº 1 — Foco e comprometimento com as prioridades *(Capítulos 4, 5 e 6):*

As organizações de alto desempenho se concentram no trabalho que importa e são igualmente esclarecidas sobre o que *não* importa. Os OKRs obrigam os líderes a fazerem escolhas difíceis. Eles são uma ferramenta comunicativa de precisão para departamentos, equipes e colaboradores individuais. Ao dissipar a confusão, os OKRs nos proporcionam o foco necessário para vencer.

Superpoder nº 2 — Alinhamento e conexão com o trabalho em equipe *(Capítulos 7, 8 e 9):*

Com a transparência do OKR, os objetivos de todos, desde o CEO, são abertamente compartilhados. Os indivíduos vinculam seus objetivos ao esquema geral da empresa, identificam dependências entre eles e os coordenam com outras equipes. Ao conectar cada colaborador com o sucesso da organização, o alinhamento de cima para baixo traz significado ao trabalho. Ao aprofundar o senso de propriedade das pessoas, os OKRs de baixo para cima fomentam o engajamento e a inovação.

Superpoder nº 3 — Rastreamento da responsabilidade *(Capítulos 10 e 11):*

Os OKRs são conduzidos por dados. Eles são ativados por check-ins periódicos, uma classificação objetiva e uma reavaliação contínua — tudo feito em um espírito de responsabilidade e sem julgamento. Um resultado-chave em perigo dispara ações para recuperá-lo, seja para revisá-lo ou substituí-lo, se necessário.

Superpoder nº 4 — Busque o surpreendente *(Capítulos 12, 13 e 14):*

Os OKRs nos motivam a fazer mais do que pensávamos ser possível. Ao testar nossos limites e garantir a liberdade de fracassar, eles libertam nossas capacidades mais criativas e ambiciosas.

A Parte Dois abrange as aplicações e as implicações dos OKRs para o novo mundo do trabalho:

CFRs *(Capítulos 15 e 16):*
As falhas das avaliações anuais de desempenho trouxeram à tona uma alternativa robusta: o gerenciamento contínuo do desempenho. Vou apresentar o irmão mais novo dos OKRs, o CFR (Conversa, *F*eedback, *R*econhecimento) e mostrar como os OKRs e CFRs podem se unir para elevar líderes, colaboradores e organizações a um nível totalmente novo.

Melhoria contínua *(Capítulo 17):*
Como um estudo de caso para estabelecimento de metas estruturadas e gerenciamento de desempenho contínuo, veremos como uma pizzaria movida à robótica implantará os OKRs em todos os aspectos de suas operações, desde a cozinha até o marketing e as vendas.

A importância da cultura *(Capítulos 18, 19 e 20):*
Aqui vamos explorar o impacto dos OKRs no local de trabalho e como eles facilitam e agilizam a mudança da cultura.

Ao longo de nossa jornada, vamos nos encontrar nos bastidores para observar os OKRs e CFRs em uma dúzia de organizações muito diferentes, desde a campanha ONE de Bono Vox, na África, até o YouTube e sua busca por um crescimento de 10x. Todas essas histórias demonstram o alcance e o potencial do estabelecimento de metas estruturadas e do gerenciamento contínuo do desempenho, e como eles estão transformando a maneira como trabalhamos.

2

O Pai dos OKRs

Há tantas pessoas que trabalham tanto
e conseguem tão pouco.
— *Andy Grove*

Tudo começou com uma ex-namorada que eu estava tentando reconquistar. Ann havia me dispensado e estava trabalhando no Vale do Silício, mas eu não sabia onde. Era o verão de 1975, entre os semestres da Harvard Business School. Dirigi por Yosemite e cheguei ao Vale sem trabalho, nem lugar para morar. Embora meu futuro fosse incerto, eu conseguia programar computadores.* Enquanto obtinha meu mestrado em engenharia elétrica na Rice University, eu cofundara uma empresa onde escrevíamos software gráfico para a Burroughs, um dos "sete anões" que lutavam com a IBM por participação de mercado. Eu amava cada minuto daquilo.

Esperava conseguir um estágio em uma das empresas de capital de risco do Vale, mas todas me rejeitavam. Uma delas sugeriu que eu tentasse a sorte em uma empresa de chips que eles financiavam em Santa Clara: um lugar chamado Intel. Entrei em contato com a pessoa de mais alto escalão da Intel que consegui: Bill Davidow. Ele comandava a divisão de microcomputadores. Quando Bill soube que eu conseguia escrever *benchmarks*, me convidou para uma reunião.

A sede de Santa Clara era uma extensão aberta de cubículos de paredes baixas, o que ainda não era um design clichê. Depois de uma breve conversa, Bill

* Aprendi no PDP-11, o minicomputador escolhido pelos entusiastas.

me indicou para seu gerente de marketing, Jim Lally, que fez o mesmo para os outros na linha sucessória. Às 17h, eu havia descolado um estágio no modelo em crescimento das empresas de tecnologia. Como tenho sorte, encontrei minha ex-namorada trabalhando lá também, bem no fim do corredor. Ela não ficou feliz ao me ver (porém, lá pelo Dia do Trabalho, Ann e eu estaríamos juntos novamente).

No meio da orientação, Bill me chamou em um canto e disse: "John, vamos deixar clara uma coisa. Há um cara liderando as operações aqui, e ele é Andy Grove." Grove tinha o título de vice-presidente executivo; ele esperaria mais 12 anos para suceder Gordon Moore como CEO. Porém, Andy era o comunicador da Intel, seu operador por excelência, seu capataz-chefe. Todos sabiam que ele estava no comando.

Por pedigree, Grove era o membro menos provável da Intel Trinity, que dirigiu a empresa por três décadas. Gordon Moore era um pensador profundo, tímido e reverenciado, o autor da lei de mesmo nome que sustenta a escala exponencial da tecnologia: o poder de processamento do computador dobra a cada dois anos. Robert Noyce, coinventor do circuito integrado (também conhecido como microchip), era o carismático Sr. Fora da Caixinha, o embaixador do setor, seja em casa, em uma audiência do Congresso ou pagando uma rodada de bebidas no Wagon Wheel. (A galera dos semicondutores era bem festeira.)

E depois havia András István Gróf, um refugiado húngaro que escapou por pouco dos nazistas e chegou aos Estados Unidos com 20 anos, sem dinheiro, pouco inglês e uma severa perda auditiva. Ele era um homem atarracado e compacto, com cabelos crespos e uma condução maníaca. Por pura força de vontade e inteligência, chegou ao topo da organização mais admirada no Vale do Silício e a levou a um sucesso fenomenal. Durante o período de 11 anos de Grove como CEO, a Intel daria um retorno de mais de 40% ao ano a seus acionistas, par a par com o arco da Lei de Moore.

A Intel era o laboratório de Grove para inovação em gerenciamento. Ele adorava ensinar e a empresa colheu os benefícios.* Alguns dias depois de ser contratado, recebi um cobiçado convite para o curso de Organização, Filosofia

* Assim como a Universidade de Stanford, onde ele dava 100 horas de vida a cada ano a 60 alunos de pós-graduação na área de negócios.

e Economia da Intel, conhecido como iOPEC. Basicamente, era um seminário sobre estratégia e operações da Intel. Professor residente: Dr. Andy Grove.

Andy Grove, em 1983.

No período de uma hora, Grove traçou a história da empresa, ano após ano. Ele resumiu os principais objetivos da Intel: uma margem de lucro duas vezes maior do que a norma da indústria, liderança de mercado em qualquer linha de produto na qual ingressasse, criação de "cargos desafiadores" e "oportunidades de crescimento" para os funcionários.* É justo, pensei, embora tenha ouvido coisas semelhantes na escola de negócios.

Então, ele disse algo que me deixou uma impressão duradoura. Contou-nos sobre sua empresa anterior, a Fairchild, onde conheceu Noyce e Moore e seguiu

* Um vídeo do seminário de Grove pode ser encontrado em www.whatmatters.com/grove (em inglês).

abrindo caminho na pesquisa de wafers de silício. Fairchild era o suprassumo da indústria, mas tinha uma grande falha: a falta de "orientação para realização".

"A expertise era muito valorizada por lá", explicava Andy. "É por isso que as pessoas eram contratadas e é por isso que eram promovidas. Sua eficácia em traduzir esse conhecimento em resultados reais era descartável." Na Intel, continuou, "temos a tendência de fazer exatamente o oposto. Quase não importa o que você sabe. Tendemos a valorizar aqui o que se pode fazer com o que você sabe ou pode alcançar e realmente realizar." Daí vinha o slogan da empresa: "*Intel delivers*" ("A Intel entrega", em tradução livre).

Quase não importa o que você sabe...

A afirmação de que conhecimento era secundário e que a execução importava, bem, eu não aprenderia *isso* em Harvard. Achei a proposta emocionante; uma afirmação do mundo real sobre realizações acima das credenciais. Porém, Grove não havia terminado e o melhor ficou para o final. Ao longo dos minutos finais, ele delineou um sistema que começou a instalar em 1971, quando a Intel tinha três anos de idade. Foi minha primeira exposição à arte de estabelecer metas formais. Fiquei hipnotizado.

Alguns trechos sem retoques, diretamente do pai dos OKRs:*

> Agora, as duas expressões fundamentais... são os objetivos e o resultado-chave. Eles correspondem a dois propósitos. O objetivo é a direção: "Queremos dominar a área de componentes de microcomputadores de médio porte." Esse é um objetivo. O lugar aonde estamos indo. Resultados-chave para este trimestre: "Realizamos dez novos projetos para o 8085" é um exemplo de resultado-chave. É um marco. Os dois não são a mesma coisa...
>
> O resultado-chave deve ser mensurável. Ao final, você deve olhar para ele sem hesitar: Realizei-o ou não? Sim? Não? Simples. Sem julgamentos.
>
> Então, dominamos o negócio de microcomputadores de médio porte? Podemos discutir isso pelos próximos anos, mas no próximo trimestre saberemos se realizamos dez novos projetos ou não.

* Imagine um leve sotaque húngaro, que Grove nunca perdeu.

Ele era um "sistema muito, muito simples", conta Grove, sabendo que a simplicidade era uma atração irresistível para uma plateia de engenheiros. De cara, era possível ver que a concepção parecia lógica, sensata e inspiradora. Ao contrário da ortodoxia obsoleta da administração do período, Grove havia criado algo novo e original. De forma mais clara, entretanto, seus "objetivos e resultados-chave" não surgiram do nada. O processo teve um precursor. Ao mapear o caminho, Grove seguiu o rastro de um monstro lendário nascido em Viena, o primeiro grande pensador "moderno" da gestão de negócios: Peter Drucker.

Nossos Antepassados da APO

Os antepassados do início do século XX da teoria gerencial, notadamente Frederick Winslow Taylor e Henry Ford, foram os primeiros a medir a produção sistematicamente e a analisar como obter mais dela. Eles sustentavam que a organização mais eficiente e lucrativa seria a autoritária.* A administração científica, escreveu Taylor, consiste em "saber exatamente o que você quer que as pessoas façam e depois ver se elas o fazem da maneira melhor e mais barata". Os resultados, conforme sinalizou Grove, eram "nítidos e hierárquicos: havia aqueles que davam ordens e aqueles que recebiam ordens e as executavam sem questionar".

Meio século depois, o professor, jornalista e historiador Peter Drucker lançou uma bola de demolição no modelo de Taylor-Ford. Ele concebeu um novo ideal de gestão, mais humanizado, embora orientado por resultados. Uma empresa, ele escreveu, deveria ser uma comunidade "construída sobre confiança e respeito pelos trabalhadores, e não apenas uma máquina de produzir lucro". Além disso, ele pediu que os subordinados fossem consultados sobre os objetivos da empresa. Em vez do tradicional gerenciamento de crises, ele propôs um equilíbrio entre o planejamento de longo e de curto prazo, informados por dados e enriquecidos por conversas regulares entre os colegas.

* Um modelo mais progressista, em grande parte ignorado na época, foi promovido por uma assistente social de Massachusetts chamada Mary Parker Follett. Em seu ensaio "The Giving of Orders" (1926), Follett propunha que o compartilhamento de poder e a tomada de decisões colaborativas entre gerentes e funcionários levavam a melhores soluções nos negócios. Onde Taylor e Ford enxergavam hierarquia, Follett enxergava redes.

Drucker pretendia mapear "um princípio de gestão capaz de dar um amplo escopo à força e às responsabilidades dos indivíduos e que, ao mesmo tempo, proporcionasse direcionamento de visão e esforço em comum, estabelecesse o trabalho em equipe e harmonizasse as metas do indivíduo com o bem comum". Ele discerniu uma verdade básica da natureza humana: quando as pessoas ajudam a escolher um curso de ação, elas são mais propensas a seguir por este caminho. Em 1954, em seu livro de referência *A Prática da Administração de Empresas*, Drucker chamou esse princípio de "administração por objetivos e autocontrole". Ele se tornara a base de Andy Grove e a gênese do que hoje chamamos de OKR.

Na década de 60, a administração por objetivos, ou APO, como o processo era mais conhecido, foi adotada por várias empresas inovadoras. A mais relevante foi a Hewlett-Packard, pois esta administração era parte do célebre "*HP Way*" ("Jeito HP", em tradução livre). Como essas empresas treinavam sua atenção em um punhado de prioridades principais, os resultados eram impressionantes. Em uma metanálise de 70 estudos, o alto comprometimento com as APOs levou a ganhos de produtividade de 56%, contra 6% de quando o comprometimento era baixo.

Em algum momento, porém, as limitações das APOs alcançavam essas empresas. Em muitas delas, as metas eram planejadas de forma central e lenta e desaguavam na hierarquia. Em outras, as metas ficavam estagnadas por falta de atualização frequente, ficavam presas, obscurecidas e limitadas, ou eram reduzidas a indicadores-chave de desempenho (KPIs), números sem alma ou contexto. E o mais letal de tudo era quando as APOs normalmente se vinculavam a salários e bônus. Se assumir riscos poderia trazer penalizações, por que as pessoas se arriscariam? Na década de 1990, o sistema saiu da moda. Até mesmo Drucker azedou. As APOs, disse ele, eram "apenas mais uma ferramenta" e "não a grande cura para a ineficiência da administração".

Medição de Resultados

O salto quântico de Andy Grove foi aplicar os princípios da produção industrial às profissões "soft" nos níveis administrativo, profissional e gerencial. Ele procurou "criar um ambiente que valorize e enfatize o resultado" e evitar o que Drucker chamou de "armadilha da atividade": "Trazer o enfoque ao resultado é fundamental para o aumento da produtividade, enquanto procurar aumentar a atividade pode resultar exatamente no oposto." Em uma linha de montagem, é fácil distinguir o resultado da atividade. Isso fica mais complicado quando os funcionários são pagos para pensar. Grove tinha dois enigmas em mãos para decifrar: como podemos definir e medir o resultado dos trabalhadores do conhecimento? E o que pode ser feito para aumentar este resultado?

Grove era um gerente científico. Ele leu de tudo nos campos emergentes da ciência comportamental e da psicologia cognitiva. Embora as teorias mais recentes oferecessem "uma maneira mais agradável de fazer as pessoas trabalharem" do que no auge de Henry Ford, os experimentos universitários controlados "simplesmente não mostravam que um estilo de liderança era melhor do que outro. Foi difícil escapar da conclusão de que não existia um estilo de gerenciamento ideal". Na Intel, Andy recrutava os "introvertidos agressivos" à sua própria imagem, ou seja, pessoas que resolviam problemas de forma rápida, objetiva, sistemática e permanente. Ao seguir a liderança de Grove, esses funcionários eram hábeis em confrontar um problema sem atacar o outro. Eles deixavam a política de lado para tomar decisões mais rápidas, mais sólidas e mais coletivas.

A Intel dependia de sistemas em todas as facetas de suas operações. Para deixar a marca de sua dívida com Drucker, Grove chamou o seu sistema de definição de metas de "APOI". Era a Administração por Objetivos da Intel. Na prática, no entanto, era muito diferente da APO clássica. Grove raramente mencionava objetivos sem vinculá-los a "resultados-chave", um termo que ele mesmo parece ter inventado. Para evitar confusão, vou me referir à abordagem de Grove como "OKRs", a sigla que montei com base no léxico do mestre. Em quase todos os aspectos, o novo método negava o antigo:

APOs versus OKRs

APOs	OKRs da Intel
"O quê"	"O quê" e "como"
Anual	Trimestral ou mensal
Privado e limitado	Público e transparente
De cima para baixo	De baixo para cima ou lateral (~50%)
Vinculado à remuneração	Principalmente separado da remuneração
Avesso ao risco	Agressivo e determinado

Em 1975, quando cheguei à Intel, o sistema OKR de Grove estava em pleno funcionamento. Todo trabalhador do conhecimento na empresa já havia formulado os objetivos individuais mensais e os resultados-chave. Poucos dias depois do seminário do iOPEC, meu supervisor me orientou a fazer o mesmo. Fui delegado a trabalhar escrevendo *benchmarks* para o 8080, a mais recente entrada da Intel no mercado de microprocessadores de 8 bits, no qual a empresa reinava de forma suprema. Meu objetivo era mostrar como nosso chip era mais rápido e geralmente vencia a concorrência.

Meus OKRs da Intel estão praticamente perdidos nas areias do tempo, mas nunca esquecerei a essência do primeiro que criei:

OBJETIVO

Demonstrar o desempenho superior do 8080 em comparação ao Motorola 6800.

RESULTADOS-CHAVE

(MEDIDOS POR...)

1. **Entregar cinco benchmarks.**
2. **Desenvolver uma demonstração.**
3. **Desenvolver os materiais de treinamento em vendas para equipe de campo.**
4. **Ligar para três clientes a fim de provar que o material funciona.**

A Força Vital da Intel

Eu me lembro de digitar esse OKR em uma máquina de escrever IBM Selectric. A primeira impressora a laser comercial seria lançada no próximo ano. Então, postei uma cópia impressa no meu quadro para que as pessoas a olhassem enquanto passavam. Nunca havia trabalhado em um lugar no qual você escrevia suas metas, muito menos no qual você poderia ver todas as metas dos outros, até as metas do CEO. Achei isso iluminador como um farol. Além disso, era libertador também. Quando as pessoas me procuraram no meio do trimestre com pedidos de elaboração de novas fichas técnicas, sentia que podia dizer não sem medo da repercussão. Meus OKRs me apoiavam. Eles deixavam claras minhas prioridades para todos verem.

Ao longo da era Andy Grove, os OKRs eram a força vital da Intel. Eles permaneciam na frente e no centro em reuniões semanais, reuniões de equipe quinzenais, revisões de divisões mensais e trimestrais. Foi assim que a Intel gerenciou dezenas de milhares de pessoas na marcação de um milhão de linhas de silício ou de cobre, com a precisão de um milionésimo de metro. A fabricação de semicondutores é um negócio difícil. Sem rigor, nada funciona; rendimentos despencam, chips falham. Os OKRs eram lembretes constantes do que nossas equipes precisavam estar fazendo. Eles nos diziam exatamente o que estávamos conquistando ou não.

Além de escrever meus *benchmarks*, treinei a equipe de vendas nacionais da Intel. Semanas se passaram. Grove ficou sabendo que a pessoa mais experiente do 8080 era um estagiário de 24 anos. Um dia, ele me chamou e disse: "Doerr, venha para a Europa comigo". Para um garoto inexperiente, foi um convite inebriante. Juntei-me a Grove e sua esposa, Eva, em uma viagem a Paris, Londres e Munique. Treinamos a equipe de vendas europeia, convocamos três grandes clientes em potencial e ganhamos duas contas. Contribuí com o que pude. Jantamos nos melhores restaurantes, onde Grove conhecia a lista de vinhos. Ele gostava de mim; eu me sentia impressionado com a presença dele. Era um homem que vivia a vida de forma intensa.

De volta à Califórnia, Andy mandou Bill Davidow escrever uma carta para confirmar que eu teria um emprego esperando no ano seguinte. Aquele verão foi um período alucinante de educação, que me abriu os olhos a ponto de quase abandonar Harvard. Achei que poderia aprender mais sobre negócios permanecendo na Intel. Eu me comprometi a voltar a Massachusetts, trabalhando em tempo parcial na conta da empresa com a Digital Equipment Corporation. Nesse trabalho, eu ajudava a trazer a Digital para a era do microprocessador. Terminei meu último semestre, voltei para Santa Clara e fiquei na Intel pelos próximos quatro anos.

Andy Grove: O OKR Encarnado

Em meados da década de 1970, ocorreu o nascimento da indústria de computadores pessoais. Era uma época repleta de ideias inovadoras e empreendedores iniciantes. Eu ainda era peixe pequeno; somente um gerente de produto no primeiro ano. Só que Grove e eu nos dávamos bem. Em um dia de primavera, fiz a ele um convite e o levei até a primeira feira de computadores da Costa Leste, em uma multiarena em São Francisco, o Civic Auditorium. Encontramos um ex-executivo da Intel apresentando o Apple II. Ele era o que se tinha de mais moderno em termos de exibição gráfica. Eu disse: "Andy, nós já temos o sistema operacional. Nós fazemos o microchip. Temos os compiladores, licenciamos o BASIC. A Intel deveria começar a produzir um computador pessoal". No entanto, enquanto caminhávamos pelos corredores, entre vendedores ambulantes vendendo sacos de batatas chips e peças, Grove deu uma boa olhada e disse: "Ah, esses caras fazem isso por hobby. Não vamos entrar nesse negócio". Meu grande sonho foi esmagado. A Intel nunca entrou no mercado de PCs.

Embora não demonstrasse, Grove conseguia ser um líder compassivo. Quando via a falha de um gestor, tentava encontrar outro papel, talvez em um nível mais baixo, em que a pessoa poderia ter sucesso e recuperar alguma posição e respeito. Andy, por natureza, era um solucionador de problemas.

Como observou um historiador da Intel, ele "parecia saber exatamente *aquilo* que queria e *como* alcançá-lo".* Era uma espécie de OKR ambulante.

A Intel nasceu na era dos Movimentos de Liberdade de Expressão, em Berkeley, e entre os filhos do movimento hippie de Haight-Ashbury. A pontualidade estava fora de moda entre os jovens, até mesmo entre os jovens engenheiros, e a empresa achava difícil conseguir novas contratações para um trabalho em horário regular. A solução de Grove era colocar uma ficha de controle na recepção para registrar alguém que estivesse chegando depois das 8h05. Nós a chamávamos de "Lista de Atrasados do Andy". Grove recolhia a ficha todas as manhãs às 9h em ponto (naquelas manhãs, quando eu estava atrasado, tentava burlar o sistema sentando-me no estacionamento até cinco minutos depois das nove). Ninguém sabia de ninguém que fora sinalizado a respeito dos atrasos. Mesmo assim, a lista mostrava a importância da autodisciplina em um negócio sem margem para erros.

Grove era duro com todos, principalmente com ele mesmo. Um homem orgulhoso que se fez por si só, ele bem que poderia ser arrogante. Não gostava de estar no meio de gente idiota, de reuniões sinuosas ou propostas malformadas (ele mantinha um conjunto de carimbos em sua mesa, incluindo um escrito "bobagem"). A melhor maneira de resolver um problema de gestão, acreditava ele, era através do "confronto criativo", que definia como encarar pessoas "de forma direta, objetiva e sem rodeios".†

Apesar do temperamento forte de Andy, ele era realista e acessível, aberto a qualquer boa ideia. Como contou uma vez ao *The New York Times*, os gerentes da Intel "deixam as patentes do lado de fora da sala quando entram em uma reunião". Cada grande decisão, ele acreditava, deveria começar com um "estágio de discussão livre... um processo inerentemente igualitário". A maneira de obter o respeito dele era discordar, sustentar a própria posição e, de forma ideal, mostrar-se certo no final.

Depois de passar 18 meses como gerente de produto, Jim Lally, então diretor de marketing de sistemas e meu grande mentor e herói, me disse: "Doerr,

* Ênfase nossa.

† Podemos ver a influência de Grove sobre Steve Jobs, com quem ele teve uma relação muito próxima e complicada.

se você quiser ser um bom gerente-geral algum dia, precisa sair em campo, vender, ser rejeitado e aprender a atender a uma cota. Você pode ter toda a expertise técnica do mundo, mas só terá êxito ou fracassará nesse negócio a depender dos números gerados pela sua equipe."

Escolhi Chicago. Em 1978, depois que Ann e eu nos casamos, tornei-me representante técnico de vendas da região do Centro-Oeste dos EUA. Foi o melhor trabalho que já tive. Eu adorava ajudar nossos clientes a produzir uma máquina de diálise melhor ou um controlador de semáforos. Adorava vender os microprocessadores Intel, o cérebro do computador, e era muito bom nisso. (Vim ao mundo com esse talento de forma honesta; meu pai, Lou Doerr, era um engenheiro mecânico que amava as pessoas e adorava lhes vender coisas.) Já que escrevi todos os *benchmarks*, conhecia a programação de base. Minha cota de vendas naquele primeiro ano foi o valor intimidante de US$1 milhão, mas eu a superei.

Depois de Chicago, voltei a Santa Clara como gerente de marketing. De repente, tive que contratar uma equipe pequena, orientar o trabalho do meu pessoal e medi-lo em relação às expectativas. Meu conjunto de habilidades foi expandido, e foi aí que comecei a apreciar mais completamente o sistema de estabelecimento de metas de Grove. Com um gerente da Intel me capacitando durante o processo, desenvolvi mais disciplina, mais constância. Confiava nos OKRs para me comunicar com clareza e ajudar minha equipe a realizar nosso trabalho mais importante. Nada disso veio naturalmente. Foi um segundo nível, mais profundo, de objetivos de aprendizado e resultados-chave.

Em 1980, surgiu uma oportunidade na Kleiner Perkins para alavancar minha formação técnica no trabalho junto a novas empresas. Andy não conseguia conceber por que eu gostaria de deixar a Intel. (Ele mesmo colocou a empresa à frente de tudo, com a possível exceção de seus netos.) Tinha uma habilidade incrível de enfiar a mão em seu peito, pegar seu coração, puxá-lo para fora e segurá-lo à sua frente. A essa altura, ele era o presidente da empresa e disse: "Ah, pelo amor de Deus, Doerr, você não quer ser gerente-geral e ter uma participação de lucros de verdade? Vou deixar você administrar a divisão de software da Intel." Era um negócio inexistente, mas poderia ter sido criado. Então, ele adicionou um extra: "John, capital de risco, isso não é um trabalho de verdade. É como ser um agente imobiliário."

O Legado de Andy Grove

Quando Grove morreu aos 79 anos, após anos de sofrimento estoico com a doença de Parkinson, o *The New York Times* o chamou de "uma das personalidades mais aclamadas e influentes da era da computação e da internet". Ele não era um teórico imortal como Gordon Moore, ou uma figura pública icônica como Bob Noyce. Nem publicou o suficiente para descansar ao lado de Peter Drucker no panteão da filosofia da administração. No entanto, Grove mudou a maneira como vivemos. Em 1997, três décadas depois de seus experimentos na Fairchild, ele foi nomeado o Homem do Ano da revista *Time*, "o principal responsável pelo incrível crescimento do poder e do potencial inovador dos microchips". Andy Grove era um híbrido raro, um tecnólogo supremo e o maior executivo-chefe de sua época. Ele faz muita falta.

A Higiene Básica do Dr. Grove para os OKRs

A essência de uma cultura OKR saudável, composta de honestidade intelectual implacável, desconsideração ao interesse individual, profunda lealdade à equipe, fluía da fibra do ser de Andy Grove. No entanto, foi a abordagem prática de Grove e sua mentalidade de engenheiro que fez o sistema funcionar. Os OKRs são seu legado, sua prática de gestão mais valiosa e duradoura. Aqui estão algumas lições que aprendi na Intel com o mestre e com Jim Lally, o discípulo de Andy e meu mentor:

Menos é mais. "Alguns poucos objetivos extremamente bem escolhidos", escreveu Grove, "transmitem uma mensagem clara ao que dizemos 'sim' e ao que dizemos 'não'". Um limite de três a cinco OKRs por ciclo leva empresas, equipes e indivíduos a escolherem o que mais importa. Em geral, cada objetivo deve estar vinculado a, no máximo, cinco resultados-chave (consulte o Capítulo 4, "Superpoder nº 1: Foco e compromisso com as prioridades").

Defina metas de baixo para cima. Para promover o engajamento, as equipes e os indivíduos devem ser incentivados a criar aproximadamente metade de seus próprios OKRs, em consulta com os gerentes. Quando todas as metas são estabelecidas de cima para baixo, há uma corrosão na motivação (consulte o Capítulo 7, "Superpoder nº 2: Alinhamento e conexão em prol do trabalho em equipe").

Sem imposições. Os OKRs são um contrato social cooperativo para estabelecer prioridades e definir como o progresso será medido. Mesmo depois de os objetivos da empresa estarem fechados ao debate, seus resultados-chave continuam sendo negociados. O compromisso coletivo é essencial para o alcance máximo das metas (consulte o Capítulo 7, "Superpoder nº 2: Alinhamento e conexão em prol do trabalho em equipe").

Seja flexível. Se o clima mudou e um objetivo não parece mais prático ou relevante, os resultados-chave podem ser modificados ou mesmo descartados no meio do ciclo (consulte o Capítulo 10, "Superpoder nº 3: O acompanhamento da responsabilidade").

Ouse falhar. "A produção tenderá a ser maior", escreveu Grove, "quando todos lutarem por um nível de conquista além de seu alcance imediato... Essa definição de metas é extremamente importante se o que você quer é o desempenho máximo de si mesmo e de seus subordinados". Embora certos objetivos operacionais devam ser cumpridos na íntegra, os OKRs determinados devem ser desconfortáveis e possivelmente inatingíveis. "Metas excepcionais", como Grove as chamou, levam as organizações a novos patamares (consulte o Capítulo 12, "Superpoder nº 4: O esforço pelo surpreendente").

Uma ferramenta, não uma arma. O sistema OKR, Grove escreveu, "tem o objetivo de acompanhar uma pessoa a fim de colocar um cronômetro na mão dela, para que assim ela possa avaliar seu próprio desempenho. Não é um documento jurídico sobre o qual uma análise de desempenho deve se basear". Para incentivar a tomada de riscos e evitar o tratamento injusto, os OKRs e os bônus devem ser mantidos separados (consulte o Capítulo 15, "Gerenciamento contínuo de desempenho: OKRs e CFRs").

Seja paciente; seja resoluto. Todo processo exige tentativa e erro. Como Grove contava aos seus alunos no iOPEC, a Intel "tropeçou muitas vezes" depois de adotar os OKRs: "Nós não entendíamos por completo o principal propósito disso. E estamos ficando melhores com o passar do tempo." Uma organização pode precisar de até quatro ou cinco ciclos trimestrais para adotar completamente o sistema, e até mais do que isso para desenvolver uma estrutura de base resistente e madura.

3

Operação Crush: Uma história da Intel

Bill Davidow

Ex-vice-presidente,

Divisão de Sistemas para Microcomputadores

Operação Crush: a luta pela sobrevivência de uma jovem Intel Corporation é o tema de nossa primeira longa história sobre os OKRs. Os quatro superpoderes dos OKRs funcionam mais ou menos como quando você tenta conquistar o seu crush: com foco, alinhamento, acompanhamento e esforço. Acima de tudo, mostra como esse sistema para estabelecimento de metas pode mover vários departamentos e milhares de indivíduos em direção a um objetivo comum.

Quase ao final do meu período na Intel, a empresa enfrentou uma ameaça existencial. Liderada por Andy Grove, a alta gerência reinicializou as prioridades da empresa em quatro semanas. Os OKRs permitiram que a Intel executasse seu plano de batalha com clareza, precisão e grande velocidade. Toda a força de trabalho havia mudado de foco para se concentrar em um objetivo prodigioso.

Em 1971, o engenheiro da Intel, Ted Hoff, inventou o microprocessador original, o multicomputador "computer-on-a-chip". Em 1975, Bill Gates e Paul Allen programaram a terceira geração do Intel 8080 e lançaram a revolução do computador pessoal. Em 1978, a Intel desenvolveu o primeiro microprocessador de 16 bits de alto desempenho, o 8086, que encontrava um mercado pronto. Logo em seguida, porém, foi atropelado por dois chips que eram mais rápidos e fáceis de programar, o 68000 da Motorola e o Z8000 da Zilog.

No final de novembro de 1979, um gerente de vendas do distrito, chamado Don Buckout, enviou um telex desesperado de oito páginas. O chefe de Buckout, Casey Powell, enviou a mensagem para Andy Grove, então presidente e diretor de operações da Intel. O comunicado desencadeou um incêndio de proporções alarmantes, juntamente com uma cruzada corporativa. Em uma semana, a equipe executiva se reuniu para encarar a notícia ruim. Uma semana depois, uma força-tarefa se reuniu para mapear uma contraofensiva da Intel. Todos concordavam que a Zilog não era uma ameaça séria. No entanto, a Motorola, uma gigante do setor e marca internacional, representava um perigo claro e presente. Jim Lally dava o tom dos tambores da guerra:

> "Há apenas uma empresa concorrendo conosco e ela é a Motorola. O 68000 é o concorrente. Temos que matar a Motorola, esse é o nome do jogo. Temos que esmagar esses malditos. Vamos passar o rolo compressor sobre a Motorola e garantir que eles não voltem."

Esse se tornou o grito de guerra da Operação Crush:* a campanha para restituir à Intel seu lugar como líder de mercado. Em janeiro de 1980, armados com vídeos de Andy Grove para persuadir as tropas, as equipes da Operação Crush foram despachadas para os departamentos de campo em todo o mundo. No segundo trimestre, os vendedores da Intel haviam implementado totalmente a nova estratégia. No terceiro trimestre, estavam perto de alcançar um dos objetivos mais ousados da história da tecnologia: dois mil "projetos vencedores", os contratos cruciais para os clientes colocarem o 8086 em seus aparelhos e dispositivos. No final daquele ano, derrotaram o inimigo e conquistaram uma vitória retumbante.

Nenhum produto da Intel foi modificado para a Operação Crush. Grove e sua equipe executiva, no entanto, alteraram os mecanismos de engajamento.

* A operação foi nomeada com base no apelido "Orange Crush", popularmente dado à defesa estratégica de um time de futebol americano, o Denver Broncos, no final dos anos 1970.

Eles renovaram a área de marketing para atuar nos pontos fortes da empresa. Direcionaram os clientes para visualizar o valor dos sistemas e dos serviços no longo prazo versus a facilidade de uso no curto prazo. Eles pararam de vender para programadores e começaram a vender para CEOs.

Grove "voluntariou" Bill Davidow, chefe da divisão de sistemas de microcomputadores da Intel, para liderar a operação. Ao longo de sua longa carreira como engenheiro, executivo da indústria, especialista em marketing, investidor de capital de risco, pensador e autor, Bill realizou muitas contribuições duradouras. Porém, uma em particular é especial para mim. Bill tatuou a expressão "conforme a medição dos" (ou C.A.M.D.) nos tecidos conjuntivos mais profundos dos OKRs da Intel. Por exemplo, "alcançaremos um determinado OBJETIVO *conforme a medição dos* seguintes RESULTADOS-CHAVE...". O C.A.M.D. de Bill tornou explícito o implícito, para todos.

No ano de 2013, em um painel de discussão organizado pelo Museu da História do Computador, os veteranos da Operação Crush lembraram a importância do estabelecimento de metas estruturadas na Intel, e como os objetivos e os resultados-chave eram usados "nas trincheiras da guerra". Os OKRs para a Operação Crush, mostrados na página 42, eram clássicos: com limite de tempo, sem ambiguidade e todos com as expressões "*o quê*" e "*como*". E o melhor de tudo: eles funcionavam.

Jim Lally me disse uma vez: "Eu estava desconfiado em relação aos objetivos e resultados-chave até que Grove se sentou comigo e me explicou o porquê da sua importância. Se, por exemplo, pedirmos a um determinado grupo de pessoas para marcharem até o centro da Europa, e algumas começarem a marchar para a França, algumas para a Alemanha, e outras para a Itália, isso não vai ser bom. Especialmente se você quiser que todas cheguem à Suíça. Quando vetores apontam para direções diferentes, sua soma é zero. Porém, se conseguir que todos apontem na mesma direção, você maximiza os resultados. Essa foi a base que Grove me deu, e então me disse que eu tinha que ensiná-la."

Conforme Bill Davidow nos relembra em seguida, os OKRs foram a arma secreta de Grove na Operação Crush. Eles ativaram o turbo de uma organização grande e multifacetada, sendo impulsionada com uma agilidade surpreendente.

Contra uma Intel unificada e orientada por objetivos, a Motorola nunca teria chance.

Bill Davidow: O sistema de resultados-chave foi o jeito de Andy Grove para moldar comportamentos. Andy tinha um compromisso único de tornar a Intel excelente. Ele desencorajava as pessoas de serem membros de diretoria de outras empresas externas; a Intel deveria ser parte da vida dos indivíduos. Seus objetivos e resultados-chave consolidavam esse compromisso.

Quando alguém está na alta administração, está na posição de ensinar. Era isso o que Andy fazia. Os objetivos e resultados-chave foram incorporados ao sistema de gerenciamento da Intel, mas eles também eram uma filosofia, um sistema referencial de ensino. Todos aprendíamos que tudo fica melhor com as medições.

Nossas metas de alto nível eram expressas com Andy, em nossas reuniões da equipe executiva. Sentávamos ao redor da mesa e decidíamos: "É isso assim e assado". Como um gerente de divisão, adotei os resultados-chave relevantes da empresa como meus objetivos. Eu os trazia para minha equipe executiva e passávamos a semana seguinte conversando sobre o que faríamos naquele trimestre.

Andy dizia algo que tornava o sistema muito forte: "Isso é o que a empresa toda vai fazer". Nesse sentido, todo mundo fazia de tudo para apoiar esses esforços. Fazíamos parte de uma equipe vencedora e queríamos continuar vencendo.

Andy Grove e Bill Davidow na sede da Intel, em 1980.

Nos cargos mais baixos da hierarquia, os objetivos e os resultados-chave das pessoas podiam abranger cerca de 100% da produção. No entanto, os gerentes tinham responsabilidades adicionais no dia a dia. Se o objetivo for cultivar uma linda roseira, por exemplo, eu sei, sem precisar perguntar a ninguém, que a grama precisa estar cuidada. Duvido que eu já tenha estabelecido um resultado-chave que dizia: "Ande por aí para botar moral sobre os funcionários". Registrávamos aquilo que precisava de ênfase especial.

A Urgência da Intel

Em dezembro de 1979, fui a uma reunião da equipe executiva de Andy Grove, cheio de reclamações. Eu achava que a equipe de microprocessadores poderia fazer um trabalho melhor, desenvolvendo mais e mais projetos para o 8086.

Queria incitar as pessoas para a luta e para que acreditassem em si mesmas novamente. Então Andy veio a mim e disse: "Resolva o problema." A Operação Crush se tornou minha função.

O 8086 não trazia tanta receita por si só, mas teve um amplo efeito cascata. Minha divisão vendia suportes para projetos, sistemas para desenvolvimento de software, voltados para sistemas que usavam os microprocessadores da Intel. Embora estivéssemos crescendo de maneira insana, ainda dependíamos de que os clientes escolhessem o microchip da Intel para seus produtos. Assim que a Intel invadisse o mercado com o 8086, teríamos o EPROM (chip de memória, somente leitura e programável, criado pela Intel em 1971), além dos contratos para chips de periféricos e controladores. No total, eles podiam valer dez vezes a venda original. No entanto, se o 8086 desaparecesse, meu negócio de sistemas também desapareceria.

Então as apostas eram altas. Depois de consolidar sua reputação como fornecedor de chips de memória, a Intel estava acuada. Recentemente, havíamos perdido a liderança das DRAM (tipo mais utilizado e econômico de memórias de computador) para uma startup e não conseguiríamos recuperar nosso posto. As empresas japonesas estavam prestes a invadir nossa praia no lucrativo mercado de EPROMs. Os microprocessadores eram a melhor esperança da Intel para o futuro, e tínhamos que voltar ao topo. Ainda me lembro do primeiro slide de uma apresentação inicial:

Crush, o propósito: estabelecer uma sensação de urgência e colocar em prática decisões e planos de ação necessários, de âmbito corporativo, a fim de lidar com um desafio competitivo e fundamental na vida das pessoas.

Nossa força-tarefa se reuniu em uma terça-feira, dia 4 de dezembro. Nos encontramos por três dias seguidos, muitas horas por dia. Era um desafio intelectual, como a resolução de um enorme quebra-cabeça. Não havia tempo para reconstruir o 8086, então passamos a maior parte do tempo imaginando o que tínhamos para vender e como recuperar uma vantagem competitiva sobre a Motorola.

Imaginei que poderíamos vencer a guerra criando uma nova narrativa. Precisávamos convencer nossos clientes de que o microprocessador que escolhessem hoje seria a decisão mais importante para a próxima década. Claro, a Motorola poderia chegar e dizer: "Temos um conjunto de instruções mais limpo". Só que eles não poderiam equiparar a nossa ampla família de produtos ou desempenho no âmbito de sistema. Não conseguiriam concorrer com nosso excelente suporte técnico ou baixo custo do ativo. Com os periféricos da Intel, lembrávamos às pessoas que seus produtos chegam ao mercado de forma mais rápida e mais barata. Com os recursos da Intel, os engenheiros trabalham com mais eficiência.

A Motorola era uma empresa grande e diversificada, que fazia de tudo, desde rádios bidirecionais a televisores de bolso. A Intel era uma líder de tecnologia que se limitava aos chips de memória e microprocessadores e aos sistemas que os suportavam. Quem você prefere chamar quando algo dá errado? Com quem você contaria para ficar na vanguarda?

Tivemos muitas boas ideias que precisavam ser tecidas juntas. Um dia, Jim Lally escreveu em um quadro branco: "Publicar um catálogo de produtos futuros"; "Desenvolver um discurso de vendas para 50 seminários nos quais os participantes recebem um catálogo". Na sexta-feira, tínhamos um plano para mobilizar a empresa. Na terça-feira seguinte, tínhamos a aprovação para um programa de nove partes, incluindo um gasto com anúncios multimilionários, algo que a Intel nunca havia feito antes. Uma semana depois, a estratégia se voltou para a equipe de vendas, que estava ansiosa para embarcar. Afinal, eles haviam nos alertado sobre a crise em primeira mão.

Tudo isso aconteceu antes do Natal.

A Motorola era extremamente bem administrada, mas tinha um senso de urgência diferente. Quando Casey Powell nos atingiu em cheio, respondemos em duas semanas. Quando atingimos a Motorola em cheio, eles não conseguiram agir tão rapidamente. Um gerente de lá me contou: "Eu não consegui emitir uma passagem de avião de Chicago para Arizona no período que você levou para lançar sua campanha".

A Intel se destacava em estabelecer grandes modelos gerais e traduzi-los em programas coordenados e acionáveis. Cada um dos nossos nove projetos se tornou um resultado-chave da empresa. Aqui está um OKR corporativo da

Intel na Operação Crush e um OKR de engenharia relacionado ao segundo trimestre de 1980:

OBJETIVO CORPORATIVO DA INTEL

Estabelecer o 8086 como a família de microprocessadores de 16 bits de maior desempenho conforme a medição dos:

RESULTADOS-CHAVE (2° TRIMESTRE DE 1980)

1. **Desenvolver e publicar 5 *benchmarks* capazes de mostrar um desempenho em nível excepcional do 8086 (Aplicativos).**
2. **Trocar a embalagem de toda a família de produtos 8086 (Marketing).**
3. **Começar a produção da peça de 8MHz (Engenharia, fabricação).**
4. **Amostrar o coprocessador aritmético até 15 de junho (Engenharia).**

OBJETIVO DO DEPARTAMENTO DE ENGENHARIA (2° T DE 1980)

Entregar as 500 peças de 8MHz do 8086 a CGW até 30 de maio.

RESULTADOS-CHAVE

1. **Desenvolver a arte-final para o plot fotográfico até 5 de abril.**
2. **Entregar as máscaras da rev. 2.3 até o dia 9 de abril.**
3. **Testar fitas concluídas até 15 de maio**
4. **Fabricar início do *red tag*, no máximo, até 1° de maio.**

Um Giro Abrupto de 180°

Logo no início do primeiro dia do ano, Bob Noyce e Andy Grove deram o pontapé inicial na Operação Crush no San Jose Hyatt House. A diretriz deles para a gestão da Intel era simples e clara: "Vamos ser líderes no mercado de microprocessadores de 16 bits. Estamos comprometidos com isso." Andy nos dizia o que tínhamos que fazer, e justificava o motivo pelo qual tínhamos que fazer e que deveríamos considerar prioridade até que fosse feito.

Havia quase 100 pessoas na reunião. A mensagem penetrou em dois níveis de gestão imediatamente, e no terceiro nível em 24 horas. A notícia se espalhou muito rápido. A Intel era uma empresa de quase um bilhão de dólares na época, este foi um giro abrupto de 180°. Até hoje, nunca vi nada assim.

E isso não poderia ter acontecido sem o sistema de resultados-chave. Se Andy tivesse feito a reunião de San Jose sem o sistema, como ele poderia, simultaneamente, iniciar todas as atividades da Operação Crush? Eu já perdi a conta de quantas vezes vi pessoas saindo de reuniões dizendo: "Vou conquistar o mundo..." e, três meses depois, nada acontecer. As pessoas se entusiasmam, mas não sabem o que fazer com esse entusiasmo. Em uma crise, você precisa de um sistema que consiga impulsionar rapidamente a transformação. Foi isso que o sistema de resultados-chave fez pela Intel. Ele deu à gestão uma ferramenta para implementação rápida. E quando as pessoas informavam sobre o que haviam feito, tínhamos critérios bem definidos para avaliação.

A Operação Crush era um conjunto de OKRs, com efeito totalmente em cascata, fortemente impulsionada pelo topo, mas alimentada por baixo. No nível de Andy Grove, ou até mesmo no meu nível, você não conseguia conhecer todas as mecânicas da batalha que deveria ser vencida. Muitas dessas coisas precisam fluir para cima. É possível dizer às pessoas para limparem uma bagunça, mas não seria importante dizer a elas qual vassoura usar? Quando a alta gerência dizia "Temos que esmagar a Motorola!", alguém na parte de baixo poderia dizer: "Nossos *benchmarks* são péssimos; acho que vou escrever *benchmarks* melhores." Era assim que trabalhávamos.

INTEL CORPORATION
3065 Bowers Avenue
Santa Clara, California 95051
(408) 987-8080

TO: All Intel Field Sales Engineers

From: Andy Grove

Subject: OPERATION CRUSH

OPERATION CRUSH is the largest and most important marketing offensive we have ever undertaken. It is large in terms of our commitment--it is the corporation's number one key result; it is large in terms of the manpower we have devoted to it--more than 50 man-years of CRUSH effort in the next six months alone; and it is large in terms of its impact on Intel's revenue--over $100 million in revenue over the next three years.

The importance of OPERATION CRUSH does not come from its size and business impact alone though. Strategically the success of this campaign will highlight a significant evolution that has taken place--and will continue to take place--in our business. We intend to establish ourselves as offering complete computer system solutions--in VLSI form. The 4 CPU's, 15 peripheral devices, 25 software products, and 12 system level products we will be announcing over the next 18 months are the most tangible and meaningful testimonials to the reality of this strategy. OPERATION CRUSH represents the articulation of this strategy.

As an Intel Sales Engineer you will play a major role in making OPERATION CRUSH a success. We are counting on your efforts in two major areas:

- Sell our total microcomputer solution. Use the information in this notebook and follow on material to sell your customers on the need for a complete and integrated microcomputer solution including both hardware and software, rather than just a set of components.

- Exploit all of Intel's resources to win current designs. Take the lead in formulating action plans that take advantage of all the OPERATION CRUSH resources described in the accompanying material.

With your help, I know OPERATION CRUSH and the Intel of the 1980's will succeed!

Andy Grove organiza as tropas para a Operação Crush, janeiro de 1980.

O Bem Maior

A Intel permaneceu em pé de guerra por seis meses. Eu estava em uma posição na equipe sem autoridade na linha, mas consegui o que precisava, porque toda a empresa sabia o quanto isso importava para Andy. Quando os resultados-chave vieram das divisões da Intel, não houve praticamente divergência alguma. Todos estavam a bordo. Redirecionamos recursos rapidamente; eu não acho que tínhamos sequer um orçamento.

A Operação Crush acabou por incluir a alta gerência, toda a equipe de vendas, quatro diferentes departamentos de marketing e três locais geográficos. Todos reunidos como um só.* O diferencial da Intel foi a anulação das oposições e dos lados. Os gerentes sacrificaram seus pequenos feudos pelo bem maior. Digamos que a divisão de microprocessadores estivesse lançando o catálogo de novidades. Alguém pode dizer: "Oh, meu Deus, temos um periférico faltando" — e isso repercutiria na divisão de periféricos e na alocação de recursos de engenharia. As equipes de vendas organizavam os seminários, mas elas se baseavam nos engenheiros de aplicativos, na área de marketing e na minha divisão também. A área de comunicação corporativa disponibilizava artigos para a imprensa especializada a partir de todos os setores da empresa. Era um esforço organizacional generalizado.

Quando penso na Operação Crush, ainda não consigo acreditar que conseguimos. Eu acho que a lição que fica é que a cultura conta muito. Andy sempre quis que as pessoas trouxessem problemas à atenção da gestão. Um engenheiro de campo dizia ao seu gerente-geral: "Vocês, bananas, não entendem o que está acontecendo no mercado" e, dentro de duas semanas, toda a empresa se realinhava de cima para baixo. Todos concordavam: "O falastrão está certo. Temos que agir de maneira diferente." Era de suma importância que Don Buckout e Casey Powell sentissem que podiam se expressar sem retaliação. Sem isso, não havia Operação Crush.

---

* Dos 2 mil funcionários da Intel na época, mais da metade foram alistados para a Operação Crush. Todo mundo estava de plantão.

Andy Grove estava acostumado a ter a última palavra, então vamos dá-la a ele nestas páginas. “Empresas ruins”, escreveu Andy, “são destruídas pela crise. Empresas boas sobrevivem a elas. Empresas excelentes são aprimoradas por elas.” Então, essa foi a Operação Crush. Em 1986, quando a Intel abandonou seu negócio de chips de memória para apostar tudo em microprocessadores, o 8086 recapturou 85% do mercado de 16 bits. Um variante a preço de banana, o 8088, encontrou a fama e a fortuna dentro do primeiro PC IBM, que padronizaria a plataforma de computadores pessoais. Hoje, dezenas de bilhões de microcontroladores em computadores e carros, termostatos inteligentes e centrífugas de banco de sangue são todos executados na arquitetura Intel.

E, como vimos, nada disso teria acontecido sem os OKRs.

4

Superpoder n° 1: Foco e Compromisso com as Prioridades

São as nossas escolhas, mais do que nossas habilidades, que mostram o que realmente somos.
— ***J. K. Rowling***

Avaliar o que importa começa com a seguinte pergunta: *Qual é a coisa mais importante para os próximos três (ou seis, ou doze) meses?* Organizações de sucesso *focam* poucas iniciativas que são capazes de fazer a diferença real, adiando aquelas menos urgentes. Seus líderes se *comprometem* com essas escolhas, tanto por palavras quanto por ações. Ao sustentarem com firmeza alguns OKRs prioritários, eles proporcionam uma bússola e uma base de avaliação às suas equipes (decisões erradas podem ser corrigidas quando os resultados começam a aparecer. A falta das decisões, ou o abandono delas às pressas, não nos ensina nada). *Quais são as nossas prioridades para o próximo período? Em que as pessoas devem concentrar seus esforços?* Um sistema eficaz de estabelecimento de metas começa com um pensamento disciplinado no topo, com líderes que investem tempo e energia para escolher o que importa.

Embora a redução de uma lista de metas seja invariavelmente um desafio, vale a pena o esforço. Como qualquer líder experiente dirá, nenhum indivíduo ou empresa pode "fazer tudo". Com um conjunto selecionado de OKRs, podemos destacar algumas coisas, as vitais, que devem ser feitas conforme o planejado e no prazo.

O Início...

A responsabilidade pelos OKRs no âmbito organizacional está nas mãos da liderança sênior. O comprometimento pessoal desses líderes com o processo é obrigatório.

Por onde eles começam? Como decidem o que realmente importa mais? O Google expressou isso na declaração de sua missão como empresa: *Organizar as informações do mundo e torná-las universalmente acessíveis e úteis.* Android, Google Earth, Chrome, o novo mecanismo de pesquisa aprimorado do YouTube, todos esses produtos e dezenas de outros compartilham uma linhagem comum. Em cada caso, o impulso para o desenvolvimento veio dos fundadores e da equipe executiva, que deixaram claro seu foco e compromisso por meio de objetivos e resultados-chave.

No entanto, boas ideias não são moldadas pela hierarquia. Os OKRs mais poderosos e energizados geralmente se originam dos colaboradores da linha de frente. Na função de gerente de produto do YouTube, Rick Klau era responsável pela página inicial do site, o terceiro mais visitado do mundo. O problema: apenas uma pequena fração de usuários logava no site. Eles estavam perdendo recursos importantes, desde salvar vídeos até a inscrição em canais. Muito do valor do YouTube estava efetivamente escondido para centenas de milhões de pessoas em todo o mundo. Enquanto isso, a empresa estava perdendo dados inestimáveis. Para resolver o problema, a equipe de Rick criou um OKR de seis meses para melhorar a experiência de login no site. Eles apresentaram seu caso ao CEO do YouTube, Salar Kamangar, que consultou o CEO do Google, Larry Page. Larry optou por elevar o objetivo de login para um OKR geral do Google, mas com uma ressalva: o prazo seria de três meses, não seis.

Quando um OKR passa para a linha de cima, "todos os olhos da empresa se voltam para a sua equipe", diz Rick. "E são muitos olhos! Não tínhamos ideia de como faríamos isso em três meses, mas sabíamos que possuir um OKR ao nível da empresa mostrava que nosso trabalho tinha prioridade." Ao agregar tanta ênfase à meta de um gerente de produto, Larry também deixava claro algumas coisas para outras equipes. Assim como na Operação Crush, todos se uniram para ajudar o grupo de Rick a ter sucesso. Os funcionários do YouTube terminaram a tempo, apesar de terem iniciado com uma semana de atraso.

Independentemente de como os líderes escolhem as metas prioritárias de uma empresa, eles também precisam de seus próprios objetivos. Assim como os valores não podem ser transmitidos por um memorando,* o estabelecimento de metas estruturadas não cria raízes por decreto. Como você verá no Capítulo 6, Jini Kim, da Nuna, descobriu da maneira mais difícil que os OKRs exigem um compromisso público de liderança, tanto nas palavra quanto nas ações. Quando ouço os CEOs dizerem "Todos os meus objetivos são objetivos da equipe", já vejo isso como um sinal de alerta. OKRs simplesmente verbalizados não são suficientes. O saudoso Bill Campbell, CEO da Intuit, que mais tarde treinaria a equipe executiva do Google, falava o seguinte: "Quando você é o CEO ou o fundador de uma empresa... precisa dizer 'É isso o que vamos fazer', e precisa ser então o modelo do que fala, pois quando você não é o modelo, ninguém vai seguir suas instruções."

Comunique-se com Clareza

Para tomadas de decisão acertadas, espírito de equipe e desempenho de alto nível, as metas prioritárias devem ser claramente compreendidas por toda a organização. Embora elas próprias admitam, duas em cada três empresas não conseguem comunicar esses objetivos de forma consistente. Em uma pesquisa com 11 mil executivos e gerentes seniores, a maioria deles não conseguia identificar as prioridades da empresa. Apenas metade conseguia dizer uma.

* Conforme observado por Andy Grove em *Administração de Alta Performance*.

Os líderes devem compreender *por que* se faz "algo" e *o que* é este "algo". Seus colaboradores precisam de mais do que marcos para motivação. Eles estão sedentos por significado, por entender como seus objetivos se relacionam com a missão. Além disso, o processo não pode parar com a apresentação de OKRs prioritários em uma reunião trimestral. Como o CEO do LinkedIn, Jeff Weiner, gosta de dizer: "Quando você está cansado de dizer alguma coisa, essa é a hora que as pessoas vão começar a ouvir."

Resultados-chave: Cuidados e Alimentação

Objetivos e resultados-chave são o yin e o yang do estabelecimento de metas: princípio e prática, visão e execução. Os objetivos são o material de inspiração e os horizontes distantes. Os resultados-chave são mais concretos e métricos. Eles geralmente incluem números concretos para um ou mais indicadores: receita, crescimento, usuários ativos, qualidade, segurança, participação de mercado, envolvimento do cliente. Para a obtenção de um progresso confiável, como Peter Drucker observou, um gerente "deve ser capaz de medir desempenho e resultados em relação à meta".

Em outras palavras: os resultados-chave são as alavancas que você puxa, as marcas que você supera para atingir a meta. Se um objetivo for bem enquadrado, três a cinco resultados-chave geralmente serão adequados para alcançá-lo. Muitos resultados-chave podem diluir o foco e obscurecer o progresso. Além disso, cada resultado-chave deve ser um desafio por si só. Se você tem certeza de que vai conquistá-lo, provavelmente não está se esforçando o suficiente.

O quê, Como, Quando

À medida que os OKRs são um choque na ordem estabelecida, pode fazer sentido um processo de facilitação. Algumas empresas começam com um ciclo anual conforme mudam de um estabelecimento de meta privada para pública, ou de um processo de "cima para baixo" em direção à maior colaboração. A melhor prática pode ser uma cadência dupla e paralela, com OKRs de horizonte curto (para o aqui e agora), apoiando OKRs anuais e estratégias de longo prazo. Tenha em mente, porém, que são os objetivos de curto prazo que orientam o trabalho real. Eles mantêm os planos anuais justos e fazem com que sejam executados.

Os cronogramas bem definidos intensificam nosso foco e compromisso; nada nos move tanto para frente quanto um prazo. Para ganhar no mercado global, as organizações precisam ser mais ágeis do que nunca. Na minha experiência, uma cadência trimestral de OKRs é a mais adequada para acompanhar os mercados em rápida mudança atualmente. Um horizonte de três meses restringe a procrastinação e nos leva a ganhos reais de desempenho. Em *Administração de Alta Performance*, sua bíblia da liderança, Andy Grove observa que:

> Para que o feedback seja eficiente, ele deve ser recebido logo após a ocorrência da atividade que está sendo medida. Dessa forma, um sistema [OKR] deve estabelecer objetivos por um período relativamente curto. Por exemplo, se planejarmos algo com base anual, o período [OKR] correspondente deve ter frequência, no mínimo, trimestral, ou talvez até mensal.

Não há um padrão nesse protocolo, nem um tamanho único para todos. Uma equipe de engenharia pode optar por ciclos de OKR de seis semanas para ficar em sincronia com os sprints de desenvolvimento. Um ciclo mensal pode ser suficiente para uma empresa em estágio inicial encontrar seu ajuste no mercado de produtos. A melhor cadência de OKRs é aquela que se encaixa no contexto e na cultura do seu negócio.

Alinhamento dos Resultados-chave

A história do infame Ford Pinto mostra os perigos dos OKRs unidimensionais. Em 1971, depois de perder a participação de mercado para modelos mais econômicos do Japão e da Alemanha, a Ford rebateu a ameaça com um modelo subcompacto econômico chamado Pinto. Para atender às demandas agressivas do CEO Lee Iacocca, os gerentes de produto ignoraram as verificações de segurança no planejamento e no desenvolvimento do veículo. Por exemplo: o tanque de gasolina do novo modelo foi colocado seis polegadas na frente de um para-choque traseiro frágil.

O Ford Pinto era uma armadilha incendiária e os engenheiros da empresa sabiam disso. Só que os objetivos pesadamente mercadológicos da empresa — "abaixo de 2 mil libras e de 2 mil dólares" — foram impostos por Iacocca "com mão de ferro... Quando um teste de colisão constatou que um pedaço de plástico de meio quilo, do tamanho de uma nota de um dólar, perfurou o tanque de gasolina, ele foi descartado como um custo e um peso extra." O manual interno do Ford Pinto citava os três objetivos do produto: "verdadeiro subcompacto" (tamanho, peso); "baixo custo do bem no geral" (preço inicial, consumo de combustível, confiabilidade, facilidade de manutenção); "superioridade expressa do produto" (aparência, conforto, características, condução, manuseio, desempenho). Segurança não estava na lista.

Após impactos na traseira do Ford Pinto, centenas de pessoas morreram e outras milhares ficaram gravemente feridas. Em 1978, a empresa pagou o preço com um recall de 1,5 milhão de Ford Pintos e do modelo irmão, o Mercury Bobcats, o maior recall da história automotiva. O balanço contábil e a reputação da empresa ficaram justificadamente arrasados.

Se olharmos para trás, não faltaram objetivos ou resultados-chave para a Ford. Seu processo de definição de metas, no entanto, foi fatalmente falho: "As metas específicas e desafiadoras foram atingidas (velocidade de comercialização, eficiência de combustível e custo) às custas de outros recursos importantes que não foram especificados (segurança, comportamento ético e reputação da empresa)."

Como uma história de advertência mais recente, pense na Wells Fargo, que ainda se recupera de um escândalo bancário com alguns consumidores, o qual é resultado de metas de vendas unidimensionais e implacáveis. Os gerentes das agências se sentiram pressionados a abrir milhões de contas fraudulentas que os clientes não queriam, nem precisavam. Em um dos casos, a filha adolescente de uma gerente tinha 24 contas e o marido, 21. Como consequência, mais de 5 mil funcionários foram demitidos; os negócios de cartões de crédito e contas-corrente da empresa caíram pela metade ou mais. Talvez a marca Wells Fargo tenha sido tão avariada que não haja reparo suficiente para consertar o estrago.

Quanto mais ambicioso for o OKR, maior será o risco de ignorar um critério vital. Para proteger a qualidade e, ao mesmo tempo, impulsionar os resultados quantitativos, uma solução é combinar os resultados-chave, ou seja, medir "tanto o efeito quanto o efeito contrário", nos alerta Andy Grove em *Administração de Alta Performance*. Quando os resultados-chave se concentram na produção, Grove observou que:

> As contrapartes alinhadas devem enfatizar a qualidade do trabalho. Dessa forma, em um setor de contas a pagar, o número de comprovantes processados deve estar alinhado com o número de erros encontrados pela auditoria ou por nossos fornecedores. Como um outro exemplo, o número de metros quadrados limpos por um grupo de detentos deve estar alinhado com uma avaliação da qualidade do trabalho conforme um gerente sênior com um escritório naquele edifício.

Tabela 4.1: Resultados-chave alinhados conforme a quantidade e a qualidade

Meta quantitativa	Meta qualitativa	Resultado
Três novos recursos.	Menos de cinco bugs por recurso no teste de garantia de qualidade.	Os desenvolvedores escreverão códigos mais limpos.
US$50 milhões em vendas no primeiro trimestre.	US$10 milhões em contratos de manutenção no primeiro trimestre.	A atenção constante dos profissionais de vendas aumentará as taxas de sucesso e satisfação do cliente.
Dez contatos da área de vendas.	Dois novos pedidos.	A qualidade de leads melhorará para atender ao novo requisito de limite para pedidos.

O Perfeito e o Bom

Sundar Pichai, CEO do Google, certa vez me disse que sua equipe costumava "agonizar" com o processo de definição de metas: "Há linhas únicas de OKR sobre as quais você pode passar uma hora e meia pensando, para ter certeza de que estamos focados em fazer algo melhor para o usuário." Isso faz parte do jogo. Parafraseando Voltaire, porém: "Não permita que o perfeito seja o inimigo do bom."* Lembre-se de que um OKR pode ser modificado ou mesmo desfeito em qualquer ponto de seu ciclo. Às vezes, os resultados-chave "certos" surgem semanas ou meses depois que um objetivo é colocado em jogo. Os OKRs são inerentemente trabalhos em andamento, e não mandamentos entalhados em pedra.

Algumas regras básicas para o estabelecimento de metas: os resultados-chave devem ser sucintos, específicos e mensuráveis. Uma mistura de informações iniciais e resultantes costuma ser útil. Por fim, a conclusão de todos os resulta-

* Ou, como Sheryl Sandberg diz: "O feito é melhor do que perfeito."

dos-chave *deve obrigatoriamente* resultar na obtenção do objetivo. Se isso não acontecer, não é um OKR.*

Tabela 4.2: Continuum de Qualidade do OKR

Fraco	Médio	Forte
Objetivo: Vencer a Indy 500.	**Objetivo:** Vencer a Indy 500.	**Objetivo:** Vencer a Indy 500.
Resultado--chave: Aumentar a velocidade da volta.	**Resultado-chave:** Aumentar a velocidade média da volta em 2%.	**Resultado-chave:** Aumentar a velocidade média da volta em 2%.
Resultado--chave: Reduzir o tempo no pit stop.	**Resultado-chave:** Reduzir o tempo médio do pit stop em um segundo.	**Resultado-chave:** Realizar teste no túnel aerodinâmico dez vezes.
		Resultado-chave: Reduzir o tempo médio do pit stop em um segundo.
		Resultado-chave: Reduzir os erros de pit stop em 50%.
		Resultado-chave: Praticar paradas no pit por uma hora ao dia.

Menos é Mais

Conforme o entendimento de Steve Jobs: "Inovação significa dizer não a mil coisas". Na maioria dos casos, o número ideal de OKRs trimestrais varia entre três e cinco. A introdução de mais objetivos em nosso espetáculo pode ser tentadora, mas costuma ser errada. Muitos objetivos podem confundir nosso foco naquilo que conta, ou nos distrair para perseguir a próxima moeda de ouro. No MyFitnessPal, um aplicativo de saúde e condicionamento físico,

* Para um manual mais abrangente, consulte o "Google's OKR Playbook" ("Playbook OKR do Google"), na seção de recursos no final deste livro.

"estávamos colocando muito", conta o CEO Mike Lee. "Estávamos tentando fazer muitas coisas, logo, a prioridade não estava clara o suficiente. Por isso, decidimos tentar definir menos OKRs e garantir que aqueles que realmente importavam fossem estabelecidos."

Quanto às pessoas, como eu mesmo constatei na Intel, a definição seletiva de metas é a primeira linha de defesa contra os excessos. Depois que os colaboradores tiverem consultado seus gerentes e se comprometerem com seus OKRs para o trimestre, quaisquer objetivos ou resultados-chave adicionais devem obrigatoriamente se encaixar na agenda estabelecida. *Como a nova meta se compara às minhas metas existentes? Alguma coisa deveria ser descartada para dar lugar ao novo compromisso?* Em um sistema OKR de alta funcionalidade, ordens de cima para baixo para "apenas fazer mais" são obsoletas. As ordens dão lugar a perguntas, e a uma pergunta em particular: o que importa mais?

Quando se tratou de definição de metas, Andy Grove percebeu profundamente que menos é mais:

> A única coisa que um sistema [de OKRs] deve fornecer por excelência é o foco. Isso só pode acontecer se mantivermos um número reduzido de objetivos... Cada vez que uma pessoa se compromete, ela perde a chance de se comprometer com outra coisa. Isto é, claro, uma consequência inevitável e inescapável da alocação de qualquer recurso finito. As pessoas que planejam precisam ter coragem, honestidade e disciplina para abandonar projetos e iniciá-los, para balançar a cabeça dizendo "não" e sorrir com um "sim"... Precisamos perceber — e agir de acordo com a percepção — que, se tentarmos nos concentrar em tudo, não nos concentraremos em nada.

Acima de tudo, os objetivos prioritários devem ser *significativos*. Os OKRs não são uma lista de desejos abrangente, nem a soma das tarefas mundanas de uma equipe. Eles são um conjunto de metas rigorosamente selecionadas que merecem atenção especial e que impulsionarão as pessoas a partir do aqui e do agora. Eles se conectam a um propósito maior que devemos estabelecer. "A *arte* da gestão", escreveu Grove, "está na capacidade de se concentrar e selecionar, dentre as muitas atividades de significância aparentemente comparável, uma, duas ou três metas que forneçam uma alavancagem muito além das outras".

Ou, como diria Larry Page, as organizações vencedoras precisam "concentrar a artilharia em menos alvos". Em poucas e focadas palavras, essa é a essência do nosso primeiro superpoder.

5

Foco: A História da Remind

Brett Kopf
Cofundador

Não é novidade alguma que o sistema educacional dos EUA precisa de ajuda. Um estudo da Universidade Brown apontou uma possível solução: uma melhor comunicação entre professores e famílias. Quando os professores de escolas de verão faziam ligações telefônicas diárias, enviavam mensagens de texto ou bilhetes para os pais, os alunos da sexta série faziam 42% mais deveres de casa. A participação nas aulas aumentava quase pela metade.

Durante décadas, as empresas tentaram aumentar o desempenho dos alunos injetando tecnologia nas escolas. Os empreendimentos simplesmente não funcionavam. De repente, porém, enquanto ninguém estava olhando, dezenas de milhões de crianças norte-americanas entravam na sala de aula com uma peça tecnológica transformadora em seus bolsos. Graças à invasão do smartphone, o envio de mensagens de texto se tornou o principal modo de comunicação entre adolescentes. A Remind encontrou uma oportunidade de mercado: tornar as mensagens de texto um sistema de comunicação seguro e prático para diretores, professores, alunos e pais.

O foco é essencial para escolher as metas certas e separar o joio do trigo dos OKRs. Brett Kopf descobriu a urgência do foco enquanto construía a Remind, permitindo, assim, que professores, alunos e pais escrevessem mensagens em um ambiente seguro. Ao usar os OKRs para se concentrar em suas principais prioridades, a empresa está servindo milhões de pessoas que importam para o futuro dos EUA.

Quando Brett e eu nos conhecemos, fiquei impressionado com sua paixão por servir seus clientes. Sua startup era primorosamente focada em professores. Jamais esquecerei de entrar no banheiro de seu minúsculo escritório e ver uma lista de objetivos da empresa colada no espelho, sobre o vaso sanitário. Isso *sim* era um sinal de séria orientação para o objetivo.

Eu percebi que Brett era altamente habilidoso em identificar prioridades e recrutar outros para apostar nelas. Em 2012, ele e seu irmão David fizeram parte da lista de honra da *Forbes* dos "30 Abaixo de 30 da Educação". Porém, com essa escala acelerada, a empresa precisava de mais foco. Os OKRs garantiram um processo que eles já haviam iniciado.

Brett Kopf: Durante minha infância em Skokie, no estado de Illinois, eu lutava para me concentrar na escola. Ficava bem se pudesse circular, mas sentar em uma mesa para mim era uma tortura. Uma aula de matemática de 40 minutos parecia uma eternidade. Eu era o garoto que sempre perturbava meu colega da carteira vizinha ou jogava bolinhas de papel. Eu simplesmente não me envolvia.

Fui avaliado na quinta série e, em seguida, veio o diagnóstico: transtorno de deficit de atenção, hiperatividade e dislexia. Organizar palavras e letras era difícil para mim. Números eram ainda mais difíceis.

Meus pais eram empresários e eu os via levantar para trabalhar às cinco da manhã. Eu também trabalhava duro, mas minhas notas continuavam afundando, e minha confiança junto. A situação só piorou no ensino médio, em Chicago. Quando outras crianças me chamavam de idiota, eu acreditava nelas.

Então, no primeiro ano, uma professora chamada Denise Whitefield começou a trabalhar comigo diretamente e isso mudou minha vida. Todos os dias ela começava me perguntando: "O que você tem que fazer hoje?" Eu corria o olho pela minha lista: uma tarefa de história, uma redação, um teste de matemática chegando. Então, ela dizia algo realmente inteligente: "Ok, vamos escolher um deles e conversar a respeito." Nós nos concentrávamos em uma coisa de cada vez, e aí eu terminava. "Apenas continue tentando", ela me encorajava. "Você vai conseguir. Eu tenho o dia todo." O pânico batendo em meu peito diminuía. A escola nunca seria fácil para mim, mas comecei a acreditar que poderia lidar com ela.

Minha mãe conversava com a professora Whitefield toda semana, e ia à escola pelo menos uma vez por mês. Elas eram uma força em sintonia, a "Equipe Brett", e não me deixariam falhar. Tenho certeza de que não compreendi totalmente a importância da conexão delas, mas isso plantava uma semente.

Mesmo depois que minhas notas melhoraram, o exame de preparação para a faculdade — *responda a seiscentas perguntas e não se mova por quatro horas* — era um filme de terror para uma pessoa com TDAH. Só que, de alguma forma, eu consegui entrar na Universidade Estadual de Michigan, minha primeira grande vitória.

Quando as pessoas tentam desvendar os enormes problemas do país na educação, eles geralmente começam com o currículo ou a "responsabilidade". São expressões em código para os resultados das provas. As conexões humanas normalmente são esquecidas. A Remind trabalha exatamente com elas.

O Twitter pela Educação

Assim como muitos outros empreendimentos, a Remind começou com um problema pessoal. Como calouro da faculdade, eu estava sem esperança com os prazos e horários acadêmicos, que meus professores pareciam mudar por capricho. Interrompido meu sistema de suporte, reprovei em três grandes especializações antes de decidir por economia agrícola, a mais fácil que pude encontrar. Mas eu ainda tinha cinco matérias por semestre e cada ementa poderia ter 35 tarefas, testes e provas. Sucesso na faculdade é uma questão de gerenciamento do tempo. Quando começar a escrever esse artigo de ciência política de dez páginas? Como se preparar para a prova final de química? Tudo era uma questão de definição dinâmica de metas, e eu continuava pisando na bola.

A situação chegou ao ápice no terceiro ano da faculdade, depois de eu ter passado pela situação de escrever um artigo e obter uma nota medíocre. O cúmulo da revolta foi ter que caçar essa nota em um sistema horroroso no navegador do meu laptop. Meus amigos e eu conversávamos a respeito via mensagem de texto em tempo real: "Por que nossos dados acadêmicos também não estavam ao alcance de nossas mãos?" Por que os professores não conseguiam se conectar com os alunos pelos seus smartphones, a qualquer hora, em qualquer lugar? Senti-me motivado a construir algo para ajudar pessoas como eu. Liguei para meu irmão mais velho, David, que trabalhava com segurança de serviços da web para uma grande seguradora de Chicago. Disse: "Você tem 24 horas para decidir se quer começar a empresa comigo." Cinco minutos depois, ele ligou de volta e disse: "Ok, estou dentro."

Por dois anos, David e eu caminhávamos tateando na escuridão. Não sabíamos coisa alguma sobre tecnologia e menos ainda sobre desenvolvimento ou operações de produtos. (Toda minha experiência no mundo real era um estágio na Kraft Foods, onde eu costumava organizar pacotes de biscoitos.) Alunos aleatórios compartilhavam suas ementas escolares e eu os conectava às macros do Excel de David para enviar alertas aos telefones deles: "Brett Kopf, você tem um teste amanhã às 8h, em Introdução à História. Não se esqueça de estudar." O sistema era arcaico e absolutamente não escalável. No entanto, para algumas centenas de usuários ativos, inclusive para mim, ele funcionou. Eu me formei na Universidade Estadual de Michigan.

No início de 2011, me mudei para Chicago para trabalhar em nosso aplicativo em tempo integral. Com US$30 mil de amigos e familiares, David e eu aderimos ao pacote completo do empreendedorismo, e jantávamos macarrão toda noite. E nós falhamos porque fui arrogante. Passamos muito tempo nos reunindo com potenciais investidores e elaborando esquemas intrincados de sites, sem tempo para descobrir os problemas dos professores. Nós ainda não estávamos focados no que importava.

Com os poucos dólares restantes, nossa empresa entrou, entre trancos e barrancos, na Imagine K12, a aceleradora de startups do Vale do Silício para o mercado educacional. Nossa missão era algo como: "Remind101: Uma maneira segura de os professores enviarem mensagens aos alunos e pais. Estamos construindo a plataforma de comunicação mais poderosa em educação usando o SMS como 'gancho'. Imagine um Twitter para a educação." Havia milhões de crianças com problemas de aprendizado como o meu e incontáveis professores lutando para ajudá-los. Eu era corajoso ou ingênuo o suficiente para pensar que poderíamos fazer algo sobre isso.

Com a nossa oportunidade de 90 dias correndo para um dia de demonstração, David largou o emprego e nos mudamos para o Vale do Silício. Aprendemos as três frases de ordem para empreendedores:

- Resolva um problema.
- Construa um produto simples.
- Converse com seus usuários.

Enquanto David se trancava em uma sala para aprender a escrever códigos de programação, concentrei-me em um único objetivo de dez semanas: entrevistar 200 professores nos Estados Unidos e no Canadá (acho que poderíamos dizer que esse foi meu primeiro OKR). Depois de entrar em contato com 500 professores no Twitter, consegui contato com 250 cara a cara, o que superava meu objetivo. Quando se ouve educadores suficientes nas trincheiras da guerra, se aprende rapidamente que a comunicação externa está no topo dos pontos problemáticos que eles enfrentam. No desespero, os professores estavam até colando notas adesivas: "*o dever de casa deve ser entregue amanhã*" nos ombros dos alunos. Será que não dava para fazer melhor que isso?

As tradicionais ligações telefônicas e os velhos formulários para os pais eram trabalhosos e pouco confiáveis. Por outro lado, as mensagens de texto entre professores de 30 anos e crianças de 12 anos estavam carregadas de responsabilidade. Os professores precisavam de uma plataforma segura, sem dados pessoais anexados, algo acessível, porém privado. E eles precisavam de *menos* trabalho, não mais.

No 15° dia, tínhamos uma versão beta e crua do Remind. Em uma folha de papel para impressora, sobre símbolos desenhados à mão para celulares e e-mail, eu rabiscava: "Seus alunos podem receber suas mensagens..." Abaixo, estavam três opções: "Convidar", "Imprimir", "Compartilhar". Depois de conseguir falar com um professor no Skype, eu exibia o papel na tela dele: "Você pode digitar a mensagem que quiser para seus alunos, apertar o botão, e eles nunca verão o seu número de telefone ou perfil de rede social." Fiz isso inúmeras vezes e os professores quase caíram de suas cadeiras de emoção em todas elas. "Meu Deus", diziam eles, "isso resolveria um problema imenso para mim!"

Foi aí que David e eu descobrimos que estávamos no caminho certo.

A Escala por um Cadarço

No 70° dia, nosso software já estava ativo. Os professores podiam se inscrever na internet, organizar uma "classe" virtual e fornecer um número dedicado aos alunos e pais para mensagens de texto. Aumentamos a escala rapidamente, o que era um bom sinal: 130 mil mensagens nas três semanas após o lançamento. Tínhamos o que toda nova empresa queria: um gráfico "taco de hóquei" para o crescimento. No dia da demonstração, entrei em uma sala grande e movimentada com outras 11 startups e 100 investidores. Eu tive dois minutos para fazer o meu discurso, seguido por duas horas de murmurinhos frenéticos. Entreguei meu cartão para, pelo menos, 40 pessoas.

O crescimento custa dinheiro. No início de 2012, meu irmão e eu tínhamos US$10 mil em dívidas. Então, a Uliam Ventures, de Miriam Rivera e Clint Korver, salvaram o dia com uma injeção de US$30 mil. Outra infusão veio de Maneesh Arora, o gerente de produtos do Google, que mais tarde fundaria o MightyText e se tornaria meu mentor. A Remind continuava crescendo de maneira insana através de nosso cadarço improvisado para captar capital. Às vezes, na maior parte do tempo, eu parecia um aprendiz de feiticeiro, mexendo os braços rapidamente e fora de controle. Chegou um momento em que estávamos adicionando 80 mil usuários por dia, quando tínhamos cinco pessoas e apenas dois de nós éramos engenheiros. E ainda não tínhamos gastado um centavo sequer em marketing. Falei com os professores em busca de feedback e eles já tinham divulgado para 50 colegas. Como nosso serviço era gratuito, não precisávamos da aprovação do distrito escolar.

Nossas metas permaneceram estritamente qualitativas até o outono de 2013, quando atingimos seis milhões de usuários e levantamos fundos de série A de Chamath Palihapitiya e da Social+Capital Partnership. Maneesh já estava nos cutucando para sustentar nossas decisões com mais dados, e Chamath nos mostrava como exibir a situação de uma forma simples. Além disso, ele nos ensinou a discernir o *não essencial*, como o número de usuários registrados. Ninguém se importava com quantos professores estavam cadastrados no Remind se eles nunca voltassem a usá-lo.

No momento em que John Doerr viu nossas metas postadas em cima do vaso sanitário do escritório, elas estavam mais concretas. Nós listávamos três métricas: professores ativos por semana (WAT), professores ativos por mês (MAT) e o nível de retenção.

Cofundador da Remind, Brett Kopf, vice-diretoras das escolas comunitárias de Clintondale, Meloney Cargill e Dawn Sanchez, e o cofundador da Remind, David Kopf, em 2012.

Então, eu tomaria algumas iniciativas trimestrais: migrar os bancos de dados, criar o aplicativo e contratar quatro pessoas. Queria que todos na empresa vissem exatamente o que estávamos fazendo.

Trabalhando em um loft de um quarto e ainda atormentado por uma escassez crônica de engenheiros, mal havíamos colocado nosso aplicativo móvel em funcionamento. John, no entanto, poderia dizer que estávamos focados no que importava. Nossos objetivos eram claros e quantificados, e éramos obcecados por professores desde o início.

Em fevereiro de 2014, pouco antes de fecharmos nosso financiamento de série B (liderado por Kleiner Perkins), John nos apresentou os OKRs. Ele nos contou sobre algumas empresas que os usavam: Intel, Google, LinkedIn, Twitter. Aqui estava um método para nos manter focados, para nos orientar e acompanhar e nos apoiar em cada passo. E eu pensei: "Por que não tentar?"

Metas para o Crescimento

Naquele mês de agosto, o coração da nossa movimentada temporada de volta às aulas, o aplicativo Remind bombou: mais de 300 mil downloads de alunos e pais por dia. Nós éramos o número três na loja de aplicativos da Apple! No final do semestre de outono, passamos a marca de bilhões de mensagens. Nossa operação teve que aumentar rapidamente, em todos os departamentos.

Nenhum de nossos objetivos era glamoroso, mas, agora, tudo isso era necessário.

Nós começamos os OKRs quando nossa empresa tinha 14 pessoas. Em dois anos, crescemos para 60. Não conseguimos reunir todos em torno de uma mesa para discutir as prioridades do próximo trimestre. Os OKRs ajudaram enormemente, dando suporte às pessoas para se concentrarem no que é necessário para levar a empresa ao próximo nível. Para atingir nosso objetivo de engajamento do professor, com um resultado-chave de prazo definido, tivemos que adiar muitas outras coisas. Na minha opinião, você só pode fazer uma grande coisa de cada vez muito bem, e é melhor você saber qual é essa coisa.

OBJETIVO
Dar suporte à contratação da empresas.
RESULTADOS-CHAVE
1. Contratar um diretor de finanças e operações (conversar com, pelo menos, três candidatos).
2. Buscar um gerente de marketing de produto (conhecer cinco candidatos neste trimestre).
3. Buscar um gerente de produto (conhecer cinco candidatos neste trimestre).

Por exemplo: até hoje, um dos recursos mais solicitados é a mensagem repetida. Digamos que um professor queira lembrar uma turma da quinta série para levar o romance que estão lendo para a escola, e continue os lembrando toda segunda-feira de manhã. Este é um recurso clássico de "deleite", mas valeu a pena a engenharia para torná-lo uma prioridade acima de todas as outras? Ele aumentaria o engajamento do usuário? Quando a nossa resposta foi *não*, decidimos arquivá-lo: uma decisão difícil para uma organização centrada no professor. Sem a nossa nova disciplina e o foco de metas, poderíamos não ter mantido a nossa posição.

Os OKRs nos deram uma maneira de avançar sem que tudo viesse de cima para baixo. Depois de votar nos principais objetivos do trimestre, a equipe de liderança consultaria nossos colaboradores e diria: "Eis o que achamos importante e o porquê." E os colaboradores diriam: "Ok, como chegamos lá?" Como tudo estava escrito, todos sabiam o que todo mundo estava fazendo. Não havia confusão, nem reunião esclarecedora de segunda-feira. Os OKRs tiravam a política do jogo.

O sistema também ajudou meu foco pessoal. Tentei me limitar a três ou quatro objetivos individuais, no máximo. Eu os imprimia e os mantinha perto do meu bloco de notas e ao lado do meu computador, em todos os lugares a que ia. Todas as manhãs, dizia a mim mesmo: "Essas são as minhas responsabilidades, e o que estou fazendo hoje para levar a empresa adiante?" Esta é uma ótima pergunta para qualquer líder, com ou sem um problema de aprendizado.

Eu estava ciente do meu progresso, ou da falta dele. Diria ao meu pessoal: "Aqui estão as três coisas em que estou trabalhando, e estou fracassando redondamente nesta aqui." À medida que as empresas crescem, as pessoas precisam ver as prioridades do CEO e como elas podem se alinhar para obter o máximo impacto. E eles precisam ver que não há problema algum em cometer um erro, corrigi-lo e seguir em frente. Você não pode ter medo de errar. Isso sufoca a inovação.

Em uma startup que passa por um rápido crescimento, líderes eficazes continuam se demitindo de trabalhos que faziam no começo. Como muitos fundadores, eu lidava com contabilidade e folha de pagamento, e isso sugava muito do meu tempo. Um dos meus primeiros OKRs foi descarregar as tarefas financeiras e focar o produto e a estratégia, nossos objetivos gerais. Enquanto isso, tive que me adaptar a trabalhar com diversos executivos. Meus OKRs suavizaram a transição e a mantiveram. Eles me impediram de retroceder ou de microgerenciar coisas.

Um Legado de OKRs

Os OKRs são basicamente simples, porém você não domina o processo logo de cara. No início, estaríamos a milhas de distância dos nossos objetivos de nível empresarial, principalmente por causa da ambição. Poderíamos definir sete ou oito deles quando tínhamos capacidade para dois, na melhor das hipóteses.

Quando John entrou em nossas vidas, eu era um novato no planejamento estratégico. Provavelmente, deveríamos ter entrado mais lentamente nos OKRs, e não instalado todo o sistema de uma só vez. Independentemente de quais foram nossos erros, eu faria tudo de novo, sem pestanejar. Os OKRs ajudaram a Remind a se tornar uma empresa melhor gerenciada e uma empresa que faz. Três trimestres depois de nossa primeira implementação, garantimos US$40 milhões em financiamento da série C. Nosso futuro estava garantido.

O céu é o limite para a Remind. Ao longo de todo o seu crescimento e suas mudanças, ela nunca perdeu de vista seu foco: os professores dedicados. Brett e David Kopf foram inabaláveis em sua visão de "proporcionar a cada aluno uma oportunidade de sucesso". Como Brett diz: Vivemos um momento em que você pode clicar um botão e pegar um táxi em cinco minutos. Mas quando uma criança fica para trás no desempenho escolar, talvez leve semanas ou meses para os pais descobrirem o motivo desse atraso. A Remind está no caminho para resolver esse problema, com foco no que importa.

6

Compromisso: A História da Nuna

Jini Kim
Cofundadora e CEO

A Nuna é a história da dedicada Jini Kim, que foi impelida por uma tragédia familiar a oferecer melhores cuidados de saúde a um grande número de norte-americanos. Uma história sobre como Jini desenterrou a Nuna do nada ao longo de anos de rejeição. E sobre como Jini recrutou engenheiros e cientistas de dados para o compromisso com um objetivo audacioso: construir do zero uma nova plataforma de dados para o Medicaid.

Juntamente com o foco, o comprometimento é um elemento central do nosso primeiro superpoder. Ao implementar os OKRs, os líderes devem se comprometer publicamente com seus objetivos e permanecer firmes. Na Nuna, uma plataforma de dados para cuidados de saúde e uma empresa especializada em análise de dados, os cofundadores superaram um início errado com os OKRs. Eles passaram a esclarecer as prioridades para toda a organização. Perceberam que precisavam mostrar um compromisso sustentável para alcançar seus próprios OKRs individuais e ajudar suas equipes a fazerem o mesmo.

A Nuna decolou em 2014. Quatro anos e um enorme contrato com o Medicaid depois, a empresa está alavancando dados para fazer o sistema de saúde funcionar melhor para milhões de pessoas que precisam muito dele. Através da aplicação da tecnologia e das lições aprendidas no Medicaid, a Nuna está ajudando grandes empresas a melhorarem a eficiência e a qualidade do atendimento em seus planos privados. Todo esse trabalho tem como base as proezas da definição de metas dos OKRs, com os quais Jini teve contato pela primeira vez como gerente de produto do Google.

Esta história reflete dois aspectos do nosso superpoder do compromisso. Assim que a equipe da Nuna "pegou o jeito" dos OKRs, eles amarraram a equipe ao comprometimento com as metas de maior impacto. Ao mesmo tempo, líderes e colaboradores aprenderam a se comprometer com o próprio processo de OKRs.

Jini Kim: A história da Nuna é muito particular. Quando meu irmão Kimong tinha dois anos de idade, ele foi diagnosticado com um autismo grave. Alguns anos depois, ele teve sua primeira convulsão, na Disneylândia. Em um segundo ele estava bem e no seguinte estava no chão, mal conseguindo respirar. Como imigrantes coreanos com recursos limitados e falando pouco inglês, meus pais se sentiam impotentes. Sem uma rede de segurança, minha família certamente teria ido à falência. A tarefa de nos inscrever no Medicaid coube a mim, aos nove anos.

Quando entrei no Google em 2004, meu primeiro emprego fora da faculdade, eu nunca tinha ouvido falar de OKRs. Com o tempo, no entanto, eles se tornaram uma bússola indispensável para mim e minhas equipes no Google, e para trazer foco ao que era mais importante no trabalho. Um dos primeiros produtos em que trabalhei, o Google Health, me ensinou a importância dos dados para melhorar os cuidados com a saúde. Também aprendi o quão difícil poderia ser o acesso aos dados sobre saúde, mesmo os nossos próprios. Em 2010, essa experiência me levou a fundar a Nuna.

Nós não usávamos OKRs no começo. A Nuna não tinha dinheiro, nem clientes. Eu trabalhava em período integral, e outros cinco, em meio período (incluindo meu cofundador e então estudante de graduação, David Chen), mas ninguém estava sendo pago. Costuramos um protótipo e conversamos com alguns grandes empregadores que já tinham seus respectivos planos de saúde.

Naquele primeiro ano, recebemos zero pedidos, e com razão. Achávamos que sabíamos o que o mercado precisava, mas ainda não entendíamos os nossos clientes o suficiente para efetivamente defender o produto.

Quando ainda não recebíamos pedidos, no segundo ano, eu sabia que era hora de uma capacitação. Com quais benefícios os diretores realmente se importam? Qual era o sentido de inovação significativa no mercado de assistência médica? Coloquei um terno e participei de algumas conferências de recursos humanos para descobrir.

Em 2012, as coisas que aprendi nos ajudaram a assinar algumas empresas da lista "Fortune 500" como clientes. Mais de dois anos de rejeição, frustração e mais jantares de rámen do que pude imaginar finalmente levaram a Nuna a se adaptar ao mercado de produtos. Em uma startup, porém, a única constante é a mudança, e a Nuna estava prestes a passar por uma dramática. Depois que voltei à Área da Baía de São Francisco vinda de um período de seis meses com a Healthcare.gov, conseguimos fechar US$30 milhões em financiamento. Finalmente poderíamos pagar nossa equipe, e por muitos anos.

Nesse ponto, soube do pedido de propostas do governo para criar o primeiro banco de dados para todos os membros do Medicaid: 74,5 milhões de vidas em 50 estados, 5 territórios e no Distrito de Colúmbia. O esforço já havia falhado várias vezes. Depois de 72 horas abastecidas pela adrenalina e por Red Bull, enviamos nossa oferta na hora certa para o departamento governamental chamado Centers for Medicare & Medicaid Services (CMS). Dois meses depois, descobríamos a conquista do contrato.

Desenvolver a Nuna de forma escalável foi um empreendimento enorme e feito em três dimensões. A primeira foi o negócio em si: atualizar processos de conformidade, segurança e privacidade. A segunda foi a nossa infraestrutura de plataforma de dados. A terceira foi nossa base de funcionários, de 15 pessoas para 75. Tínhamos que construir um banco de dados histórico enquanto ainda administrávamos nosso negócio existente com os empregadores. E terminando tudo isso em um ano. Para entregar o serviço, precisaríamos de mais foco e comprometimento do que nunca.

Jini Kim, CEO da Nuna, com o irmão, Kimong.

Em 2015, fizemos uma tentativa inicial de implementar os OKRs. Como ex-funcionária do Google, eu já havia "comprado" o poder dos objetivos e dos resultados-chave. No entanto, eu subestimava o que era preciso para introduzi-los e, principalmente, para executá-los de forma eficiente. É necessário construir o músculo da meta de forma gradual e incremental. Com base na experiência dos meus próprios OKRs físicos para correr uma maratona: muita atividade em pouco tempo definitivamente acabará em dor.

Criamos OKRs trimestrais e OKRs anuais e os distribuímos para todos na Nuna desde o primeiro dia. Nós éramos minúsculos, cerca de 20 pessoas. Nem sequer ocupávamos um elevador grande. Mas o processo não engrenou. Algumas pessoas nunca definem seus OKRs individuais; outras os definem, mas os colocam em uma gaveta.

Olhando para trás, eu teria começado com nossa equipe de liderança de cinco pessoas. Para que o estabelecimento de metas estruturadas prospere, como nossa empresa aprendeu da maneira mais difícil, os executivos precisam se comprometer com o processo. A superação da resistência dos gerentes ao serem colocados em contato com os OKRs pode levar um trimestre ou dois. Eles precisam ver os OKRs não como um mal necessário ou algum exercício superficial, mas, sim, como uma ferramenta prática para atender às principais prioridades de sua organização.

Até que seus executivos estejam totalmente envolvidos, não é possível esperar que os colaboradores façam o mesmo, especialmente quando os OKRs de uma empresa são ambiciosos. Quanto mais desafiador é um objetivo, mais tentador pode ser abandoná-lo. As pessoas naturalmente buscam inspiração em seus chefes no estabelecimento de metas e posterior acompanhamento. Se os oficiais pularem do navio no meio de uma viagem tempestuosa, não se pode esperar que os marinheiros o conduzam para o porto.

Em meados de 2016, tentamos novamente, com um nível renovado de compromisso com o OKR. Mesmo quando via nossa equipe executiva comprar a ideia, eu sabia que não poderia ser complacente. Como líder, meu trabalho era ficar atenta ao movimento das pessoas. Eu enviaria e-mails aos nossos colaboradores para se comprometerem a criar OKRs individuais. Se eles não respondessem, entraria em contato com eles via Slack, o aplicativo de mensagens da equipe. Se eles ainda não me ouvissem, enviaria uma mensagem. E se eles *ainda* assim não ouvissem, eu os encurralaria e diria: "*Por favor*, faça seus OKRs!"

Para inspirar um compromisso verdadeiro, os líderes devem praticar o que ensinam. Eles devem ser o modelo de comportamento que esperam dos outros. Depois de compartilhar meus OKRs individuais em uma reunião geral, fiquei surpresa com o quanto isso ajudou a empresa a se unir em torno do processo. Isso mostrou a todos que eu também era responsável. Nossos colaboradores se sentiram à vontade para avaliar meus OKRs e me dizer como melhorá-los, e isso fez toda a diferença. Aqui está um exemplo, com minhas notas (na escala do Google de 0,0 a 1,0) entre colchetes. Posso dizer que recebi muita contribuição construtiva ao formular este OKR enganosamente simples, do tipo "ou vai ou racha" para contratação:

OBJETIVO

Continuar construindo uma equipe de classe mundial.

RESULTADOS-CHAVE

1. **Recrutar dez engenheiros [0,8].**
2. **Contratar um líder para a área de vendas [1,0].**
3. **100% dos candidatos sentirem que tiveram uma experiência profissional bem organizada, mesmo que a Nuna não faça uma oferta [0,5].**

Também adicionamos dois resultados-chave para medir nosso compromisso com o desenvolvimento profissional:

OBJETIVO

Criar um ambiente de trabalho saudável e produtivo à medida que evoluímos para mais de 150 funcionários.

RESULTADOS-CHAVE

1. **100% dos colaboradores da Nuna passaram pelo ciclo de análise/feedback sobre o desempenho [1,0].**
2. **100% dos colaboradores da Nuna registram seus OKRs individuais do trimestre na primeira semana do quarto trimestre [0,4].**

Na Nuna, nosso compromisso com os OKRs é muito público e visível. No entanto, há momentos em que o sistema é mais útil na esfera privada. No quarto trimestre de 2016, decidi contratar um VP para a nossa área de empregadores, um passo essencial para acelerar o crescimento dessa unidade de negócios. Era uma nova posição para a empresa e eu não tinha certeza de como isso seria percebido internamente. Estabelecer um OKR privado, pelo qual David e eu éramos responsáveis, aprofundou meu compromisso de fazer com que o processo de contratação caminhasse. Isso me levou a conversar pessoalmente com as principais partes interessadas da empresa, encontrar potenciais recrutas e, finalmente, colocar em ação um processo de recrutamento mais formal.

Por definição, as startups lutam contra a ambiguidade. Conforme o terreno da Nuna se expandia, desde empregadores que já tinham seus respectivos planos de saúde no maciço banco de dados do Medicaid até um conjunto de novos produtos de planos de saúde, passamos a confiar nos OKRs mais do que nunca. Toda a nossa equipe precisa de foco mais preciso e prioridades mais claras, pré-requisitos para um comprometimento mais sólido. Os OKRs forçaram um monte de conversas na empresa que, de outra forma, não teriam acontecido. Estamos conseguindo mais alinhamento. Ao invés de reagir a eventos externos no calor do momento, estamos agindo de forma objetiva em nossos planos para cada trimestre. Nossos prazos são mais rigorosos, mas as pessoas sentem que são mais viáveis. Estamos *comprometidos* em fazer o que dissemos que faremos.

Qual é a moral da nossa história dos OKRs? Como David costumar dizer: "Você não vai pegar o jeito do sistema de primeira. Também não será perfeito de segunda ou de terceira. Porém, não desanime. Persevere. É necessário adaptá-lo e torná-lo seu." O compromisso se alimenta de si mesmo. Continue no caminho com os OKRs, como eu sei em primeira mão, e você colherá benefícios incríveis.

Hoje, com o inestimável apoio dos nossos parceiros da CMS, a Nuna construiu uma plataforma de dados segura e flexível para armazenar informações privadas de saúde para mais de 74 milhões de norte-americanos. Mas nós aspiramos fazer muito mais. Queremos que nossa plataforma deixe os legisladores informados à medida que lidam com um sistema de saúde caro e complexo. Queremos que ela conduza análises para ajudar a prever e prevenir doenças futuras. Acima de tudo, queremos que ela desempenhe um grande papel na melhoria dos cuidados de saúde nos Estados Unidos. É um compromisso assustador, porém, como aprendi no Google: quanto mais cabeluda é a missão, mais importantes são os OKRs.

Todos esses anos depois, meu irmãozinho, Kimong, fala apenas três palavras: *uhma*, *appa* e *nuna* — "mãmae", "papai" e "irmã mais velha", em coreano. Kimong deu à nossa empresa seu nome e sua missão. Agora, cabe a nós, apoiados pelo nosso compromisso com os OKRs, ajudar a melhorar a área da saúde para todos.

Em janeiro de 2017, a Nuna iniciou os trabalhos no Medicaid. Entrevistado pelo *New York Times*, Andrew M. Slavitt, diretor em exercício da Centers for Medicare & Medicaid Services, descreveu o banco de dados em nuvem da Nuna como "quase histórico", um salto das limitações informatizadas do Estado para a primeira "visão geral de um sistema".

Em apenas alguns anos, a equipe da Nuna causou um impacto duradouro no sistema de saúde dos EUA. Mas quem conhece Jini e David, e a força do seu compromisso com os OKRs, dirá que eles estão apenas começando.

7

Superpoder nº 2: Alinhamento e Conexão em Prol do Trabalho em Equipe

Não contratamos pessoas inteligentes para
lhes dizer o que fazer. Contratamos pessoas inteligentes
para nos dizerem o que fazer.
— ***Steve Jobs***

Com a erupção das mídias sociais, a transparência é a configuração-padrão para as nossas vidas. É a via expressa para a excelência operacional. No entanto, na maioria das empresas de hoje, as metas permanecem em segredo. Muitos CEOs compartilham da frustração de Aaron Levie, fundador e CEO da Box, uma empresa de nuvem virtual corporativa. "A todo momento", disse Aaron, "uma porcentagem significativa de pessoas está trabalhando nas coisas erradas. O desafio é saber que coisas são essas."

Pesquisas mostram que metas públicas são mais prováveis de serem alcançadas do que metas mantidas em segredo. Apertar o botão da "transparência" simplesmente elevará o desempenho em toda a linha. Em uma pesquisa recente com mil adultos norte-americanos em atividade, 92% disseram que seriam mais motivados a alcançar seus objetivos se os colegas pudessem ver seu progresso.

Em um sistema de OKRs, a equipe mais novata pode observar as metas de todos, até do CEO. Críticas e correções estão à mostra para o público. Os colaboradores têm carta branca para contribuir para o processo de definição de metas, até mesmo apontar as falhas do processo em si. A meritocracia floresce sob a luz do sol. Quando as pessoas escrevem "É nisso em que estou trabalhando", fica mais fácil ver de onde vêm as melhores ideias. Logo, fica aparente que os indivíduos que estão crescendo são os que trabalham no que mais valoriza a empresa. Venenos organizacionais, como suspeita, tratamento injusto e politicagem, perdem seu poder tóxico. Se a área de vendas detestar o plano de marketing mais recente, não ficará fervilhando internamente. Suas diferenças serão exibidas ao ar livre. Os OKRs tornam os objetivos *objetivos*, preto no branco.

A transparência alimenta a colaboração. Digamos que a funcionária A esteja penando para alcançar um objetivo trimestral. Como ela monitorou publicamente seu progresso, os colegas podem ver que ela precisa de ajuda. Eles entram em cena, postam comentários e oferecem apoio. O trabalho melhora. De forma igualmente relevante, as relações de trabalho são aprofundadas, até mesmo transformadas.

Em organizações maiores, é comum encontrar várias pessoas involuntariamente trabalhando na mesma coisa. Quando se deixa uma linha de visão clara com os objetivos de todos, os OKRs expõem esforços redundantes e poupam tempo e dinheiro.

A Mesma Página

Uma vez definidos os objetivos do topo, o trabalho de verdade começa. À medida que os gerentes saem do planejamento para a execução, tanto eles quanto os colaboradores conectam suas atividades do dia a dia à visão da organização. O termo para essa conexão é *alinhamento*, e seu valor não pode ser superestimado. De acordo com a *Harvard Business Review*, empresas com funcionários altamente alinhados têm mais que o dobro de probabilidade de apresentarem melhor desempenho.

O alinhamento é raro, infelizmente. Estudos sugerem que apenas 7% dos funcionários "entendem completamente as estratégias de negócios da empresa e o que se espera deles para atingir metas comuns". A falta de alinhamento, de acordo com uma pesquisa feita com CEOs ao redor do mundo, é o principal obstáculo de estratégia e execução.

"Temos muitas coisas acontecendo", diz Amelia Merrill, líder de RH da RMS, uma agência de modelos de riscos da Califórnia. "Temos pessoas em vários departamentos, vários fusos horários, algumas fazendo trabalhos paralelos, outras trabalhando juntas. É muito difícil que os funcionários percebam no que eles devem trabalhar primeiro. Tudo parece importante; tudo parece urgente. Mas o que *realmente* precisa ser feito?"

A resposta está em OKRs focados e transparentes. Eles unem o trabalho de cada indivíduo aos esforços da equipe, aos projetos departamentais e à missão geral. Como espécie, ansiamos por conexão. No ambiente de trabalho, somos naturalmente curiosos sobre o que nossos líderes estão fazendo e como nosso trabalho se insere no deles. Os OKRs são o veículo ideal para um alinhamento vertical.

O Grande Efeito Cascata

Antigamente, no mundo dos negócios, o trabalho era estritamente conduzido a partir do topo. Metas eram entregues no organograma como tábuas vindas do Monte Sinai. Executivos de nível sênior definiam objetivos prioritários para os chefes de departamento, que os passavam para o próximo nível da administração e assim por diante.

Embora essa abordagem para o estabelecimento de metas não seja mais universal, permanece predominante em grande parte das maiores organizações. O apelo é óbvio. As metas em cascata arregimentam funcionários dos níveis inferiores e asseguram que estejam trabalhando nas principais preocupações da empresa. Na melhor das hipóteses, o efeito em cascata forja a unidade, ou seja, deixa claro que o grupo está todo junto na empreitada.

Em meu discurso ao Google e a muitas outras organizações, usei um time de futebol americano imaginário para mostrar como o sistema OKR funciona de maneira eficaz, ou não, quando usado deste modo.

Siga a leitura à medida que posicionamos um conjunto de OKRs em cascata, de cima para baixo.

SandHill Unicorns: Um Time de Futebol Americano Imaginário

Digamos que eu seja o gerente-geral da equipe do SandHill Unicorns. Tenho um objetivo, *algo palpável (O QUÊ)*: fazer dinheiro para o proprietário.

Gerente-geral

OBJETIVO

Fazer $ para o proprietário.

RESULTADOS-CHAVE

1. **Ganhar o Super Bowl.**
2. **Lotar os jogos em casa até 90% +.**

Organograma 1 dos OKRs — Gerente-geral

Meu objetivo tem dois resultados-chave: ganhar o Super Bowl e lotar os jogos em casa até, pelo menos, 90% da capacidade do estádio, que é *COMO* vou ganhar dinheiro para o proprietário. Se eu cumprir com ambos os *COMOS*, não há não ter lucro. Isso é um sistema de OKRs bem construído.

Com o nosso conjunto de OKRs dos quadros superiores, trabalhamos ao longo da cadeia da organização.

Treinador Principal

OBJETIVO
Ganhar o Super Bowl.

RESULTADOS-CHAVE
1. Acumular mais de 300 jardas por jogo em passes no ataque .
2. Uma defesa que sofra menos de 17 pontos por jogo.
3. Unidade de special teams entre as 3 melhores em punts returns.

Coordenador do Setor de Ataque

OBJETIVO
Acumular mais de 300 jardas por jogo em passes no ataque.

RESULTADOS-CHAVE
1. Atingir 65% de taxa de passes bem-sucedidos.
2. Evitar interceptações a menos de 1 por jogo.
3. Contratar um novo treinador de quarterbacks.

Coordenador do Setor de Defesa

OBJETIVO
Ceder menos de 17 pontos por jogo.

RESULTADOS-CHAVE
1. Permitir menos de 100 jardas corridas (running yards) por jogo.
2. Aumentar o número de sacks para mais de 3 por jogo.
3. Desenvolver um cornerback para o Pro Bowl.

Treinador dos Special Teams

OBJETIVO
Posicionar a equipe de punt coverage entre as 3 melhores.

RESULTADOS-CHAVE
1. Permitir menos de 10 jardas por punt return.
2. Bloquear mais de 4 punts ao longo da temporada.

Organograma 2 dos OKRs — Treinadores e coordenadores

Como gerente-geral, desenvolvo minha meta em cascata até o próximo nível de gestão, com o treinador principal e com o vice-presidente sênior da área de marketing. Meus resultados-chave se tornam os objetivos deles (veja o Organograma 2 dos OKRs). O objetivo do treinador é ganhar o Super Bowl, com três resultados-chave para chegar lá: um ataque de, pelo menos, 300 jardas por jogo; uma defesa que sofra menos de 17 pontos por jogo; e ter um dos três melhores times em *punt returns*. Ele desenvolve em cascata os resultados-chave como objetivos para seus três principais executivos: os coordenadores do setor de ataque, do setor de defesa e o treinador do *special teams*. Eles, por sua vez, criam seus próprios resultados-chave. Para conseguir um ataque com um passe de 300 jardas por jogo, por exemplo, o coordenador do setor de ataque pode apontar uma taxa passes completados com sucesso de 65% e menos de uma interceptação por jogo, e depois contratar um novo treinador de quarterbacks.

Esses OKRs estão alinhados com a meta do gerente-geral de vencer o Super Bowl.

Nós não terminamos ainda. Precisamos definir como podemos encher nossos jogos em casa.

Gerente Geral

OBJETIVO
Fazer $ para o Proprietário

RESULTADOS-CHAVE
1. Ganhar o Super Bowl.
2. Lotar jogos em casa (mais de 90%)

Treinador Principal

OBJETIVO
Ganhar o Super Bowl

RESULTADOS-CHAVE
1. Acumular mais de 300 jardas por jogo em passes no ataque.
2. Uma defesa que sofra menos de 17 pontos por jogo.
3. Unidade de special teams entre as três melhores em punt returns.

Coordenador do Setor de Ataque

OBJETIVO
Acumular mais de 300 jardas por jogo em passes no ataque

RESULTADOS-CHAVE
1. Atingir 65% de taxa de passes bem-sucedidos.
2. Evitar interceptações (menos de 1 por jogo).
3. Contratar um novo treinador de quarterbacks

Coordenador do Setor de Defesa

OBJETIVO
Ceder menos de 17 pontos por jogo

RESULTADOS-CHAVE
1. Permitir menos de 100 jardas corridas (running yards) por jogo.
2. Aumentar o número de sacks para mais de 3 por jogo.
3. Desenvolver um cornerback para o Pro Bowl.

Treinador dos Special Teams

OBJETIVO
Posicionar a equipe de punt coverage entre as 3 melhores

RESULTADOS-CHAVE
1. Permitir menos de 10 jardas por punt return.
2. Bloquear mais de 4 punts ao longo da temporada.

VP de Marketing

OBJETIVO
Lotar jogos em casa (mais de 90%)

RESULTADOS-CHAVE
1. Atualizar a estratégia de branding da equipe.
2. Aumentar a cobertura midiática.
3. Revitalizar o programa de promoção de marketing dentro do estádio.

Diretor de Marketing

OBJETIVO
Atualizar a estratégia de branding da equipe

RESULTADOS-CHAVE
1. Posicionar dois jogadores de destaque na nova campanha de marketing.
2. Criar um slogan mais convincente para a equipe.

Relações Públicas

OBJETIVO
Aumentar a cobertura midiática

RESULTADOS-CHAVE
1. Organizar o comparecimento dos jogadores em dois eventos de caridade por temporada.
2. Convidar 20 jornalistas esportivos para reuniões e entrevistas.
3. Compartilhar fotos dos eventos nas mídias sociais.

Gerente de Merchandising

OBJETIVO
Revitalizar nossa promoção de marketing dentro do estádio

RESULTADOS-CHAVE
1. Entrar em contato com 10 empresas de souvenires.
2. Cotar 5 opções.
3. Apresentar 3 ideias para os brindes do estádio até o 1º dia de agosto.

Organograma 3 dos OKRs — OKRs para a organização

Enquanto isso, minha vice-presidente sênior (VPS) de marketing derivou o objetivo *dela* do meu outro resultado-chave, lotar 90% do estádio (veja o Organograma 3 dos OKRs). Ela criou três resultados-chave: atualizar a marca da equipe; melhorar a cobertura de mídia; revitalizar o programa de promoções no estádio. Esses resultados-chave seguem em cascata com os objetivos do diretor de marketing, do publicitário da equipe e do gerente de produtos, respectivamente.

Então, o que há de errado com essa perspectiva? Aqui vai uma pista: os resultados-chave da VPS são uma bagunça. Ao contrário dos objetivos-chave do técnico principal, eles não são mensuráveis. Eles não têm especificidade ou limitação pelo tempo. Como definimos "melhoria", por exemplo, na cobertura de mídia da equipe? (Cinco destaques na programação da ESPN? Uma capa na *Sports Illustrated*? Cinquenta por cento a mais de seguidores nas mídias sociais?)

No entanto, mesmo que a VPS tenha apresentado resultados-chave mais fortes, a abordagem de estabelecimento de metas da organização permaneceria profundamente falha. O objetivo primordial (tornar uma pessoa rica mais rica) carece de motivação intrínseca para o gerente-geral, pior ainda para o olheiro da equipe na Costa Leste ou para o estagiário de relações públicas escravizado pela copiadora.

Com moderação, o efeito cascata torna uma operação mais coerente. No entanto, quando *todos* os objetivos estão em cascata, o processo pode se degradar em um exercício mecânico, colorido por números e com quatro efeitos adversos:

- *Perda de agilidade.* Até mesmo empresas de médio porte podem ter seis ou sete níveis de subordinação. Enquanto todos esperam que a cachoeira escorra de cima, e reuniões e análises cresçam como ervas daninhas, cada ciclo de metas pode levar semanas ou até meses para ser administrado. Organizações fortemente organizadas em cascata tendem a resistir à rápida e frequente definição de metas. A implementação é tão incômoda que os OKRs trimestrais podem ser impraticáveis.
- *Falta de flexibilidade.* Como é preciso muito esforço para formular metas em cascata, as pessoas relutam em revisá-las no meio do

ciclo. Mesmo pequenas atualizações podem sobrecarregar os que estão na parte inferior do fluxo, aqueles que estão lutando para manter seus objetivos alinhados. Com o tempo, o sistema fica difícil de manter.

- *Colaboradores marginalizados.* Sistemas rigidamente em cascata tendem a eliminar a contribuição dos funcionários da linha de frente. Em um ecossistema de cima para baixo, os colaboradores hesitarão em compartilhar preocupações relacionadas a objetivos ou ideias promissoras.
- *Ligações unidimensionais.* Enquanto o movimento em cascata se trava no alinhamento vertical, ele é menos eficaz na conexão horizontal dos colegas ao longo das linhas departamentais.

De Baixo para Cima!

Felizmente, temos uma alternativa. Precisamente em virtude da transparência dos OKRs, eles podem ser compartilhados sem necessariamente uma conexão em cascata. Se eles servirem ao propósito maior, vários níveis da hierarquia podem ser atravessados. Ao invés de um movimento ascendente do CEO para um vice-presidente, para um diretor, para um gerente (e depois para os subordinados do gerente), um objetivo pode passar do CEO diretamente para um gerente, ou de um diretor para um colaborador. A liderança da empresa pode também apresentar seus OKRs para todos ao mesmo tempo e confiar nas pessoas para dizer: "Ok, agora eu sei aonde estamos indo e vou adaptar meus objetivos a isso."

Considerando que o Google tem dezenas de milhares de funcionários, sua cultura inovadora seria prejudicada pelos OKRs em cascata. Laszlo Bock, ex-chefe das operações de pessoal da empresa, observa o seguinte na obra *Um Novo Jeito de Trabalhar — O Que o Google Faz de Diferente para Ser uma das Empresas Mais Criativas*:

> Ter objetivos melhora o desempenho. No entanto, gastar horas estabelecendo metas em cascata para cima e para baixo na empresa, não melhora nada... Temos uma abordagem baseada no mercado, na qual, ao longo do tempo, nossos objetivos convergem para que os OKRs primordiais da empresa sejam conhecidos e os OKRs de todo mundo estejam visíveis. Equipes totalmente fora de alinhamento saltam aos olhos, e as poucas iniciativas de importância que tocam todos são fáceis de gerenciar diretamente.

A antítese do movimento em cascata pode ser o "projeto 20%" do Google, que libera engenheiros para trabalharem em projetos paralelos pelo período equivalente a um dia por semana. Ao libertar algumas das mentes mais afiadas do cativeiro, o Google muda o mundo como o conhecemos. Em 2001, o jovem Paul Buchheit iniciou o seu projeto 20% com o codinome *Caribou*. Hoje, ele é conhecido como Gmail, o serviço de e-mail baseado na web mais usado no mundo.

Para evitar o desalinhamento compulsivo e aniquilador de almas, organizações saudáveis normalmente incentivam que algumas metas emerjam. Digamos que a fisioterapeuta do SandHill Unicorns participe de uma conferência de medicina esportiva e aprenda sobre um novo regime de prevenção de lesões. Ela, por vontade própria, elabora um OKR fora da temporada para implementar a terapia. Seu objetivo pode não se alinhar com os OKRs de seu gerente direto, mas se alinha com o objetivo amplo do gerente-geral. Se os melhores jogadores do Unicorns permanecerem saudáveis durante a temporada, as chances de vencer o Super Bowl serão altas.

A inovação tende a residir menos no centro de uma organização e mais em suas bordas. Os OKRs mais potentes geralmente surgem de insights fora do núcleo central. Como Andy Grove observou: "As pessoas nas trincheiras geralmente estão em contato com mudanças iminentes no início. Os vendedores entendem a mudança das demandas do cliente antes que a administração o faça; analistas financeiros são os primeiros a saber quando as bases de um negócio mudam."

O microgerenciamento significa má administração. Um ambiente saudável de OKRs estabelece um equilíbrio entre alinhamento, autonomia, objetivo comum e atitude criativa. O "funcionário profissional", escreveu Peter Drucker, "precisa de rigorosos padrões de desempenho e metas elevadas... No entanto, o modo como ele faz o trabalho deve ser sempre responsabilidade e decisão dele." Na Intel, Grove tinha uma visão negativa da "interferência gerencial": "O subordinado começará a ter uma visão muito mais restrita do que se espera dele, mostrará menos iniciativa para resolver os próprios problemas e, em contrapartida, sempre os encaminhará ao superior... A produtividade da organização será, consequentemente, reduzida..."

Um sistema OKR ideal libera os colaboradores para definirem pelo menos alguns dos seus próprios objetivos e a maioria ou todos os seus resultados-chave. As pessoas são levadas a se esforçarem um pouco mais para definir metas mais ambiciosas e alcançar aquelas que estabelecem: "Quanto maiores as metas, maior o desempenho." As pessoas que escolhem seu próprio destino terão uma percepção mais profunda do que é necessário para chegar lá.

Quando o nosso *como* é definido por outros, a meta não nos envolve no mesmo grau. Se meu médico pedisse para reduzir minha pressão arterial treinando para a Maratona de São Francisco, eu poderia, a contragosto, até aceitar a orientação. No entanto, se eu decidisse, por livre e espontânea vontade, participar da corrida, seria muito mais provável que eu alcançasse a linha de chegada, especialmente se eu estivesse correndo com amigos.

Descobri que, nos negócios, raramente há uma única resposta certa. Quando soltamos as rédeas e apoiamos as pessoas para encontrarem as respostas certas *delas próprias*, ajudamos todos a ganhar. Equipes de alta funcionalidade prosperam em uma tensão criativa entre a definição de metas de cima para baixo e de baixo para cima, uma combinação de OKRs alinhados e desalinhados. Em tempos de urgência operacional, quando uma *execução* simplificada tem sempre prioridade, as organizações podem optar por ser mais direcionadoras. No entanto, quando os números estão consistentes e uma empresa se tornou muito cautelosa e restrita, um toque mais leve pode ser o ideal. Quando os líderes estão sintonizados com as necessidades flutuantes do negócio e de seus funcionários, a combinação de metas de cima para baixo e de baixo para cima geralmente se estabelece nos arredores. Para mim, isso parece o certo.

Coordenação Interdisciplinar

Mesmo que uma definição moderna de metas transcenda com sucesso o organograma, as dependências não reconhecidas continuam sendo a causa número um para um projeto patinar. A cura é a conectividade lateral, interdisciplinar, entre colegas e entre equipes. Para inovar e resolver problemas de forma avançada, indivíduos isolados não combinam com um grupo conectado. Um produto depende da área de engenharia, marketing e vendas. À medida que os negócios se tornam mais complexos e as iniciativas mais complexas, áreas interdependentes precisam de uma ferramenta para ajudá-las a alcançar a linha de chegada juntas.

Empresas coesas são empresas mais rápidas. Para obter uma vantagem competitiva, tanto os líderes quanto os colaboradores precisam se unir horizontalmente, ultrapassando as barreiras. Um sistema OKR transparente, como aponta Laszlo Bock, promove esta espécie de colaboração livre: "As pessoas de toda a organização conseguem ver o que está acontecendo. De repente, você tem pessoas que estão projetando um aparelho acionando uma outra equipe que está fazendo o software, porque viram uma coisa interessante que poderia ser feita com a interface do usuário."

Quando as metas são públicas e visíveis para todos, uma "equipe de equipes" pode atacar pontos problemáticos onde quer que eles apareçam. Bock complementa: "Imediatamente, você já percebe se alguém está mandando muito bem, e aí já investiga. Se alguém está errando o tempo todo, você investiga. A transparência cria sinais muito claros para todos. Ciclos virtuosos são iniciados e eles reforçam a real capacidade de todos fazerem o trabalho. Por fim, o imposto gerencial é zero. É incrível."

8

Alinhamento: A História do MyFitnessPal

Mike Lee
Cofundador e CEO

Tudo começou com um casamento na praia. À caminho da noite de núpcias, Mike e Amy Lee queriam perder um pouco de peso. Um preparador físico havia lhes dado uma lista dos valores nutricionais de três mil alimentos e um bloco de papel para acompanhar as calorias. Mike, que programava computadores desde os dez anos de idade, sabia que deveria que haver um jeito melhor de fazer aquilo. Foi então que ele concebeu uma solução, que se tornou o MyFitnessPal. Por oito anos, Mike e Albert autofinanciaram o aplicativo a partir de suas economias e cartões de crédito.

Hoje, os irmãos Lee estão no centro de um movimento épico pela saúde digital quantitativa e pelo bem-estar pessoal. A missão deles é criar um mundo saudável. Em 2013, quando a Kleiner Perkins investiu no MyFitnessPal, o aplicativo contava com 45 milhões de usuários registrados. Hoje em dia, são mais de 120 milhões que já perderam, no total, 136 milhões de quilos aproximadamente. Com um banco de dados de 14 milhões de alimentos, além de links em tempo real para o Fitbit e dezenas de outros aplicativos, o MyFitnessPal torna mais fácil do que nunca acompanhar o que você come e a eficácia com que se exercita. Ao revelar o que costumava ficar escondido, as calorias que você queima na sua corrida matinal, por exemplo, o MyFitnessPal ajuda os usuários a estabelecerem e atingirem metas pessoais ambiciosas. Os membros realizam escolhas diárias que mudam suas vidas. Como bônus, o aplicativo vem com uma rede de amigos que o motivam diariamente.

Os OKRs não são ilhas. Pelo contrário, criam redes verticais, horizontais e diagonais para conectar o trabalho mais importante de uma organização. Quando os funcionários se alinham aos objetivos principais de uma empresa, seu impacto é amplificado. Eles param de duplicar esforços ou de trabalhar contraprodutivamente. Tal como foi constatado pelos irmãos Mike e Albert Lee ao construir o MyFitnessPal, o aplicativo de saúde e fitness líder mundial, o alinhamento forte é fundamental para um progresso diário que acelera o próximo grande salto.

Se essa história parece um cenário perfeito para os OKRs, você não está enganado. A definição de metas veio organicamente para Mike e Albert, embora nem sempre seja fácil, como você verá. Em fevereiro de 2015, a empresa deles foi adquirida pela Under Armour por US$475 milhões. A fusão combinou a força da tecnologia MyFitnessPal com uma das grandes marcas do setor. De repente, os Lee tiveram acesso a atletas profissionais de nível mundial, a próxima fronteira para a aptidão digital. Como Mike diz: "Queremos estar onde o agito está." A nova estrutura de negócios trouxe novos desafios para o estabelecimento de metas, especialmente em torno do alinhamento. Mike e Albert confiariam nos OKRs para navegar em um labirinto de relações internas. Como o MyFitnessPal mergulhou em mares muito mais extensos, os objetivos e os resultados-chave conseguiram alinhar a equipe em crescimento e as metas dos fundadores.

Mike Lee: Temos um dispositivo que é incrivelmente poderoso. Os dados que ele coleta sobre você e sobre o mundo ao seu redor são impressionantes. Por um custo nominal ou gratuitamente, é possível termos um treinador, um nutricionista ou mesmo um consultor médico na palma da nossa mão a todo momento. Graças aos nossos smartphones, podemos tomar decisões mais saudáveis e ter estilos de vida mais saudáveis.

O MyFitnessPal oferece insights que chamamos de "momentos de esclarecimento" e permanecem com nossos usuários por toda a vida. Eu sei, em primeira mão, que funciona. Quando comecei a acompanhar o que eu comia, aprendi que a maionese tem 90 calorias por colher de sopa e mostarda, apenas cinco. Nunca mais encostei em um grama de maionese desde então. Valorize essas pequenas mudanças e você verá que elas pesam no final das contas.

Trabalhei para várias empresas antes de lançar o MyFitnessPal. Nenhuma delas usava sistemas formais para estabelecimento de metas. Elas tinham planejamentos financeiros anuais, números de receita a serem atingidos e amplas estratégias ao seu redor, mas nada estruturado ou contínuo. Não coincidentemente, essas organizações compartilhavam algo em comum: uma falta de alinhamento gritante. Eu não tinha ideia do que as outras equipes estavam fazendo ou como poderíamos trabalhar juntos para um objetivo comum. Nós tentávamos compensar isso com mais reuniões, o que era só perda de tempo. Se você colocar duas pessoas em um barco e uma remar para o leste e outra para o oeste, elas gastarão muita energia sem sair do lugar. Em nossos primeiros dias no MyFitnessPal, brincávamos que tínhamos uma lista de tarefas de mil itens, separávamos os três principais itens e dizíamos: "Certo, *esse* foi um bom ano." Naquele período, ficávamos muito abaixo da linha, mas tudo bem. Trabalhávamos dentro dos nossos limites: lançar o aplicativo para Android, BlackBerry ou a versão para iPhone ou iPad. Atacávamos um objetivo de cada vez e trabalhávamos até que ele fosse cumprido, e então passávamos para o próximo item da lista. Raramente havia sobreposição.

Nosso processo não era sofisticado, mas era focado e altamente mensurável. Quando se define a estratégia de uma empresa por conta própria, com apenas uma outra pessoa trabalhando sobre os produtos, o alinhamento fica simples. Meu irmão e eu gostávamos de estabelecer uma meta fundamental (*lançar algo no iPad*, por exemplo, *assim e assado, na data tal*) e comunicar nosso progresso diariamente. Pequenas organizações conseguem sobreviver com menos processos. Embora agora eu gostaria que tivéssemos engatado os nossos OKRs mais cedo, antes mesmo de termos sido financiados. Estaríamos melhor preparados para fazer escolhas mais sensatas quando a oportunidade surgisse em nosso caminho.

Uma vez que o MyFitnessPal saiu do papel e começou a rodar no iPhone e no Android, nosso crescimento foi exponencial. Um dia acordamos e tínhamos 35 milhões de usuários registrados. Estávamos aumentando a escala muito rápido para ficarmos fazendo só uma coisa de cada vez. Percebi que a dispersão de energia começa quando há duas grandes pessoas hierarquicamente abaixo de você. Nessa etapa, queremos dar a cada uma delas algo grande e significativo para se trabalhar, e ambas, naturalmente, querem avançar a sua parte do projeto. Daqui a pouco estarão desviando do alinhamento e imprimindo esforços em diferentes direções. Antes que se perceba, elas já estão trabalhando em duas coisas diferentes. Esse processo não as ajuda a se movimentar com mais força. Se dois pregos estiverem ligeiramente desalinhados, um bom martelo os entortará para o lado.

Os cofundadores do MyFitnessPal, Mike e Albert Lee, em 2012.

Embora Albert e eu soubéssemos que precisávamos de mais estrutura em nossa definição de metas, não sabíamos como proceder. Em 2013, não muito depois da Kleiner Perkins ter investido pela primeira vez em nossa empresa,

John Doerr veio e nos apresentou os OKRs. Sua analogia do time de futebol ressoou em mim; acabei *sacando a ideia*. Eu simplesmente me encantei com a simplicidade do objetivo principal, e a maneira como ele era destilado, esticado e cascateado ao longo da organização. E pensei comigo mesmo: seria *assim* que alinharíamos nossa empresa.

A Integração Entre Equipes

Quando começamos a implementar os OKRs, o processo foi mais difícil do que o previsto. Não estávamos gostando do quanto de raciocínio foi necessário para criar os objetivos adequados da empresa e, em seguida, colocá-los em cascata para impulsionar o comportamento dos colaboradores. Achávamos difícil encontrar um equilíbrio entre o pensamento estratégico de alto nível e uma comunicação diretiva mais granular. Uma vez que tínhamos o nosso financiamento de série A e ampliamos nossa equipe de liderança, nosso reino de possibilidades se expandiu. Em um esforço de responsabilidade individual, definimos um grande objetivo dedicado para cada líder. Criamos os OKRs da empresa para as pessoas em vez de alinhar pessoas com nossos OKRs; fizemos ao contrário. Alguns objetivos eram muito estreitos, outros muito nebulosos. Se um gerente de RH ficasse preso tentando se conectar às metas de alto nível para um determinado produto ou receita, nós adicionávamos um objetivo primordial da empresa apenas para essa pessoa. Em breve, teríamos uma fonte de OKRs para empresa, porém o que realmente *importava* no MyFitnessPal? Nós nos perdemos nos detalhes.

Em 2013, quando saltamos de 10 para 30 pessoas, presumi que havíamos nos tornado 200% mais produtivos. Eu subestimei o quanto a redução de velocidade atrapalha. Engenheiros novatos precisam de treinamento extensivo antes de poderem ser tão proficientes quanto seus antecessores. Nesse sentido, com vários engenheiros desenvolvendo o mesmo projeto, precisamos construir novos processos para impedir que uns se sobrepusessem aos outros. Na transição, a produtividade foi prejudicada.

Quando se chega a essa conclusão, o alinhamento ajuda as pessoas a entenderem o que você quer que elas façam. A maioria dos colaboradores será motivada a tentar atingir os OKRs primordiais da empresa, desde que saibam onde colocar a escada para tal. Como nossa equipe ficou maior e com mais camadas, enfrentávamos novos problemas. Um gerente de produto estava trabalhando no serviço premium, a versão de assinatura aprimorada de nosso aplicativo. Um outro estava focado em nossa plataforma API para permitir que terceiros, como o Fitbit, se conectassem ao MyFitnessPal e registrassem dados neste último ou em aplicativos ligados a ele. O terceiro estava focado em nossa experiência básica do login. Todos os três tinham OKRs individuais aos quais eles esperavam atender. Até aí, tudo bem.

O problema foi a nossa equipe de engenharia compartilhada, que ficou empacada no meio do caminho. Os engenheiros não estavam alinhados com os objetivos dos gerentes de produto. Eles tinham seus próprios OKRs de infraestrutura para manter o fluxo e todo o resto funcionando. Presumimos que eles tinham capacidade de fazer isso tudo. Esse foi um grande erro. Eles ficaram confusos sobre em que deveriam estar trabalhando e o que poderiam mudar sem prévio aviso (às vezes, tudo se resumia a qual gerente de produto gritava mais alto). Como os engenheiros mudavam de um projeto para outro, de semana para semana, sua eficiência se arrastava. Ao retornar a um produto após uma interrupção, eles tinham que se perguntar: Como isso funciona mesmo? O trabalho do serviço premium era especialmente urgente para a receita, ainda que corresse a trancos e barrancos.

Eu me sentia superfrustrado. Contratamos todas essas pessoas talentosas e gastamos toneladas de dinheiro, mas sequer conseguíamos caminhar mais rápido. A situação chegou ao limite quando entrou em cena um OKR primordial da área de marketing da empresa voltado para e-mails personalizados com conteúdo direcionado. O objetivo estava bem construído: queríamos direcionar um determinado número mínimo de usuários ativos mensais para o nosso blog. Um importante resultado-chave era aumentar a taxa de cliques nos e-mails. O problema era que ninguém na área de marketing havia pensado em informar isso à área de engenharia, que já havia definido suas próprias prioridades naquele trimestre. Sem o envolvimento dos engenheiros, o OKR já estava condenado antes de começar. O pior de tudo é que Albert e eu não percebemos que estava condenado até nosso relatório final do trimestre (o projeto atrasou um trimestre).

Esse foi o nosso alerta. Foi aí que vimos a necessidade de mais alinhamento entre as equipes. Nossos OKRs estavam bem trabalhados, mas a implementação ficava aquém. Quando os departamentos contavam uns com os outros para um apoio crucial, falhamos em deixar essa dependência explícita. A coordenação estava desnorteada, com prazos estourados regularmente. Não tínhamos escassez de objetivos, mas nossas equipes continuavam se afastando umas das outras.

No ano seguinte, tentamos resolver o problema com reuniões de integração periódicas para a equipe executiva. A cada trimestre, nossos chefes de departamento apresentavam seus objetivos e identificavam dependências. Ninguém saia da sala até respondermos a algumas perguntas básicas: Estamos cumprindo as necessidades de todos para o envolvimento dos colaboradores? Alguma equipe está sobrecarregada? Se sim, como podemos tornar os objetivos da equipe mais realistas?

Alinhamento não significa necessariamente redundância. No MyFitnessPal, cada OKR tinha um único dono, com outras equipes se conectando a ele conforme necessário. Do meu ponto de vista, a copropriedade enfraquece a responsabilidade individual. Quando um OKR falhar, eu não quero que duas pessoas se culpem. Mesmo quando duas ou mais equipes têm objetivos paralelos, seus resultados-chave devem ser distintos. Cada vez que passávamos pelo processo de OKR, sempre o melhorávamos. Nossos objetivos se tornaram mais precisos, nossos resultados-chave mais mensuráveis e nossa taxa de realização, mais alta. Levamos dois ou três trimestres para realmente pegar o jeito da coisa, especialmente para os recursos de produtos ligados a um objetivo amplo. Não é fácil prever o mercado para o que é conceitualmente novo; ou atingiríamos de forma intensa nossa métrica ou a erraríamos de forma insana. Então viramos a chave. Começamos a fixar nossos resultados-chave com prazos, em vez de receitas ou usuários projetados. Por exemplo: "Lançar o MFP Premium em 01/05/15." Depois que um recurso fosse lançado e alguns dados reais voltassem, estaríamos em uma posição mais forte para avaliar impactos e potenciais desse recurso. Então, nossa próxima rodada de OKRs poderia ser introduzida (ou aumentada) mais realisticamente em direção aos resultados projetados.

Às vezes, víamos que nossa equipe escolhia resultados importantes de baixo risco, como enviar e-mails aqui ou enviar notificações por push. Quanto mais ambicioso o esforço no objetivo, mais conservadoramente as pessoas elaboravam seus resultados-chave. Essa era uma consequência não intencional e clássica. Então, aprendemos a projetar nossas metas para nos adequarmos ao contexto. Quando era apropriado, tentávamos o incremento. No entanto, houve momentos em que dissemos à equipe: "Não se preocupem com o impacto mensal do usuário ativo nesta área. Basta construir o melhor recurso que você puder. Queremos que vocês vão com tudo para cima do desafio."

Dependências Não Reconhecidas e Mais do que Evidentes

Seguir com a Under Armour significava adaptação a uma empresa com um modo totalmente diferente de definir metas. De repente, eu tinha um chefe com quem precisava me alinhar e uma divisão recém-formada para dirigir: a UA Connected Fitness da América do Norte. Nossa missão era alavancar as tecnologias digitais emergentes para melhorar a adequação e o desempenho. Eu tinha três aplicativos adicionais para coordenar, cada um com uma cultura e um estilo de trabalho distinto.

No processo de escala, o alinhamento cresce de forma exponencialmente mais complexa. Como mostraríamos a 400 pessoas o que estávamos tentando alcançar, para ajudá-las a se alinharem conosco e se alinharem umas com as outras? Como poderíamos fazer com que todos remassem na mesma direção? No começo, achava muito difícil fazer aquilo tudo; eu mal conseguia imaginar como a Amazon ou a Apple gerenciavam as coisas. Quando introduzimos os OKRs em toda a nossa divisão, isso fez uma grande diferença.

Algumas semanas após a nossa aquisição, meu chefe convocou uma reunião de liderança externa para 20 pessoas, incluindo as partes interessadas da Connected Fitness em toda a empresa. Já que a Under Armour seguia uma cadência anual, os chefes de departamento apresentavam o que pretendiam alcançar naquele ano. No MyFitnessPal, estávamos acostumados a investir o tempo para enquadrar nossos objetivos de forma correta. Nosso grupo estava pronto.

Com o desenrolar da reunião, Albert e eu ficamos surpresos ao descobrir que a equipe de comércio eletrônico contava conosco para gerar tráfego significativo dos nossos aplicativos. A equipe de dados assumia que forneceríamos uma boa quantidade de dados. A equipe de vendas por mídias sociais nos havia estabelecido uma quantia fixa de dólares para novas receitas dos anúncios. Todas as três equipes tinham noções preconcebidas do que poderiam esperar de nós, sem a visibilidade real do que as outras equipes estavam pedindo. Ninguém conseguia ver como as metas de equipe poderiam se alinhar com nossos próprios objetivos de crescimento, muito menos com um panorama maior da empresa. Havia dependências não reconhecidas, onde quer que estivéssemos. Esse era um antigo problema nosso no MyFitnessPal, só que em um nível maior. Não havia jeito simples para conseguirmos ajeitar tudo isso.

Foram necessários 18 meses para ajustar o alinhamento da nossa divisão, e não conseguiríamos sem os OKRs. Primeiro, tivemos que definir nossas restrições de capacidade para desenvolver novos softwares. Em seguida, era necessário esclarecer nossas principais prioridades. Ao compartilhar nossos OKRs de alto nível para a Connected Fitness, eu conseguia explicar por que certos projetos exigiam o tempo alocado e onde deveríamos nos desdobrar em prol das metas primordiais da empresa. "Este é o processo que usamos", eu disse, "e estou lhe mostrando nossos objetivos e resultados-chave. Você precisa me avisar se identificar alguma coisa faltando ou se achar que estamos trabalhando nas coisas erradas."

Era uma transparência de mão única, e me senti um pouco nervoso ao longo do caminho, mas funcionou. As pessoas começaram a reconhecer nossos limites e ajustar as expectativas delas conforme tal. De nossa parte, trabalhamos para nos alinhar a elas, encontrando projetos que atendessem aos objetivos interdepartamentais.

Quando Albert tomou as rédeas de nossa equipe de produto do MapMyFitness, primeiro examinou o mapa do processo e disse: "Precisamos cortar metade deste caminho, tá? Precisamos filtrar as coisas que realmente importam." Então, avaliamos os recursos do produto ao modo MyFitnessPal: "Se tomarmos este atalho no mapa ao longo deste trimestre, o que acontece? Isso realmente afetaria a experiência do usuário?" Mais frequentemente do que o esperado, o recurso em questão não fazia uma grande diferença. Essas opções não eram subjetivas; temos métricas para medir o impacto. Estamos fazendo escolhas mais difíceis e mais nítidas sobre em que colocar nossas apostas nos dias de hoje, e todas elas derivam do processo de OKR.

O foco e o alinhamento são estrelas binárias. Em maio de 2015, três meses após a aquisição pela Under Armour, nossa versão da assinatura premium foi finalmente lançada. Tudo isso não aconteceria até que admitíssemos abertamente: "Olha, não conseguiremos fazer tudo isso. Temos que fazer escolhas." Tivemos que deixar claro para a empresa que o recurso premium era o nosso objetivo número um, acima de todos os outros.

Nós ainda somos um trabalho em andamento. Logo após a fusão, dois de nossos quatro aplicativos implementaram simultaneamente mapas dentro das suas funções de acompanhamento. Em virtude de não conseguirem colaborar no desenvolvimento, construíam seus mapas de diferentes maneiras com diferentes fornecedores. Além da óbvia ineficiência, a experiência de nossos clientes não seria consistente. Para melhorar a situação, as duas equipes desenvolveram uma conferência mensal para evitar problemas semelhantes no futuro. Pouco tempo depois, implementamos os OKRs em toda a divisão. Agora, estamos todos na mesma página. Todos conhecem as prioridades do nosso grupo, o que dá às pessoas liberdade para dizerem não a outras demandas.

O Alinhamento Referencial

Embora nossos dias de startup tenham ficado para trás, ainda somos ambiciosos definidores de metas. Ainda mantemos nossos valores de transparência e de responsabilidade individual com os OKRs. Publicamos nossos objetivos em uma plataforma pública à qual qualquer pessoa na empresa tem acesso. Nós os discutimos em reuniões semanais. Em uma oficina recente, demonstrei nosso processo OKR para um grupo maior de lideranças, e eles acabaram comprando a ideia. "A melhor oficina que já tivemos", contou um executivo. Com os OKRs entrincheirados como a base operacional para a Connected Fitness, minha esperança é espalhá-los como exemplo em toda a Under Armour. Quanto maior a organização, mais valor o sistema oferece.

Além de tornar os objetivos mais consistentes dentro de uma empresa, o alinhamento contém um significado mais profundo. Alinhar-se significa manter-se fiel a metas orientadas por referências. A Connected Fitness está deliberadamente alinhada com a missão da Under Armour de "tornar todos os atletas melhores". Ao mesmo tempo, ainda vivemos conforme o velho mantra do MyFitnessPal: *Quando os nossos clientes são bem-sucedidos em alcançar seus objetivos de saúde e de fitness, somos bem-sucedidos como empresa.* Como equipe, Albert e eu ainda nos perguntamos, da mesma forma que fazíamos no começo de tudo: "Este recurso ou esta parceria ajudará nossos clientes a serem bem-sucedidos?"

Afinal, são nossos usuários que fazem o trabalho duro para mudar suas próprias vidas. Como a mulher que se levantou da cadeira sem usar as mãos, pela primeira vez em 20 anos. Um tocante momento de iluminação. Somos bem-sucedidos como empresa na medida em que ajudamos a proporcionar momentos como este. Sempre que possível, explicamos isso em nossos objetivos de alto nível, como se pode ver no OKR definido há alguns anos e apresentado a seguir:

OBJETIVO

Ajudar mais pessoas ao redor do mundo.

RESULTADOS-CHAVE

1. **Adicionar 27 milhões de novos usuários em 2014.**
2. **Alcançar 80 milhões de usuários registrados no total.**

Toda decisão que tomamos precisa ser compatível com nossa visão. Quando enfrentamos uma escolha entre nossos clientes e uma meta de negócios, nos alinhamos com o cliente. Quando um objetivo parecer fora de sintonia com o nosso mantra, ele merece ser melhor analisado. Antes de avançar, devemos nos certificar de estarmos alinhados com o nosso referencial de base . Isso é o que nos mantém caminhando e conectados com as pessoas a quem prestamos serviços. Isso é o que nos faz quem somos.

9

Conexão: A História da Intuit

Atticus Tysen
Diretor de Tecnologia e Informação

A Intuit fez parte da prestigiada lista da revista *Fortune* das "Empresas mais Admiradas do Mundo" por 14 anos consecutivos. A empresa fez sua primeira aparição nos anos 1980 com o Quicken. O aplicativo trouxe as finanças pessoais para o computador pessoal e se tornou um nome conhecido nos lares. Em seguida, veio o software de preparação de impostos (TurboTax) e um programa de contabilidade para computador (QuickBooks), que acabou se deslocando para uma plataforma online. Ao longo de sua longa história, em padrões tecnológicos, a Intuit sobreviveu a uma ameaça competitiva atrás da outra, permanecendo sempre um passo à frente. Mais recentemente, a empresa vendeu o Quicken e reconstruiu o QuickBooks Online como uma plataforma aberta. As assinaturas aumentaram em 49%. "Sempre que a Intuit faz uma curva errada", conta o analista da UBS, Brent Thill, ao *The New York Times*, "ela rapidamente sai do cascalho e retorna ao asfalto. É por isso que a empresa se saiu tão bem por tanto tempo."

Atticus Tysen, CIO da Intuit, na Goal Summit de 2017.

As pessoas não conseguem se conectar com o que não podem ver; redes não conseguem florescer em ambientes isolados. Por definição, os OKRs são abertos e visíveis para todas as partes de uma organização, em cada nível de cada departamento. Em virtude disso, as empresas que permanecem com eles se tornam mais coerentes.

Organizações adaptáveis tendem a ser mais abertamente conectadas. A cultura de transparência da Intuit foi enraizada pelo cofundador, Scott Cook, e fortalecida pelo "Coach" Bill Campbell, que atuou como CEO da Intuit e presidente do conselho administrativo por um longo período. "Bill foi um dos caras mais abertos a ideias que já conheci", diz Atticus Tysen, vice-presidente sênior e diretor de tecnologia e informação (CIO) da Intuit. "Ele conseguia interpretar as pessoas e investia nelas. Todo mundo sabia o que ele estava pensando e que ele estava ali para apoiar qualquer um."

O legado do Coach continua vivo. Há alguns anos, para ajudar o departamento de TI a adaptar a Intuit à medida que ela se movia para a nuvem, Atticus apresentou os OKRs aos seus subordinados diretos. No trimestre seguinte, transferiu o sistema para o nível das diretorias e para todos os 600 funcionários de TI no trimestre subsequente. Ele estava determinado a não forçar o novo processo. "Não queríamos conformidade burocrática", conta Atticus. "Queríamos conformidade entusiasta. Eu queria ver se o sistema OKR seria bem-sucedido, e realmente foi."

A cada trimestre, o grupo de TI da Intuit aborda cerca de 2.500 objetivos ativos. Na medida em que construíram o músculo para definição de metas com dados automatizados em tempo real e check-ins de rotina, os usuários alinham aproximadamente metade de seus OKRs com as metas dos superiores ou de seus departamentos. No âmbito coletivo, eles veem os OKRs de seus gerentes mais de quatro mil vezes por trimestre, ou sete visualizações por funcionário, o que é um forte marcador de envolvimento na linha de frente. Após a introdução cirúrgica dos OKRs por parte de Lasik, os colaboradores veem ligações mais claras entre o trabalho diário, as prioridades dos colegas, os objetivos trimestrais da equipe e a missão norteadora da empresa.

A história da Intuit demonstra os benefícios de um projeto-piloto de OKRs antes (ou mesmo sem) a implantação completa deles na empresa. Algumas centenas de usuários podem ser suficientes para um laboratório de OKRs, para resolver quaisquer problemas antes da implantação em grande escala. Na Intuit, conta o CEO Brad Smith, que divulga seus próprios objetivos em seu escritório para qualquer um ver, a definição de metas conectadas "é fundamental para permitir que os funcionários façam o melhor trabalho de suas vidas".

Atticus Tysen: Trabalhei na Intuit por 11 anos no departamento de produtos, antes de me transferir para o departamento de TI. Pouco depois, em 2013, eu me tornava CIO. Fiz a mudança porque amava a empresa e sabia que a área de TI precisava evoluir para ajudar a Intuit em sua nova missão. Foi um momento estressante e emocionante. A organização estava girando em várias direções ao mesmo tempo: de software para computador pessoal para software baseado em nuvem, de uma plataforma fechada a uma aberta a milhares de aplicativos de terceiros, de uma empresa norte-americana a uma empresa global. Ao nos apoiarmos em nossa estratégia de longo prazo para nos tornarmos um ecossistema integrado, mudamos gradualmente de um lar de marcas (TurboTax, Quicken, QuickBooks) para um lar com a marca Intuit.

Nas turbulências de qualquer virada tecnológica, o departamento de TI suportará o peso das frustrações internas. Em parte porque a operação tende a ser opaca. Qualquer empresa de mais de 30 anos acumula camadas complexas de tecnologia, especialmente uma empresa de tecnologia. Na área de TI, sempre lidamos com as necessidades dos parceiros internos e com as demandas de nossos usuários finais. Somos a ponte entre a produtividade no negócio e a tecnologia. O mais difícil de tudo, talvez, é que devemos equilibrar a tarefa de fazer com que os sistemas funcionem perfeitamente (tal como nossas pessoas esperam) aliada à nossa tarefa institucional de investir no futuro. Por exemplo: a Intuit costumava ter nove sistemas de faturamento diferentes para atender à nossa linha de produtos, e cada um deles tinha desafios especiais. Quando incêndios são apagados todos os dias, é difícil construir uma tecnologia de faturamento mais moderna.

Como poderíamos sinalizar o que importava mais para a nossa força de trabalho, ao mesmo tempo em que mantínhamos tudo funcionando? Além disso, como poderíamos assegurar, de forma geral, que estávamos a par da preocupação de todos? Em uma organização convencionalmente isolada, a atividade é opaca. As pessoas podem tentar analisar o que está acontecendo fora de seu próprio departamento, mas muitas vezes não sabem por onde começar ou não têm tempo para acompanhar.

Na Intuit, a mudança começou pelo topo. Para impulsionar nossa transformação, nosso presidente e CEO, Brad Smith, instalou um sistema de definição de metas para toda a empresa. Brad tinha muita consciência e uma intenção muito convicta em torno disso. Uma vez por mês, os gerentes se encontram com seus subordinados para discutir metas individuais. O sistema tinha um processo de feedback interno e global, com as duas partes comparando observações de maneira regular.

Nossa empresa tem uma longa história cultural em torno do aprendizado e da experimentação. Tentamos muitas coisas, mantemos os elementos que funcionam melhor e os adaptamos para torná-los nossos. Concordei em fazer a parceria com o RH para testar os OKRs na Enterprise Business Solutions, ou EBS (nosso apelido para o departamento de TI). Em 2014, eu havia descoberto os objetivos e resultados-chave pela primeira vez, enquanto pesquisava sobre "definir metas" no Google. Minha pesquisa sugeria que os OKRs poderiam nos ajudar a mudar a maneira como operamos, até mesmo como percebemos a nós mesmos.

Um departamento de TI moderno vai muito além de marcar caixas para processar tickets de ajuda ou solicitações de mudança. Ele agrega *valor* ao negócio, eliminando sistemas redundantes, criando novas funcionalidades e encontrando soluções orientadas para o futuro. Para constituir a equipe da qual a Intuit precisava, nosso EBS precisaria mudar por completo. Nossos líderes precisavam dar uma espécie de cobertura aérea às pessoas para mudar algumas tarefas do dia a dia e ajudá-las a se concentrarem em iniciativas mais valiosas e de longo prazo.

Atualmente, todos os funcionários do meu departamento têm de três a cinco objetivos de negócios por trimestre, juntamente com um ou dois objetivos pessoais. O sistema é poderoso precisamente porque é bem simples e bem transparente. Para os nossos OKRs serem eficazes, eu sabia que precisariam estar visíveis por toda a Intuit, mesmo que ninguém fora do EBS os usasse. Queria que todos na empresa soubessem exatamente o que estávamos fazendo, incluindo o modo e o motivo de estarmos fazendo aquilo. Quando as pessoas entendem suas prioridades e restrições, elas estão mais aptas a confiar em você quando algo dá errado.

No começo, achei desafiador separar minhas metas individuais dos OKRs do departamento. Como líder de TI, achava que eles deveriam logicamente coincidir. Só que não era uma boa ótica. A maioria dos nossos objetivos primordiais da empresa perdurava trimestre a trimestre, normalmente por 18 meses. Ao longo da hierarquia de colaboradores, equipes e indivíduos poderiam modificar seus próprios OKRs à medida que o ambiente mudasse e continuássemos progredindo. Além disso, eles se perguntavam com bastante sensatez: "O que o CIO faria se os objetivos dele nunca mudassem?" Entendi a mensagem. No momento, tenho meus próprios objetivos e os conecto até os nossos OKRs primordiais da empresa, assim como todos os outros.

Além de nossa base na Área da Baía de São Francisco, fizemos questão de implementar o sistema em todo o mundo. O EBS tinha equipes formais em quatro regiões dos EUA e em Bangalore, o centro de alta tecnologia do sul da Índia, além de equipes de suporte em todos os escritórios da Intuit ao redor do mundo. Quando as pessoas trabalham fora do centro, elas ficam imaginando o que é feito na matriz da empresa (e a matriz talvez se questione a respeito de outros escritórios também). Os OKRs encerraram esse mistério, nos tornaram mais coesos; eles nos uniram.

Um dos nossos objetivos de alto nível no EBS é "racionalizar, modernizar e proteger toda a tecnologia usada para comandar a Intuit" (veja a seguir). Ultimamente, sempre que viajo para visitar uma equipe no Texas ou no Arizona, ouço nosso pessoal dizer: "Este projeto está racionalizando nosso portfólio." Ou: "Como podemos modernizar esse sistema?" Não importa onde os colaboradores estejam estabelecidos, estão usando os mesmos três verbos. Quando um novo projeto surge para discussão, eles se perguntarão como tal projeto se encaixa no nosso modelo OKR. Se isso não acontecer, eles corretamente darão um sinal de alerta: "Por que estamos fazendo isso?"

OBJETIVO

Modernizar, racionalizar e proteger a tecnologia usada para administrar os negócios da Intuit.

RESULTADOS-CHAVE

1. **Concluir a migração do Oracle e Business Suite para o R12 e aposentar o 11.5.9 neste trimestre.**
2. **Entregar o faturamento do atacado como um recurso da plataforma até o final do ano fiscal de 2016.**

3. **Concluir a integração dos agentes na unidade de pequenas empresas para o Salesforce.**
4. **Criar um plano de aposentadoria para toda a tecnologia herdada.**
5. **Elaborar e obter alinhamento sobre novas estratégias, mapas e princípios tecnológicos da força de trabalho.**

Dados em Tempo Real da Nuvem

A Intuit se enxerga como uma startup de 34 anos de idade. Ao iniciar com computadores pessoais dos anos 1980, nossa história reflete uma série de viradas tecnológicas, com cada nova plataforma atualizando a predecessora. Nosso primeiro produto foi no sistema DOS. Depois, mudamos para o Windows e para o Macintosh nos computadores, em seguida, para dispositivos móveis e, mais recentemente, para a nuvem.

Os OKRs podem ser implementados para um efeito ainda maior na era da nuvem. O alinhamento horizontal vem de maneira natural. Com a definição aberta e pública de metas, a equipe de dados e a equipe de análise podem ver desde o início o que a nossa equipe dos sistemas financeiros tinha em mente. Na hora, ficava óbvio que os colaboradores deveriam estar trabalhando juntos, de forma paralela. As equipes conectavam seus objetivos em tempo real, e não depois de um dado fato. Isso era uma mudança radical em relação ao modo histórico de fazer as coisas.

Em uma empresa de software para computadores, os líderes normalmente analisam as operações por meio de uma lente de varejo do século XX. Eles exumam relatórios de vendas e fluxo de canais. Embora façam seu melhor para prever o destino dos negócios, a linha de visão desses líderes é limitada, em grande parte, ao espelho retrovisor. Por outro lado, uma empresa com operações em nuvem quer saber o que está acontecendo *agora*. Quantas inscrições foram feitas esta semana? Quantos testes estão em andamento? Qual é a nossa taxa de conversão? Um cliente pode pesquisar no Google um produto online, folhear uma página de uma ação de marketing, dar uma olhada e fazer uma compra. Tudo isso em dez minutos ou menos. Para que os líderes acompanhem esse ritmo, eles devem analisar seus próprios funis de forma diária. Na EBS, precisamos pensar em relatórios, dados e análises em tempo real, mesmo quando desenvolvemos recursos como faturamento do atacado. Capturamos a seguinte necessidade em um objetivo primordial da empresa:

OBJETIVO

Permitir que todos os funcionários da Intuit tomem decisões com base em dados "em tempo real".

RESULTADOS-CHAVE

1. **Fornecer *data marts* funcionais para RH e Vendas.**
2. **Concluir migração para o novo Enterprise Data Warehouse construído para acesso em tempo real.**
3. **Criar uma operação de equipe única em todas as ferramentas de visualização de dados na Intuit para conduzir uma estratégia unificada.**
4. **Criar um módulo de treinamento para ajudar pessoas de outras equipes a usarem ferramentas de visualização de dados.**

Uma Ferramenta para Colaboração Global

À medida que a Intuit se torna mais global, a colaboração assíncrona vem se tornando progressivamente um modo de vida. Quando estamos trabalhando na matriz com nossa equipe em Bangalore, o vídeo em tempo real tem uma utilidade limitada. Dada a diferença de fuso de 13 horas, nossos funcionários na Índia estarão dormindo enquanto estivermos trabalhando e vice-versa. Três anos atrás, havia poucas opções práticas. A Intuit investiu nas ferramentas de trabalho mais modernas, mas faltavam soluções para a conversa constante, a autoria colaborativa e a videoconferência. As pessoas eram forçadas a improvisar, com resultados desiguais. A produtividade caiu.

Para atacar o problema de maneira mais conectada, promovemos um resultado-chave para a tecnologia da força de trabalho no seu próprio OKR de nível superior. No espaço de seis meses, nossa nova ênfase estratégica nos levou a adicionar várias novas ferramentas, todas integradas em um único sistema de autenticação: o Slack para o bate papo constante, o Google Docs para edição colaborativa, o Box para gerenciamento de conteúdo, o BlueJeans para a tecnologia de ponta com vídeos. Nossa plataforma aberta de OKR ajudou as equipes do EBS a passarem pela transição e se alinharem ao nosso novo objetivo primordial como empresa. Agora, nosso pessoal poderia se concentrar em seu trabalho, em vez de perder tempo descobrindo qual ferramenta usar.

Estabelecer metas é uma arte e meras decisões não são suficientes. Ao optarmos por elevar temporariamente o status de um resultado-chave, trazemos sinceridade a esse movimento. Líderes precisam dar explicações: "Sim, eu quero que nos concentremos nisso agora como um objetivo primordial da empresa. Quando isso não precisar mais de uma atenção adicional, deixaremos que se torne um resultado-chave." Trata-se de um sistema dinâmico. A altitude é sempre ajustável.

OBJETIVO

Entregar soluções e estratégias especiais e tecnológicas da força de trabalho, de ponta a ponta.

RESULTADOS-CHAVE

1. **Implementar o piloto Box para os 100 primeiros usuários até o meio do trimestre.**
2. **Concluir a implementação do BlueJeans para os usuários finais até o final do trimestre.**
3. **Transferir os primeiros 50 usuários de contas individuais do Google para a conta corporativa até o final do trimestre.**
4. **Finalizar o contrato Slack até o final do 1º mês e concluir a implementação até o final do trimestre.**

Estudos sempre nos disseram que os funcionários da linha de frente prosperam ao perceberem o modo como o trabalho deles se alinha às metas gerais da empresa. Constatei isso particularmente em nossos locais de trabalho mais remotos. Ouvi o seguinte do pessoal em Bangalore: "Meu objetivo é exatamente um resultado-chave do OKR do meu gerente, que se vincula diretamente ao objetivo de nível primordial do EBS, que está relacionado à mudança da empresa para a nuvem. Agora entendo como o que estou fazendo aqui na Índia se conecta à missão da empresa." Essa é uma constatação poderosa. Os OKRs consolidaram nosso vasto departamento. Graças ao estabelecimento de metas estruturadas e visíveis, nossas fronteiras se dissiparam.

Conexões Horizontais

A Intuit era uma organização plana desde o início, com apenas um punhado de camadas entre o CEO e os funcionários da linha de frente. Nosso fundador, Scott Cook, acreditava que a melhor ideia deveria vencer, não o maior título, e essa ideia é válida ainda hoje. Desde o dia em que cheguei como gerente do grupo, fiquei impressionado com a cultura colaborativa. Mesmo quando gerenciávamos as coisas de maneira isolada, estávamos abertos verticalmente. Você sempre é capaz de falar livremente com seu gerente, ou com o gerente de seu gerente, e ser ouvido de maneira respeitosa.

Os OKR abriram *horizontalmente* nosso departamento entre as equipes. No começo, foi estranho. Todo mundo no TI instintivamente queria se alinhar com os objetivos de seus gerentes ou com os meus. Um dia, entrei na plataforma e encontrei literalmente centenas de resultados-chave ligados a um dos meus objetivos primordiais. Então, disse aos funcionários: "Seu gerente ainda é seu gerente. Você continuará colaborando, nada disso vai mudar. Só que vocês precisam se desconectar da gente e se conectar uns aos outros."

Nossas equipes de e-commerce e de faturamento trabalham sob a direção de vice-presidentes separados, os quais se conectam a mim. Se a área de e-commerce estiver criando um carrinho de compras, a área de faturamento precisará trazer recursos relacionados à compra em si. À moda antiga, as duas equipes de engenharia eram independentes e se reportavam aos seus respectivos gerentes de programação, que tentavam (com sucesso variável) se conectar ao que vinha de cima. As pessoas que faziam o trabalho de verdade não tinham contato direto.

Agora, com os OKRs horizontalmente transparentes, nossos engenheiros se conectam intencionalmente, à medida que se associam aos objetivos uns dos outros. Trimestre por trimestre, eles interagem com os objetivos do departamento, enquanto planejam a melhor maneira de se coordenar com seus colegas. No momento, estamos nos afastando das delegações das comissões seniores em direção a uma autonomia real. Nossos líderes do EBS ainda definem o contexto, fazem as grandes perguntas e fornecem dados relevantes. No entanto, são nossos grupos interconectados que nos impulsionam para frente com seus insights, de maneira conjunta.

10

Superpoder nº 3: O Acompanhamento da Responsabilidade

Em Deus, confiamos; nos outros, só com base em dados.
— *W. Edwards Deming*

Uma virtude subestimada dos OKRs é que eles podem ser *acompanhados* e depois revistos ou *adaptados* em função das circunstâncias. Ao contrário do negócio tradicional e congelado de "definir metas e esquecê-las", os OKRs são organismos vivos e que respiram. O ciclo de vida deles se desdobra em três fases, que considerarei a seguir.

A Definição

Embora um software de uso geral possa estabelecer o funcionamento e a operação de um processo OKR, temos um problema: ele não permite a escalabilidade. Quando uma empresa da Fortune 500 recentemente tentou aumentar a cadência do seu estabelecimento de metas, encontrou uma pedra no caminho. Todos os seus 82 mil colaboradores haviam obedientemente registrado seus objetivos anuais em arquivos do Microsoft Word! Uma mudança em OKRs trimestrais teria gerado 328 mil arquivos por ano. Todos eles seriam públicos, em teoria, mas quem teria paciência para buscar conexões ou alinhamento? Se você compartilha uma meta que ninguém vê, o sistema é verdadeiramente transparente?

Em 2014, quando Bill Pence chegou à AOL como diretor global de tecnologia, as metas primordiais da empresa e da divisão foram apresentadas em uma planilha e lançadas a partir de lá. "Elas, no entanto, nunca tinham um lar onde se conectavam diariamente com as pessoas", diz Pence. Sem atualizações frequentes de status, os objetivos se tornam irrelevantes; a lacuna entre o plano e a realidade aumenta a cada dia. No final do trimestre (ou pior, no final do ano), ficamos com OKRs zumbis, ou seja, "o quê" e "como" desprovidos de vida ou significado.

Os colaboradores ficam mais engajados quando conseguem ver o modo como o trabalho deles contribui para o sucesso da empresa. Trimestre a trimestre, dia a dia, eles buscam medidas tangíveis das realizações laborais. Recompensas extrínsecas — o bônus de final de ano — meramente validam o que eles já sabem. Os OKRs expressam algo mais poderoso: o valor intrínseco do próprio trabalho.

À medida que aumenta o nível de referência de metas estruturadas, mais organizações estão adotando algum software robusto, dedicado e baseado na nuvem para gerenciar OKRs. As melhores plataformas do mercado incluem aplicativos móveis, atualizações automáticas, ferramentas de relatórios analíticos, alertas em tempo real e integração com Salesforce, JIRA e Zendesk. Com três ou quatro cliques, os usuários podem navegar em um painel digital para criar, acompanhar, editar e dar pontos aos seus OKRs. Essas plataformas proporcionam os valores transformadores do OKR:

- *Eles tornam os objetivos de todos mais visíveis.* Os usuários obtêm acesso contínuo aos OKRs do seu chefe, de seus subordinados diretos e da organização como um todo.
- *Eles ativam o engajamento.* Quando sabemos que estamos trabalhando nas coisas certas, fica mais fácil manter a motivação.

- *Eles promovem o networking interno.* Uma plataforma transparente transforma indivíduos em colegas com interesses *profissionais compartilhados.*
- *Eles economizam tempo, dinheiro e frustração.* Na definição convencional de metas, várias horas são desperdiçadas durante a procura de documentação em notas de reuniões, e-mails, documentos do Word e slides do PowerPoint. Com uma plataforma de gerenciamento de OKRs, todas as informações relevantes estão prontas, onde quer que você esteja.

Na AOL, o CEO Tim Armstrong sentiu que as metas da empresa estavam "muito desconectadas", lembra Bill Pence. "Elas não estavam conectadas; não se organizavam em cascata para cima, nem para baixo. Elas simplesmente não se conectavam aos funcionários e ao trabalho que estavam fazendo durante o ano." Em 2016, Armstrong trouxe uma plataforma dedicada e implementou os OKRs. O resultado, segundo Pence, foi a transparência radical, a conexão em tempo real e uma empresa que coordenava as operações como um todo.

O Pastor OKR

Para um sistema OKR funcionar efetivamente, a equipe que o implementa, seja um grupo de altos executivos ou toda uma organização, deve adotá-lo universalmente. Sem exceções, sem liberações. Sim, haverá aqueles que adotarão o sistema tardiamente, serão resistentes e procrastinadores clássicos. Para estimulá-los a se juntarem ao rebanho, a melhor prática é designar um ou mais pastores OKR. Durante anos, esse papel no departamento de produtos do Google foi preenchido pelo vice-presidente sênior, Jonathan Rosenberg. Aqui está um dos comunicados clássicos de Jonathan, com os nomes dos retardatários apagados para proteger os culpados:

De: Jonathan Rosenberg
Data: Qui, 5 de agosto de 2010 às 14:59
Assunto: Em meio a oportunidades ilimitadas, 13 tentativas de PMs com OKRs (nomes incluídos)

Galera da área de produtos,

Como a maioria de vocês sabe, acredito imensamente que ter um bom conjunto de OKRs trimestrais é uma parte importante do sucesso no Google. Por isso é que eu regularmente envio recados para vocês lembrando que os OKRs sejam feitos a tempo, e por isso peço aos gerentes que os revisem para garantir que todos os nossos OKRs estejam bons. Tentei recados agradáveis e recados malvados. Entre os favoritos estão a ameaça com o meu Desfiladeiro do Desespero, em 7 de outubro, e a celebração da quase perfeição, em 8 de julho. Com o passar do tempo, reforçamos essa abordagem da recompensa por desempenho até atingirmos os quase 100% de conformidade. Maravilha!

Então, parei de enviar recados e vejam o que aconteceu: nesse trimestre, VÁRIOS de vocês não conseguiram fechar seus OKRs a tempo, e vários outros não classificaram os OKRs no 2° trimestre. Parece que o que vale para vocês não é o tipo de recado específico, mas que eu envie qualquer recado!

Os nomes dos nossos perdidos estão devidamente listados abaixo (com uma "aprovação" dada aos vários funcionários da AdMob, pois são novatos nos caminhos do Google, e a muitos de vocês que perderam o prazo, mas ainda os concluíram em julho).

Temos tantas oportunidades excelentes diante de nós (área de busca, anúncios, exibição, YouTube, Android, corporativa, local, comercial, Chrome, TV, tecnologia móvel, redes sociais...) que se você não conseguir criar OKRs que te deixem animado com o trabalho todos os dias, então algo deve estar errado. De fato, se esse for realmente o caso, venha falar comigo.

Enquanto isso, faça seus OKRs no prazo, classifique os OKRs do trimestre anterior, faça um bom trabalho e publique-os para que o link do OKR da sua página moma [intranet] funcione. Isso não é um trabalho administrativo, mas sim uma maneira importante de definir suas prioridades para o trimestre e garantir que todos trabalhemos juntos.

Jonathan

O Acompanhamento da Meia-idade

Como atesta a atual febre de pulseiras fitness, as pessoas anseiam por saber como estão progredindo e ver esse progresso representado visualmente até os pontos percentuais. A pesquisa sugere que fazer progressos medidos pode ser mais incentivador do que reconhecimento público, incentivos monetários ou até mesmo que alcançar de um objetivo em si. Daniel Pink, autor de *Drive*, concorda com esse argumento: "O maior e mais simples motivador do mundo é 'o progresso no trabalho'. Os dias em que as pessoas progridem são aqueles em que se sentem mais motivadas e engajadas."

A maioria das plataformas de gerenciamento de metas usa recursos visuais para mostrar o progresso em direção aos objetivos e aos resultados-chave. Ao contrário das etapas nas pulseiras fitness, os OKRs não exigem um acompanhamento diário. No entanto, check-ins regulares, preferencialmente semanais, são essenciais para evitar o desvio acidental. Segundo Peter Drucker: "Sem um plano de ação, o executivo se torna um prisioneiro dos acontecimentos. E sem check-ins para reexaminar o plano, à medida que os acontecimentos se desenrolam, o executivo não tem como saber quais eventos realmente importam e quais são apenas ruídos."

Conforme observado no Capítulo 4, o simples ato de escrever uma meta aumenta suas chances de alcançá-la. Suas chances são melhores ainda se você monitorar o progresso enquanto compartilha a meta com os colegas. Duas funcionalidades fundamentais do sistema OKR. Em um estudo na Califórnia, pessoas que registraram suas metas *e* enviaram relatórios de progresso semanais para um amigo atingiram 43% mais de seus objetivos do que aquelas que simplesmente pensaram em metas sem compartilhá-las.

Os OKRs são adaptáveis por natureza. Eles são feitos para ser parapeitos, não correntes ou persianas. Conforme controlamos e auditamos nossos OKRs, temos quatro opções em qualquer ponto do ciclo:

- *Continuar*: Se uma meta de zona verde ("no rumo certo") não apresentar alguma falha, não a corrija.
- *Atualizar*: Modifique um objetivo ou resultado-chave de zona amarela ("atenção exigida") para responder às alterações no fluxo de trabalho ou no ambiente externo. O que poderia ser feito de maneira diferente para retomar o rumo certo em direção à meta? É necessário revisar a linha do tempo? Devemos reverter outras iniciativas para liberar recursos para esta?
- *Começar*: Lançar um novo ciclo intermediário de OKR, sempre que for necessário.
- *Parar*: Quando uma meta de zona vermelha ("em risco") já não tiver mais utilidade, a melhor solução pode ser abandoná-la.*

O propósito de um painel em tempo real é quantificar o progresso em relação a uma meta e sinalizar o que precisa de atenção. Enquanto os OKRs são principalmente uma força positiva para *mais*, eles também nos impedem de persistir na direção errada. Conforme observado por Stephen Covey: "Se a escada não está apoiada na parede adequada, cada passo que damos nos leva a um lugar errado mais rápido." Surpresas no final do jogo são menos prováveis quando se acompanha os OKRs a partir de um feedback contínuo. Sejam boas ou más notícias, a realidade chega para todos. No processo, "as pessoas são capazes de aprender com o fracasso e seguir em frente, talvez transformando algum aspecto do revés na semente de um novo sucesso".

Quando a plataforma de mensagens escolares da Remind criou um protótipo do primeiro serviço da empresa, um sistema de pagamento peer to peer, ele foi um fracasso total. "Ninguém usou aquilo", diz Brett Kopf. "Ele não resolvia um problema evidente. Imediatamente alteramos a meta de construir um sistema

* Geralmente, isso se aplica a um resultado-chave ou a *"como"* você está lidando com algo. É menos provável que um objetivo cuidadosamente definido imploda no prazo de 90 dias.

orientado por eventos, no qual o professor poderia dizer: 'Tenho uma visita de campo na próxima semana. Você vem: sim ou não? E você quer pagar?' Isso mudava tudo. Ele começou a caminhar e a crescer de maneira insana."

Sempre que um resultado-chave ou objetivo se tornar obsoleto ou impraticável, sinta-se à vontade para encerrá-lo no meio do caminho. Não há necessidade de manter teimosamente uma projeção desatualizada. Tire-a da sua lista e siga em frente. Nossos objetivos são servos do nosso propósito, e não o contrário.

Uma condição: quando um objetivo é descartado antes do final do intervalo de OKR, é importante notificar todos que dependem dele. Então, vem a reflexão: *o que aprendi daquilo que não previ no início do trimestre?* E *como vou aplicar esta lição no futuro?*

Para melhores resultados, os OKRs são examinados várias vezes por trimestre pelos colaboradores e seus gerentes. O progresso é relatado, os obstáculos, identificados e os resultados-chave, refinados. Além desses tête-à-tête individuais, as equipes e os departamentos realizam reuniões regulares para avaliar o progresso em direção aos objetivos compartilhados. Sempre que um OKR comprometido está fracassando, um plano de resgate é planejado. No Google, a frequência de check-ins varia de acordo com as necessidades de negócio do momento, com a lacuna entre os resultados previstos e a execução, a qualidade da comunicação intragrupal e o tamanho e a localização do grupo. Quanto mais dispersos estiverem os membros da equipe, mais frequentemente conversam entre si. O ciclo de check-ins do Google é mensal, no mínimo. As discussões sobre metas são tão difundidas que reuniões formais às vezes são até ignoradas.

Resumo de Tudo: Enxágue e Repita a Operação

Os OKRs não expiram com a conclusão do trabalho. Como em qualquer sistema de dados, um valor tremendo pode ser obtido a partir de avaliação e análise posterior. Em reuniões individuais e de equipe, esses resumos são compostos de três partes: classificação objetiva, autoavaliação subjetiva e reflexão.

Classificação

Ao classificar nossos OKRs, marcamos o que alcançamos e abordamos o que poderíamos fazer de maneira diferente da próxima vez. Uma pontuação baixa força a reavaliação: o objetivo ainda vale a pena ser perseguido? Se sim, o que podemos mudar para alcançá-lo?

Em plataformas de ponta para gerenciar metas, as classificações dos OKR são geradas pelo sistema; números são objetivos e intocados por mãos humanas (com plataformas menos automatizadas e caseiras, os usuários podem precisar realizar seus próprios cálculos). A maneira mais simples e mais clara de classificar um objetivo é calcular a média das taxas percentuais de conclusão de seus principais resultados associados. O Google usa uma escala de 0 a 1,0:

- 0,7 a 1,0 = verde* (entregamos).
- 0,4 a 0,6 = amarelo (progredimos, mas ficou aquém da conclusão).
- 0,0 a 0,3 = vermelho (não conseguimos fazer progressos reais).

A Intel seguiu uma fórmula semelhante. Você pode se lembrar do sistema OKR para a Operação Crush: o esforço da empresa para recuperar o mercado de microprocessadores. Aqui estão ordens de marcha de Andy Grove do se-

* O limite inferior de 0,7 do Google para conquistas bem-sucedidas reflete a alta ambição das metas "ampliadas" (veja o Capítulo 1). Esse limite não se aplica aos objetivos operacionais comprometidos da empresa. Para as metas de vendas ou lançamentos de produtos, qualquer pontuação abaixo de 1,0 seria considerada uma falha.

gundo trimestre de 1980, conforme endossado por sua equipe executiva (com as classificações de fim de trimestre entre parênteses):

OBJETIVO

Estabelecer o 8086 como a família de microprocessadores de 16 bits de maior desempenho conforme a medição dos:

RESULTADOS-CHAVE

1. **Desenvolver e publicar cinco benchmarks mostrando um desempenho superior na família do 8086 [0,6].**
2. **Trocar a embalagem de toda a família de produtos 8086 [1,0].**
3. **Obter a peça de 8MHz em produção [0].**
4. **Amostrar o coprocessador aritmético até 15 de junho [0,9].**

E aqui, temos como essas pontuações foram determinadas:

- Completamos três das cinco pontuações de referência para 0,6, um limite verde.
- Realmente trocamos a embalagem da família 8086 sob uma nova linha de produtos chamada iAPX. Então, isso é um 1,0 perfeito.
- A produção da peça de 8MHz, marcada para o início de maio, foi um fiasco.* Em virtude de problemas com o polissilício, o alvo teve que ser empurrado para outubro. Isso é um zero.
- Quanto ao coprocessador aritmético, a meta era enviar 500 peças até 15 de junho. Nós acabamos enviando 470, o que dá um 0,9, um outro verde.

* Esse resultado-chave reflete o incrível poder da lei de Moore. O valor de oito megahertz era uma velocidade incrível na época, mas hoje você pode comprar um Chromebook de US$300 que roda mais do que dois *giga*hertz, ou seja, 250 vezes mais rápido.

Ao todo, calculamos a média de 62,5% (ou uma pontuação bruta de 0,625) em nossos resultados-chave para esse objetivo. Uma nota respeitável. A diretoria da Intel a julgou abaixo das expectativas, mas não muito abaixo, porque eles sabiam o quão agressivamente o gerenciamento definia nossas metas. Como regra, entrávamos em um trimestre sabendo que não conseguiríamos todas as metas. Se um departamento chegar a 100%, presume-se que ele estivesse baixando demais seus parâmetros e, portanto, estaria com problemas.

Autoavaliação

Ao avaliar o desempenho dos OKRs, os dados objetivos são aprimorados pelo julgamento subjetivo e ponderado do definidor de metas. Para qualquer objetivo em qualquer trimestre poderá haver circunstâncias atenuantes. Uma exibição de números fraca pode esconder um forte esforço; um esforço pode ser artificialmente inflado.

Digamos que o objetivo da equipe seja recrutar novos clientes, e seu resultado individual é a realização de 50 ligações telefônicas. Você acaba entrando em contato com 35 prospectos, com uma meta de sucesso de 70%. Você foi bem-sucedido ou fracassou? Por si só, os dados não nos oferecem muita clareza. Mas, se uma dúzia de chamadas tiver durado várias horas e resultar em oito novos clientes, você poderá se autocredenciar um 1,0. Por outro lado: se você procrastinou, realizou todos os 50 telefonemas e fechou apenas um novo cliente, pode se autoavaliar com um 0,25, pois poderia ter se esforçado mais (reflexão na mesma esteira: o resultado-chave deveria ter priorizado novos clientes, em vez de ligações?).

Digamos que você seja um gerente de relações públicas e o resultado-chave da sua equipe é divulgar três artigos nacionais sobre a empresa. Embora você tenha apenas dois textos publicados, um deles é uma reportagem de capa no *The Wall Street Journal*. Sua classificação bruta é de 67%, mas você diz: "Estou dando uma nota 9 de 10, porque marcamos esse golaço." Os colaboradores do Google são incentivados a usar seus OKRs em autoavaliações como guias, não como notas. A ex-vice-presidente sênior das operações corporativas, Shona Brown, explicou-me o seguinte: "O ponto fundamental não é a obtenção de um nível vermelho, amarelo ou verde, mas essa era uma lista do que eles proporcionaram para além dos negócios e conectada às metas gerais da empresa." O objetivo e os resultados-chave, afinal, focam fazer com que todos trabalhem nas coisas certas.

Tabela 10.1: Variações entre classificação e avaliação

OKR	Progresso	Classificação	Autoavaliação
Trazer dez novos clientes.	70%	0,9	Devido a uma queda do mercado, o OKR estava significativamente mais difícil de alcançar do que eu pensava. Nossos sete novos clientes representaram produtividade e esforços excepcionalmente bons.
Trazer dez novos clientes.	100%	0,7	Quando cheguei ao objetivo no prazo de apenas oito semanas no trimestre, percebi que havia estabelecido o OKR muito baixo.
Trazer dez novos clientes.	80%	0,6	Embora tenha fechado oito novos clientes, isso se deu mais pela sorte do que pelo trabalho duro. Uma cliente trouxe cinco outros com ela.
Trazer dez novos clientes.	90%	0,5	Embora tenha conquistado nove novos clientes, descobri que sete trariam pouca receita.

Invariavelmente, algumas pessoas se classificarão com muita severidade; outros podem precisar ser desafiados. Em qualquer um dos casos, um facilitador de alerta ou líder de equipe entrará no processo e ajudará na recalibragem dos

OKRs. No final das contas, os números são provavelmente menos importantes do que o feedback contextual e uma discussão mais ampla dentro da equipe.

Assim como as pontuações do OKR apontam o que deu certo ou errado no trabalho e como a equipe pode melhorar, as autoavaliações conduzem o *processo* de definição superior de metas para o próximo trimestre. Não há espaço para julgamentos, apenas aprendizados.

Reflexão

Os OKRs são inerentemente orientados por ações. Quando a ação é implacável e incessante, no entanto, ela pode parecer um esforço desagradável na roda de um hamster. Na minha opinião, a chave para a satisfação é definir metas agressivas, alcançar a maioria delas, fazer uma pausa para refletir sobre as conquistas e *depois* repetir o ciclo. Um estudo da Harvard Business School constatou que aprender "a partir da experiência direta pode ser mais eficaz se associado à reflexão, ou seja, à tentativa intencional de sintetizar, abstrair e articular as principais lições ensinadas pela experiência". O filósofo e educador John Dewey foi um passo além: "Não aprendemos com a experiência... aprendemos refletindo sobre a experiência."

Aqui estão algumas reflexões para fechar um ciclo OKR:

- Eu cumpri todos os meus objetivos? Se sim, o que contribuiu para o meu sucesso?
- Se não, quais obstáculos encontrei?
- Se pudesse reescrever uma meta alcançada na íntegra, o que mudaria?
- Qual aprendizagem tive, capaz de alterar minha abordagem para os OKRs do próximo ciclo?

Os resumos dos OKRs são retrospectivos e, ao mesmo tempo, voltados para o futuro. Um objetivo inacabado pode ser revertido para o próximo trimestre, com um novo conjunto de resultados-chave, ou talvez o momento dele tenha passado e seja apropriado descartá-lo. De qualquer forma, o julgamento prudente da gerência vem em primeiro lugar.

E mais uma coisa. Depois de avaliar cuidadosamente o seu próprio trabalho e atribuir essa análise a quaisquer deficiências, respire e saboreie seu progresso. Dê uma festa com a equipe para celebrar os superpoderes crescentes do OKR. Você os conquistou.

11

Acompanhamento: A História da Fundação Gates

Bill Gates
Vice-presidente

Patty Stonesifer
Ex-CEO

Em 2000, a recém-criada Fundação Bill & Melinda Gates tornou-se algo que o mundo nunca tinha visto: uma startup de US$20 bilhões. Embora Bill Gates tivesse saído recentemente do cargo de CEO da Microsoft, ainda era o presidente e estrategista-chefe de produtos da empresa. Ele tinha que encontrar uma maneira de canalizar a vasta ambição da fundação, além de se adaptar às condições fluidas na área e permitir a si mesmo, um fundador extremamente ocupado e publicamente atuante, fazer as melhores escolhas possíveis. Quanto maiores forem as apostas, mais importante é o acompanhamento do progresso, a fim de sinalizar problemas iminentes, contornar becos sem saída e modificar as metas no caminho.

A instituição recém-nascida tinha assumido a mais ousada das missões imagináveis: "Todos merecem uma vida saudável e produtiva." Nesse sentido, os líderes da fundação recrutaram dezenas de pessoas brilhantes que haviam dedicado suas vidas à saúde global e lhes disseram: "Parem de pensar no progresso incremental. O que você faria se tivesse recursos ilimitados?"

Em 2002, a fundação havia crescido em escala até o ponto em que necessitava urgentemente uma forma mais estruturada para estabelecimento de metas. Depois que a CEO Patty Stonesifer ouviu minha fala sobre o sistema de OKRs em uma reunião da diretoria da Amazon, ela me pediu para apresentá-lo à fundação. O resto da história fica com os OKRs.

Patty Stonesifer: Ganhamos um belo presente na forma de uma folha de papel em branco: "Como você quer mudar o mundo?" Só que o presente também tinha seu peso. Quando temos uma grande meta, como sabemos que estamos progredindo?

Melinda Gates, Patty Stonesifer e Bill Gates analisando os OKRs em 2005.

Nos sentíamos conduzidos pela responsabilidade do capital. Bill e Melinda desejavam saber que um sistema disciplinado estava em vigor para direcionar nossas escolhas difíceis. Pegamos emprestada a frase de Jim Collins: "Como ser o melhor do mundo no que se faz?" Uma vez constatado isso, colocamos o sistema OKR acima de tudo. Acreditávamos que todos deveriam ter uma vida saudável e produtiva, e Bill e Melinda eram apaixonados pelo papel da tecnologia na criação de mudanças. Isso estava no nosso DNA.

Por um tempo, usamos uma métrica global de saúde chamada Expectativa de Vida Corrigida por Incapacidade ou EVCI (em inglês *Disability-Adjusted Life Years* ou DALY). Ela nos proporcionou uma estrutura orientada por dados para os resultados-chave. Medimos, por exemplo, o impacto de um investimento em micronutrientes para o combate a oncocercose (ou "cegueira dos rios"). A EVCI nos orientou a focar as vacinas, que fazem uma enorme diferença na expectativa de uma vida produtiva. Agora tínhamos uma métrica confiável, reforçada por nossos resultados-chave. Os OKRs deixavam tudo muito claro.

Bill Gates: Metas ambiciosas e orientadas sempre foram superimportantes na Microsoft. Esse era o caminho natural, de certa forma, porque desde muito jovem eu pensava que o software era uma coisa mágica. Naqueles primeiros dias, o aumento exponencial dos transistores mapeava, na verdade, o desempenho do dispositivo. Entendíamos o que os chips nos proporcionavam, que essa capacidade era ilimitada e que os profissionais da área de armazenamento e comunicação também estavam escrevendo códigos de maneira exponencial. Os profissionais das telas não eram tão exponenciais, mas a interface gráfica do usuário seria rápida o suficiente. Havia apenas um elemento faltando: o software mágico orientando o dispositivo a fazer algo interessante. Desisti de ser advogado ou cientista, coisas mais certas, porque a ideia do que aconteceria com toda essa inteligência, o que eu chamava de "informação na ponta dos dedos", era extremamente fascinante. Isso deixava minha mente alucinada.

Mesmo antes de Paul Allen e eu começarmos a parceria, dizíamos o seguinte: *Um computador em todas as mesas e em todas as casas.* A IBM e outras pessoas com recursos e habilidades muito além dos nossos não visavam esse objetivo.

Não viam isso como uma possibilidade, então não estavam se esforçando muito para torná-lo uma realidade. Porém, nós conseguíamos ver que isso poderia acontecer. A lei de Moore tornaria as coisas mais baratas e colocaria a indústria de software em uma massa crítica. Aquelas eram metas muito, muito grandes, e começaram cedo para nós.

Essa era a nossa grande vantagem: apontávamos para algo mais alto.

O Estabelecimento de Metas Concretas

No ano 2000, Melinda e eu investimos US$20 bilhões na Fundação Gates. De repente, ela se tornava uma startup e a maior fundação do mundo. De acordo com as regras de liberação massiva de verba, o gasto mínimo tem que ser de um bilhão de dólares por ano.

Eu assisti Andy Grove gerenciar pessoas por submetas (resultados-chave), observei os japoneses e aprendi como você lida com as coisas quando as pessoas ficam aquém das expectativas. Não acho que inventei coisa alguma lá, só olhei e aprendi. Então, Patty Stonesifer trouxe os OKRs, a abordagem verde-amarelo-vermelho, e funcionou. Quando usamos os OKRs para as nossas análises das doações, me senti bem com o que estávamos seguindo. Eu ainda estava administrando a Microsoft e meu tempo era limitado, e Patty precisava tornar as coisas muito eficientes entre nós para garantir que concordássemos em tudo. O processo de metas foi uma grande parte disso. Houve dois casos em que recusei uma doação no final porque os objetivos não eram claros o suficiente. O sistema OKR me deixou confiante de que estava fazendo a escolha certa.

Sou um grande fã de metas, mas elas precisam ser tratadas corretamente. Em determinado momento, a equipe de combate à malária pensou em erradicar a doença até 2015, o que não era realista. Quando um objetivo é muito ambicioso, a credibilidade dele é prejudicada. Na filantropia, vejo pessoas normalmente confundindo *objetivos* com *missões*, o tempo todo. Uma missão é algo direcional. Um objetivo tem um conjunto de passos concretos com os quais você está intencionalmente engajado e para os quais você está caminhando. Ter um objetivo ambicioso é uma coisa boa, mas como se dimensiona isso? Como se mede esse objetivo?

Acho que as coisas estão ficando melhores, apesar de tudo. A filantropia está trazendo mais pessoas dos ambientes de negócios de alto desempenho e elas estão mexendo com essa cultura. Ter uma missão simplesmente não é suficiente. Você precisa de um objetivo concreto e precisa saber como chegar lá.

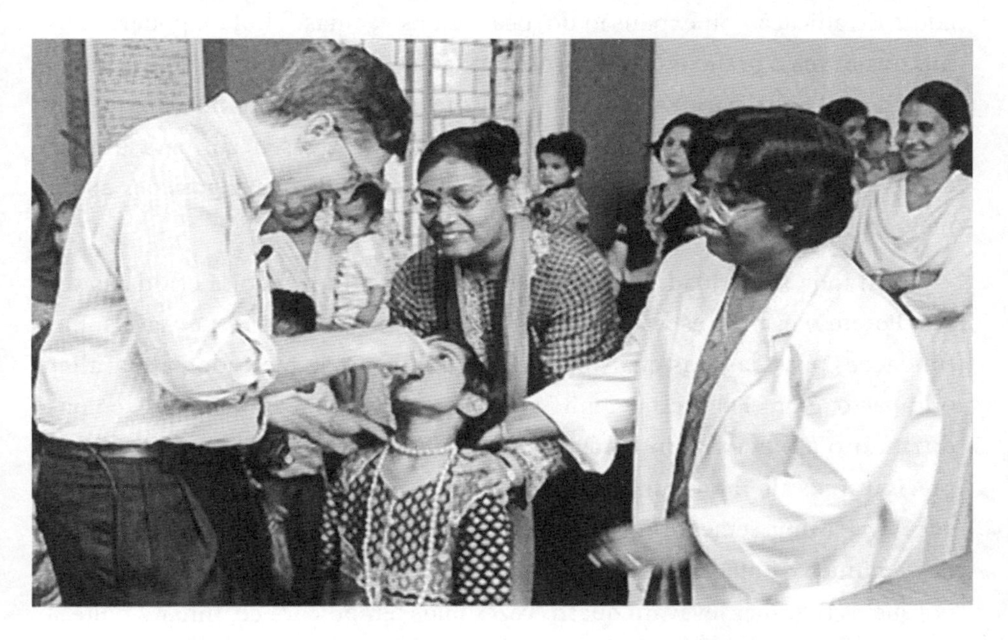

Bill Gates administrando uma vacina oral contra a poliomielite a uma criança em Mumbai, Índia, no ano 2000.

Patty Stonesifer: Os OKRs nos permitiram ser tanto ambiciosos quanto disciplinados. Quando resultados-chave mensuráveis revelavam uma falta de progresso ou mostravam que um objetivo era inatingível, realocávamos o capital. Se o objetivo era eliminar a doença do verme-da-guiné, um objetivo primordial muito ambicioso, era importante saber se os dólares e recursos estavam progredindo em relação a isso. Com os OKRs, conseguimos definir os ritmos trimestrais e anuais para obter resultados-chave substanciais em relação a um objetivo tão grande.*

Até que um objetivo realmente grande seja estabelecido, como vacinar todas as crianças em todo lugar, por exemplo, não é possível descobrir qual alavanca ou combinação de alavancas é a mais importante. Nossas análises anuais de estratégia começavam com a seguinte pergunta: "Qual é o objetivo aqui? Erradicação ou expansão do alcance das vacinas?" Então, poderíamos nos tornar mais práticos com nossos resultados-chave, tal como a regra 80/90 da Aliança Global para Vacinas e Imunização, na qual 80% dos distritos teriam 90% ou mais de cobertura. Esses resultados-chave são essenciais para alinhar as atividades cotidianas. Com o tempo, eles são levados para posições ainda mais ambiciosas em relação àquele objetivo maior.

Com toda sinceridade, talvez estivéssemos medindo a coisa errada às vezes. Porém o esforço estava sempre lá para nos mantermos responsáveis. Em fundações privadas, nas quais não se tem um efeito de mercado para avaliar o impacto, é preciso prestar muita atenção para saber se os dados estão conduzindo-o à meta maior. Estávamos aprendendo tão rápido que, às vezes, precisávamos alterar os conjuntos de dados no meio do caminho. Digamos que você tivesse uma semente que dobraria a produção de inhame e estivesse focado nesse número. Então, de repente, descobriu-se que ninguém usaria a semente porque os inhames levavam quatro vezes mais tempo para cozinhar à noite...

Definir grandes objetivos não era tão difícil quanto desmembrá-los: quais rochas precisam ser movidas para atingi-los? Essa é uma das belezas de trabalhar com Bill e Melinda. Eles querem ver o progresso, mas metas ousadas não os incomodam.

---

* Como a Fundação Gates fez uma série de doações de oito dígitos para o Carter Center, o número de casos relatados de doenças de verme-da-guiné caiu de 75.223 em 2000 para 4.619 em 2008 e para apenas 22 em 2015. Espera-se que a *dracunculose* (nome científico da doença) se torne a segunda doença da história humana a ser erradicada após a varíola.

Caso em questão: a luta em curso contra o animal mais letal do planeta, o mosquito.* Em 2016, a Fundação Gates se juntou ao governo britânico em uma campanha de cinco anos e US$4,3 bilhões para erradicar a malária, a mais letal de todas as doenças tropicais. Conduzidos por dados empíricos, eles ampliaram o foco de uma vacina bloqueadora da transmissão para uma estratégia abrangente de erradicação.

OBJETIVO

Erradicação global da malária até 2040.

RESULTADOS-CHAVE

1. **Provar para o mundo que uma abordagem radical baseada na cura pode levar à eliminação regional.**
2. **Preparar a escalabilidade através da criação das ferramentas necessárias: diagnóstico SERCAP (*Single Exposure Radical Cure and Prophylaxis*, em tradução livre, "Profilaxia e Cura Radical por Exposição Única").**
3. **Sustentar o progresso global atual para garantir que o ambiente seja propício à erradicação.**

O objetivo primordial é eliminar o parasita *Plasmodium* da população humana, com ênfase em sua resistência a medicamentos. Como o próprio Bill Gates reconheceu, esse esforço não será fácil. Porém, há uma chance real de sucesso, porque sua equipe está acompanhando o que importa.

* Segundo a Organização Mundial da Saúde, o mosquito é responsável por 725 mil mortes por ano. As fêmeas do mosquito *Anopheles*, que transmite a malária, mataram um número estimado de 429 mil pessoas em 2015, com a faixa superior chegando a 639 mil. A título de comparação, os seres humanos matam aproximadamente 475 mil pessoas por ano, em média. Nenhuma outra espécie chega tão perto.

12

Superpoder nº 4: O Esforço pelo Surpreendente

O maior risco de todos é não assumir riscos.
— ***Mellody Hobson***

Os resultados-chave nos empurram muito além de nossas zonas de conforto. Eles nos levam a conquistas na fronteira entre habilidades e sonhos. Descobrem novas capacidades, criam soluções mais criativas, revolucionam os modelos de negócios. Para as empresas que buscam viver por muito tempo e prosperar, chegar a novos patamares é algo obrigatório. Bill Campbell gostava de dizer o seguinte: se as empresas "não continuarem a inovar, elas vão morrer. E eu não disse *imitar*, disse *inovar*". O estabelecimento conservador de objetivos impede a inovação. Além disso, a inovação é como oxigênio: você não consegue vencer sem ela.

Quando metas que exigem esforço são escolhidas com sabedoria, a recompensa mais que premia o risco. "Metas Audaciosas e Cabeludas" (tradução livre de "Big Hairy Audacious Goals"), expressão memorável de Jim Collins no livro *Empresas Feitas para Vencer* (Alta Books), elevam a coisa rapidamente a novos níveis:

> Uma MAC é uma meta gigante e assustadora, como uma montanha a ser escalada. Ela é clara, chama a atenção e as pessoas "entendem" imediatamente. Uma MAC serve como um ponto focal de esforço unificador, mexe com as pessoas e cria um espírito de equipe à medida que pessoas se esforçam em direção à linha de

chegada. Assim como aconteceu com a missão lunar da NASA dos anos 1960, uma MAC captura a imaginação e pega na veia das pessoas.

Edwin Locke, o pai do estabelecimento de metas estruturadas, consultou uma dúzia de estudos para estabelecer uma correlação quantitativa entre a dificuldade do objetivo e a realização. As arenas variavam muito, mas os resultados eram "inequívocos", ele escreveu. "Quanto mais difíceis as metas, maior será o nível de desempenho... Embora os indivíduos com metas muito difíceis atinjam seus objetivos com muito menos frequência do que aqueles com metas muito fáceis, os primeiros consistentemente se apresentavam em um nível de desempenho mais alto do que os segundos." Estudos constataram que os trabalhadores "desafiados" não eram apenas mais produtivos, mas também mais motivados e engajados: "Estabelecer metas desafiadoras específicas também é um meio de aumentar o interesse pelas tarefas e de ajudar as pessoas a descobrirem os aspectos prazerosos de uma atividade".

Em 2007, a Academia Nacional de Engenharia dos EUA convocou um painel de pensadores importantes, incluindo Larry Page, o futurista Ray Kurzweil e o geneticista J. Craig Venter, para que escolhessem 14 "Grandes Desafios da Engenharia" para o século XXI. Depois de um ano de debate, o painel estabeleceu uma série de metas essenciais de esforço: gerar energia a partir da fusão; realizar a engenharia reversa no cérebro; evitar o terrorismo nuclear; proteger o ciberespaço... Pegou a ideia?

Nem todas as metas de esforço são tão rarefeitas. Às vezes, representam um trabalho "comum" em um nível extraordinário. No entanto, independentemente do escopo ou da escala, elas se encaixam na minha definição favorita de empreendedores:

*Aqueles que fazem mais do que qualquer um pensa ser possível... com menos do que alguém pensa ser possível.**

Em startups iniciantes e líderes de mercado, as metas de esforço podem aguçar uma cultura empreendedora. Ao empurrar as pessoas para além dos antigos limites, elas são forças em prol da excelência operacional. Segundo Philip Potloff, diretor digital da Edmunds.com: "Estamos tentando mudar a

* Ao contrário dos burocratas, que fazem menos do que qualquer um pensa ser possível com mais do que alguém pensa ser possível.

maneira como o varejo automotivo é conduzido, e isso é um enorme desafio e uma grande oportunidade. A única maneira de reduzirmos nossas metas loucas e gigantes de 'mudar a indústria' é através dos OKRs. É por isso que os OKRs continuam a estar no centro do que fazemos."

As metas ambiciosas são parte de todos os superpoderes do OKR. *Foco* e *comprometimento* são essenciais para atingir metas que fazem a diferença. Somente uma organização transparente, colaborativa, *alinhada* e *conectada* pode ir muito além do normal. Sem um *acompanhamento* quantificável, como você pode saber quando alcançou esse objetivo surpreendente pelo *esforço*?

As Duas Cestas do Sistema OKR

O Google divide seus OKRs em duas categorias: as metas compromissadas e as metas ambiciosas (ou "desafiadoras"). Essa é uma distinção bem clara.

Os objetivos compromissados estão vinculados às métricas do Google: lançamentos de produtos, reservas, contratações, clientes. A gestão os define em âmbito empresarial, e os funcionários, em âmbito departamental. Em geral, esses objetivos compromissados, como metas de vendas e receita, devem ser alcançados integralmente (100%) dentro de um prazo definido.

Os objetivos ambiciosos refletem ideias de maior dimensão, maior risco, de mais inclinação para o futuro. Eles se originam de qualquer âmbito e visam mobilizar toda a organização. Por definição, são difíceis de alcançar. As falhas, a uma taxa média de 40%, fazem parte do território do Google.

A ponderação relativa dessas duas cestas é uma questão cultural. Esse peso vai variar de uma organização para outra e de trimestre para trimestre. Os líderes devem se perguntar: Que tipo de empresa precisamos ser no ano que vem? Ágil e ousada, para atacar um novo mercado, ou mais conservadora e operacional, para firmar nossa posição atual? Estamos em modo de sobrevivência ou há dinheiro em mãos para apostar alto por uma grande recompensa? O que nossos negócios exigem agora?

Nossa Necessidade do Esforço

Andy Grove era fã de Abraham Maslow, o psicólogo de meados do século XX, mais conhecido pelo conceito da "hierarquia de necessidades". De acordo com Maslow, somente depois de satisfazermos as preocupações mais básicas, começando por comida e abrigo, depois com segurança e, posteriormente, com "amor" e "pertencimento", somos capazes de passar para as motivações de nível superior. No topo da pirâmide de Maslow está a necessidade da "autopercepção".

Grove ficou fascinado ao descobrir que algumas pessoas, sem estímulo algum, eram constantemente motivadas a "tentar testar os limites para além de suas habilidades" e atingir o "melhor desempenho pessoal". Esses funcionários eram o sonho do gerente; eles nunca estavam satisfeitos consigo mesmos. Porém, Grove também entendia que nem todo mundo era um empreendedor nato. Para o resto, as metas "de desafio" poderiam extrair o máximo da produtividade: "Essa definição de metas é extremamente importante se o que você quer é o desempenho máximo de si mesmo e de seus subordinados."

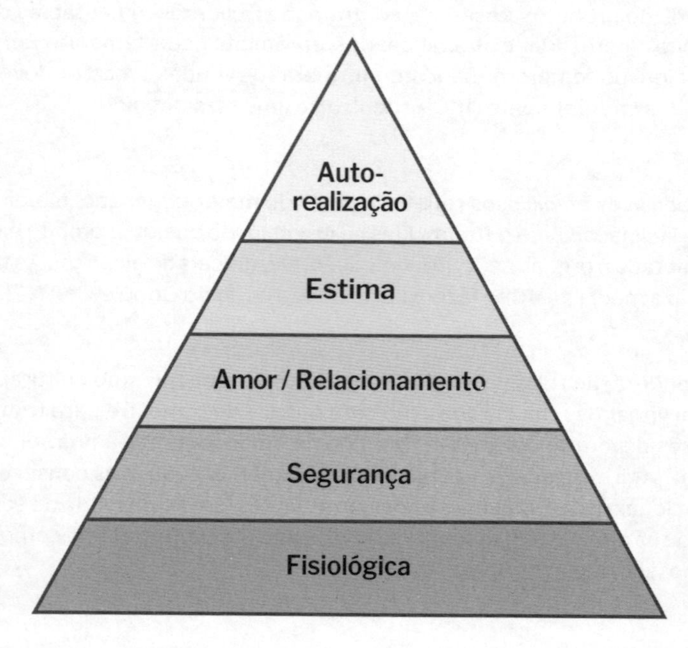

A hierarquia de necessidades de Maslow, representada como uma pirâmide, com as necessidades mais básicas na base.

A Intel dava valor àqueles que se arriscavam de forma calculada. Lá foi o lugar onde aprendi a me esforçar e ter a ousadia de falhar. Na Operação Crush, a campanha de matar ou morrer para dominar o mercado de microprocessadores de chips de 16 bits, os vendedores da empresa eram medidos por projetos bem-sucedidos e número de produtos projetados em torno de nosso microprocessador 8086. Liderada por Bill Davidow, a força-tarefa da Operação Crush estabeleceu uma das metas mais ousadas que já vi: mil projetos bem-sucedidos em um único ano, 50% a mais do que as vendas registradas no ano anterior. E veja o que aconteceu depois, como lembrou o gerente-geral de microprocessadores, Dave House:

> Esta é a Intel; você tem que ter noção disso. E acho que foi [Jim] Lally quem disse que precisávamos de mil projetos bem-sucedidos. Era um número, e era do Bill ou do Jim... O número parecia enorme. Então, quando estávamos desenvolvendo nossos planejamentos, de alguma forma esse número foi alterado para dois mil. E acabou sendo o número que levamos para as vendas em campo.

Dois mil projetos bem-sucedidos equivalem a uma conquista de cada vendedor a cada mês. A administração pedia que nossos representantes de campo *triplicassem* seus números para um chip tão impopular que seus clientes de longa data estavam desistindo. A equipe de vendas era derrotada dia após dia, e agora olhava para o desafio como o Monte Everest. Quando perguntei recentemente a Bill Davidow sobre o estabelecimento de um objetivo tão íngreme, ele respondeu: "Escolhi dois mil porque achava que precisávamos de um marco. E esse foi um marco."

A empresa incentivava os representantes com uma viagem para dois ao Taiti para todos que alcançassem a marca. Então, Jim Lally acrescentou uma regra engenhosa: se um único indivíduo não conseguisse bater a cota, todo o escritório distrital do perdedor perderia a viagem. Logo no início, os números mal seguiram a meta, até que a força-tarefa começou a pensar em relaxar o critério de projetos bem-sucedidos. Mas, naquele verão, folhetos coloridos sobre o Taiti misteriosamente acharam o caminho da caixa de correio de todos os vendedores. No terceiro trimestre, a pressão dos colegas sobre os retardatários era enorme.

No final do ano, o número de projetos bem-sucedidos ultrapassou 2.300. O 8086 reinou supremo no mercado; o futuro da Intel estava garantido. Praticamente toda a força de vendas foi para o Taiti. E uma meta desafiadora fez toda a diferença.

A Religião das Dez Vezes

Se Andy Grove é o santo padroeiro dos OKRs ambiciosos, Larry Page é o sumo sacerdote deles. Na tecnologia, o Google representa inovação sem limites e crescimento implacável. No mundo dos objetivos e resultados-chave, a empresa é sinônimo de objetivos exponencialmente agressivos. Steven Levy chama essa filosofia de "religião das dez vezes".

Tome como exemplo o Gmail. O principal problema com os sistemas anteriores de e-mail baseados na web era o escasso armazenamento, normalmente com dois a quatro megabytes. Os usuários eram forçados a excluir e-mails antigos para abrir espaço para novos. Arquivar coisas era um sonho. Durante o desenvolvimento do Gmail, os líderes do Google consideraram oferecer 100MB de armazenamento, o que era uma evolução enorme. Mas em 2004, quando o produto foi lançado ao público, o objetivo de 100MB foi morto e esquecido. Em vez disso, o Gmail fornecia um *gigabyte* de armazenamento completo, até 500 vezes mais do que a concorrência. Os usuários podiam guardar e-mails pela eternidade. A comunicação digital mudou para sempre.

Isso, meus amigos, é uma Meta Audaciosa e Cabeluda. O Gmail não melhorou apenas os sistemas existentes. Ele reinventou a categoria e forçou os concorrentes a aumentarem sua oferta em ordens de grandeza. Esse pensamento da multiplicação por dez é raro em qualquer setor, em qualquer estágio. A maioria das pessoas, observa Larry Page, "tende a supor que as coisas são impossíveis, em vez de partir da física do mundo real e descobrir o que é realmente possível".

Na revista *Wired*, Steven Levy detalhou:

Segundo Page, uma melhoria de 10% significa que você está fazendo a mesma coisa que todos os outros. Você provavelmente não falhará de maneira espetacular, mas terá garantia de sucesso.

É por isso que Page espera que os colaboradores do Google criem produtos e serviços dez vezes melhores do que a concorrência. Significa que ele não fica satisfeito com a descoberta de algumas eficiências ocultas ou ajustes no código para obter ganhos modestos. 1.000% de melhoria exige repensar os problemas, explorar o que é tecnicamente possível e se divertir no processo.

Eric Schmidt, Larry Page e Sergey Brin com o primeiro carro autônomo do Google, em 2011. O pensamento das dez vezes em ação!

No Google, em consonância com o antigo padrão de Andy Grove, os OKRs ambiciosos têm 60% a 70% de sucesso. Em outras palavras, espera-se que o desempenho fique aquém, pelo menos, 30% do tempo. Isso é considerado sucesso!

O Google teve sua parcela de falhas colossais, desde o Helpouts até o Google Answers. Viver na zona dos 70% implica uma dose liberal de tentativas ousadas e de disposição para enfrentar o fracasso. No início do período, nem um único objetivo pode parecer possível. Por isso, os colaboradores do Google devem fazer perguntas mais difíceis: Qual ação radical de alto risco precisa ser considerada? O que eles precisam *parar* de fazer? Onde eles podem movimentar recursos ou encontrar novos parceiros? No seu prazo final, uma fração saudável desses objetivos impossíveis é, de alguma forma, atingida na íntegra.

As Variáveis do Esforço

Para se obter sucesso, uma meta desafiadora não pode parecer uma longa marcha para lugar nenhum. Nem pode ser imposta de cima sem levar em conta as realidades no terreno. Submeta sua equipe a um esforço muito rápido e extremo e isso pode dar errado. Na busca de metas de alto risco e alto esforço, o comprometimento dos funcionários é essencial. Líderes devem transmitir duas coisas: a importância do resultado e a crença de que ele é atingível.

Poucas entidades têm os recursos do Google para recorrer quando um tentativa ousada falha. As organizações têm uma tolerância ao risco, o que pode mudar com o tempo. Quanto maior for a margem do erro, maior é a capacidade de uma empresa se esforçar. Por exemplo, uma taxa de falha de OKR de 40% pode parecer muito arriscada, e muito desanimadora, independente do que a liderança diga. Para os grandes empreendedores, qualquer coisa que saia da perfeição pode minar o moral. Na Risk Management Solutions, da Califórnia, há "mais classificações do que funcionários", conta a ex-líder de RH, Amelia Merrill. "As pessoas aqui estão acostumadas a receber As. Elas não recebem Bs. Não atingir 100% é algo muito difícil. Culturalmente, é complicado fazer essa transição."

Na MyFitnessPal, Mike Lee considera *todos os* OKRs como metas compromissadas: difíceis e exigentes, sim, mas atingíveis na íntegra. "Estou tentando definir o limite certo em que (o OKR) deveria estar", conta ele. "Se conseguirmos fazer tudo, vou me sentir bem sobre o nosso progresso." Essa é uma abordagem razoável, mas não faltam armadilhas pelo caminho. Será que a equipe de Mike se desviaria de objetivos em que poderiam superar os 90%? Na minha opinião, é melhor que os líderes estabeleçam, pelo menos, um esforço modesto. Ao longo do tempo, à medida que as equipes e os indivíduos ganham experiência com os OKRs, seus resultados-chave se tornarão mais precisos *e* mais agressivos.

Não há um número mágico para o esforço "certo". No entanto, pense no seguinte: como sua equipe pode agregar o valor máximo? O que seria o *surpreendente*? Se você procura alcançar a grandeza, esforçar-se pelo surpreendente é um ótimo ponto de partida. Mas, de jeito nenhum, como Andy Grove deixou claro, o surpreendente é o lugar de parar:

> Em nossos negócios, somos obrigados a definir objetivos desconfortáveis e difíceis para nós mesmos e então temos que enfrentá-los. *Depois de dez milissegundos de comemoração*, novamente estabelecemos um outro conjunto de objetivos de difícil alcance e os enfrentamos mais uma vez. A recompensa de ter atingido um desses objetivos desafiadores é o recomeço do jogo.

13

Esforço: A História do Google Chrome

Sundar Pichai

CEO

Metas desafiadoras foram gloriosamente definidas pelo líder da equipe do Google X. Essa foi a equipe que desenvolveu o Projeto Loon e os carros autônomos. Astro Teller contou o seguinte: "Caso queira que seu carro ande aproximadamente 20 quilômetros por litro, tudo bem. Basta adaptá-lo um pouquinho. Porém se eu lhe disser que quero andar aproximadamente dois mil quilômetros por litro, é preciso começar do zero."

Em 2008, Sundar Pichai era o vice-presidente de desenvolvimento de produtos do Google. Quando ele e sua equipe levaram seu navegador Chrome ao mercado, eles definitivamente estavam começando do zero. Impulsionados para o sucesso e sem medo de falhar, eles usaram os OKRs para catapultar seus produtos e a empresa para o surpreendente. O Chrome é agora, de longe, o navegador da web mais popular nas plataformas para dispositivos móveis e computadores. Como você verá, havia quebra-molas na estrada. No entanto, segundo Larry Page: "Se você definir um objetivo louco e ambicioso e errar, ainda conseguirá algo impressionante". Quando apontamos para as estrelas, o tiro pode ser curto, mas ainda assim alcançar a lua.

A carreira de Sundar Pichai é a personificação viva de uma meta de esforço. Em outubro de 2015, aos 43 anos, Sundar se tornou o terceiro CEO do Google. Hoje, ele preside uma organização com mais de 60 mil empregados e US$80 bilhões em receitas.

Sundar Pichai: Criado no sul da Índia na década de 1980, eu tive pouca exposição à tecnologia como vista hoje. No entanto, o que tínhamos teve um impacto profundo em minha vida. Meu pai era engenheiro eletricista em Chennai, uma grande metrópole, mas vivíamos de maneira modesta. A lista de espera para um telefone, aquele com disco, era de três a quatro anos. Eu tinha 12 anos quando minha família finalmente conseguiu um. Foi o evento dos eventos. Os vizinhos nos visitavam para usá-lo.

Lembro-me da minha vida como antes e depois do telefone; esse dispositivo mudou muitas coisas. Antes do telefone, minha mãe diria: "Você pode ver se o exame de sangue já está pronto no hospital?" Eu pegava um ônibus, ia ao hospital, esperava na fila, e muitas vezes eles me diziam: "Não, ainda não está pronto, venha amanhã." Então, eu voltava de ônibus para casa. Era uma viagem de três horas. Depois do telefone, eu poderia simplesmente ligar para o hospital e saber os resultados. Agora consideramos a tecnologia como dada e certa, e ela melhora a cada dia. Só que, para mim, havia esses momentos discretos, do antes e do depois, que nunca esquecerei.

Li todos os livros sobre computadores e semicondutores em que pude colocar minhas mãos. Aspirava, de alguma forma, chegar ao Vale do Silício, o que significava entrar em Stanford. Esse era o meu objetivo. Eu queria fazer parte de toda a mudança que acontecia por lá. De certo modo, acho que sonhava ainda mais fervorosamente porque havia muito pouca tecnologia para nós, seres humanos. Eu era impulsionado pelo poder da imaginação.

A Nova Plataforma de Aplicativos

Durante cinco anos, trabalhei na Applied Materials, em Santa Clara, com engenharia de processo, especificamente na área de pesquisa e desenvolvimento. Às vezes, precisava visitar a Intel e conseguia sentir a cultura de Andy Grove assim que entrava pela porta. A empresa era muito disciplinada, até nas menores coisas (eu me lembro vagamente de ter pago por cada xícara de café). Na engenharia de processos dos semicondutores, é necessário ser altamente metódico ao definir metas e trabalhar com elas. Então, meu trabalho na Applied Materials me ajudou a pensar sobre os objetivos de uma maneira mais precisa.

À medida que a internet continuou a se desenvolver, pude ver o potencial incrível dela. Lia sobre tudo o que o Google estava fazendo. Eu era um apaixonado pelo assunto. Fiquei especialmente empolgado quando lançaram um produto chamado Deskbar, no qual você podia pesquisar na web pelo Windows sem abrir o navegador. Ele era iniciado em uma pequena janela na barra de tarefas. O recurso lá estava quando você precisasse dele, mas só neste momento. O Deskbar foi uma ferramenta inicial para o crescimento, uma maneira de levar o Google a muito mais pessoas.

Ingressei no Google como gerente de produto em 2004, quando a empresa ainda girava em torno da pesquisa. Só que esse também foi o ano da Web 2.0 e do surgimento do conteúdo gerado pelo usuário e do AJAX.* A web inicial era uma plataforma de conteúdo, mas estava rapidamente se tornando uma plataforma de aplicativos. Estávamos vendo o início de uma mudança de paradigma na internet e percebi que o Google estaria no centro disso.

Minha primeira missão foi expandir o uso e a distribuição da Barra de Ferramentas do Google, que poderia ser adicionada a qualquer navegador para que fosse possível acessar a Pesquisa do Google. Era o projeto certo para a hora certa. Em apenas alguns anos, aumentamos os usuários da Barra de Ferramentas em mais de dez vezes. Foi quando eu vi, pela primeira vez, o poder de um OKR desafiador e ambicioso.

* Um módulo de técnicas de desenvolvimento na web que permitia aos usuários se comunicar com um servidor, sem a necessidade de recarregar uma página ou atualizar o navegador.

Repensando o Navegador

Até então, havíamos organizado algo novo para o Google: uma equipe para criar um software cliente. Tínhamos pessoas trabalhando no Firefox para ajudar a melhorar o navegador do Mozilla. Em 2006, estávamos começando a repensar o navegador como uma plataforma de computação, quase como um sistema operacional, para que as pessoas pudessem escrever aplicativos na própria web. Essa percepção fundamental deu origem ao Chrome. Sabíamos que precisávamos de uma arquitetura multiprocessável para tornar cada guia seu próprio processo e proteger o Gmail de um usuário, se outro aplicativo falhasse. Sabíamos que precisávamos fazer o JavaScript funcionar muito mais rápido. No entanto, estávamos preparados para a tarefa de construir o melhor navegador possível.

Nosso CEO, Eric Schmidt, sabia como era difícil construir um navegador do zero: "Se você está fazendo isso, é melhor o negócio ser sério". Se o Chrome não fosse completamente diferente, melhor e mais rápido do que os navegadores tradicionais já existentes no mercado, não adiantava seguir em frente.

Em 2008, ano do lançamento do Chrome, nossa equipe de gerenciamento de produto formulou um objetivo anual de nível primordial e que teria uma influência duradoura no futuro do Google: "Desenvolver a plataforma cliente para a próxima geração de aplicativos web". O resultado-chave principal: "Vinte milhões de usuários ativos por sete dias consecutivos no Chrome".

A Elevação de Metas

No clima do sistema OKR do Google, entendeu-se que 70% de aproveitamento (em média) era considerado um sucesso. Não era necessário se empenhar para atingir o nível verde em cada OKR que registrasse; isso não fazia a equipe se esforçar. No entanto, havia uma tensão intrínseca, pois o Google não contratava a pessoa se ela não fosse motivada para o sucesso. No papel de líder, ninguém queria se ver, no final do trimestre, parado na frente da empresa com um grande vermelho na tela, tendo que explicar o porquê e como havia falhado. A pressão e o desconforto dessa experiência fizeram com que muitos de nós fizéssemos muitas coisas heroicas para evitá-la. Porém, ao definir os objetivos da sua equipe de maneira correta, às vezes isso era inevitável.

Larry sempre foi bom em elevar as metas para os OKRs da empresa. Ele usava certas expressões que me marcavam. Ele queria que as pessoas no Google estivessem "incomodamente animadas". Queria que tivéssemos "um saudável desrespeito pelo impossível". Tentei fazer o mesmo com a equipe de produtos. Era preciso coragem para registrar um OKR que poderia falhar, mas não havia outro jeito se quiséssemos alcançar a excelência. Estabelecemos de forma definitiva a barreira dos 20 milhões de usuários ativos semanais até o final do ano, sabendo que era um esforço formidável. Afinal, estávamos começando do zero.

Como líder, é necessário tentar desafiar a equipe sem fazê-la sentir que a meta é inatingível. Achava improvável que alcançássemos nosso alvo a tempo. (Sinceramente, pensava que não havia como chegarmos lá.) Só que eu também considerei importante continuar empurrando até o limite de nossa capacidade e além. Nosso OKR desafiador deu direção à equipe e funcionou como um barômetro para medir nosso progresso. Tornou a complacência impossível. Fazia-nos repensar todos os dias a estrutura do que estávamos fazendo. Todas essas coisas eram mais importantes do que alcançar uma meta um tanto arbitrária em um determinado dia.

No começo, enquanto o Chrome lutava para atingir 3% de participação de mercado, recebemos algumas más notícias inesperadas. A versão para Mac do Chrome estava muito atrasada. Apenas usuários do Windows contariam para os 20 milhões.

Mas também havia boas notícias. As pessoas que usavam o Chrome adoravam, o que estava começando a ter um efeito composto no crescimento. Apesar das falhas, estávamos conscientizando as pessoas sobre uma nova maneira de se engajar na web.

Uma Profundidade Maior

Google significa velocidade. A empresa está em constante batalha contra a latência, ou seja, o atraso em uma transferência de dados que degrada a experiência do usuário. Em 2008, Larry e Sergey registraram um belo OKR que realmente chamou a atenção das pessoas: "Devemos tonar a web tão rápida quanto folhear uma revista". Esse OKR inspirou toda a empresa a pensar mais sobre como poderíamos melhorar e agilizar as coisas.

Para o projeto do Chrome, criamos um sub-OKR para turbinar o JavaScript. O objetivo era fazer com que os aplicativos na web funcionassem tão bem quanto os downloads em uma área de trabalho. Definimos uma meta ousada de melhorá-los dez vezes mais e nomeamos o projeto de "V8", como aquele motor automobilístico de alto desempenho. Tivemos a sorte de encontrar um programador dinamarquês chamado Lars Bak, que havia construído máquinas virtuais para a Sun Microsystems e detinha mais de uma dúzia de patentes. Lars é um dos grandes artistas na área. Ele veio até nós e disse, sem um pingo de bravata: "Consigo fazer algo que seja muito mais rápido." Em quatro meses, ele tinha o JavaScript sendo executado dez vezes mais rápido do que no navegador Firefox. Em dois anos, ele ficou mais de 20 vezes mais rápido. Um progresso incrível (às vezes, uma meta de esforço não é tão ambiciosa quanto parece). Segundo as palavras de Lars a Steven Levy mais tarde, no livro *Google – A Biografia : Como o Google Pensa, Trabalha e Molda Nossas Vidas*, "nós meio que subestimamos o que poderíamos fazer".

Os OKRs de esforço são um exercício intenso na resolução de problemas. Após ter passado pela jornada da barra de ferramentas, tive uma boa noção de como lidar com passagens difíceis e inevitáveis. Mantive-me cautelosamente otimista com a minha equipe. Se estivéssemos perdendo usuários, eu diria a eles: "Façamos um experimento para entender o motivo e consertarmos o problema". Se a compatibilidade fosse um problema, eu designaria um grupo para se concentrar só nisso. Tentava ser racional e sistemático, e não muito emocional, e acho que isso ajudou.

O Google é impulsionado pela nossa cultura da tentativa ousada. O muito ambicioso é muito difícil de ser feito. De forma saudável, nossa equipe percebeu que o sucesso do Chrome significaria centenas de milhões de usuários. Sempre que inventamos algo novo no Google, estamos pensando: como podemos escalá-lo para um bilhão? No início do processo, esse número pode parecer muito abstrato. Mas quando você estabelece um objetivo mensurável para o ano e divide o problema, trimestre a trimestre, as tentativas ousadas se tornam mais factíveis. Esse é um dos grandes benefícios dos OKRs. Eles nos proporcionam metas claras e quantitativas no caminho para esses saltos qualitativos.

Depois de falharmos para os 20 milhões em 2008, nós mergulhamos mais fundo. Nunca desistimos do objetivo, mas mudamos a forma como o enquadramos. Nesse sentido, tentei comunicar para as equipes o seguinte: "Não, nós não alcançamos a meta, mas estamos lançando as bases para romper essa barreira. Então, o que vamos fazer de diferente a partir de agora?" Em uma cultura de pessoas inteligentes, é melhor sempre ter boas respostas para essa pergunta; não se pode sapatear pelo caminho. Nesse caso, precisávamos de uma solução para um problema básico: por que era tão difícil levar as pessoas a experimentar um novo navegador?

Foi assim que nos motivamos a encontrar novas ofertas de distribuição para o Chrome. Mais adiante, quando descobrimos que as pessoas não sabiam o que um navegador fazia por elas, recorremos ao marketing televisivo para explicar. Nossos anúncios do Chrome representaram a maior campanha offline da história da empresa. As pessoas ainda se lembram de "Querida Sophie".* Era um comercial criado em torno do álbum digital de um pai de sua filha enquanto ela crescia. Ele mostrava a entrada fácil, a partir do nosso navegador, a uma rica variedade de aplicativos baseados na web, desde o Gmail, YouTube até o Google Maps. Levava as pessoas à internet como uma plataforma de aplicativos.

* www.whatmatters.com/dearsophie (conteúdo em inglês).

Tentativa-Erro, Tentativa-Sucesso

O sucesso não foi instantâneo. Em 2009, definimos outro OKR de esforço para o Chrome (50 milhões de usuários ativos por sete dias) e falhamos novamente, encerrando o ano com 38 milhões. Para 2010, sem desanimar, propus uma meta de 100 milhões de usuários. Larry acreditava que deveríamos nos esforçar ainda mais. Minha meta, ele apontava, atingia apenas 10% dos 1 bilhão de usuários de internet do mundo na época. Rebati que 100 milhões eram, de fato, números muito agressivos.

Larry e eu acabamos estabelecendo um OKR de 111 milhões de usuários, uma meta desafiadora clássica. Para alcançá-la, sabíamos que precisaríamos reinventar os negócios do Chrome e pensar no crescimento de novas maneiras. Mais uma vez, o que poderíamos fazer de diferente? Em fevereiro, ampliamos nossos acordos de distribuição com os OEMs (fabricantes de equipamentos originais). Em março, embarcamos em uma campanha de marketing chamada "Chrome Fast", a fim de aumentar a conscientização sobre o produto nos Estados Unidos. Em maio, expandimos nossa demografia com o lançamento do Chrome para o Mac OS X e Linux. Finalmente, nosso navegador não era mais um produto somente para Windows.

Sundar apresenta sua palestra sobre o Chrome na conferência de desenvolvedores do Google I/O, em 2013.

No terceiro trimestre, o resultado permaneceu em dúvida. Semanas depois, no final do terceiro trimestre, nosso total de usuários subiu de 87 milhões para 107 milhões. Logo depois disso, chegamos a 111 milhões de usuários ativos por sete dias. Havíamos alcançado nosso objetivo.

Atualmente, somente em dispositivos móveis, há mais de um bilhão de usuários ativos do Google Chrome. Não conseguiríamos ter chegado lá sem os objetivos e os resultados-chave. Os OKRs são o modo como pensamos tudo no Google, da maneira como sempre fizemos.

A Próxima Fronteira

Meu pai cresceu em uma época em que a computação significava grandes equipes, mainframes e administradores de sistemas. Uma época em que os computadores eram inacessíveis e muito complicados. No momento em que estava trabalhando no Chrome, percebi que tudo o que ele queria era uma maneira fácil e direta de usar a web. Sempre fui fascinado pela simplicidade. Considerando todas as coisas complexas que a Pesquisa do Google pode fazer, a experiência do usuário foi descomplicada de forma impressionante. Eu queria imitar essa qualidade em nosso navegador, seja para uma criança na Índia ou um professor em Stanford. Se qualquer pessoa tivesse acesso a um computador e uma conectividade adequada, a experiência com o Chrome seria visivelmente simples.*

Em 2008, quando meu pai se aposentou, dei a ele um netbook e mostrei-lhe como usar o Chrome. Então, uma coisa incrível lhe aconteceu : a tecnologia simplesmente desapareceu. Ele conseguia fazer o que quisesse na próspera plataforma de aplicativos da web. Quando acessou no navegador, não abriu mais qualquer outro aplicativo. Ele nunca baixou um software. Estava imerso em um mundo novo e maravilhosamente simples.

No Google, desde muito cedo, internalizei a necessidade de imaginar constantemente a próxima fronteira, desde uma barra de ferramentas até o Chrome, por exemplo. Nunca podemos parar de nos desafiar. A experiência do meu pai me fez pensar o seguinte: e se pudéssemos criar um sistema operacional com simplicidade e segurança comparáveis ao que acontece na interface de usuário do navegador Chrome? E se pudéssemos criar um laptop em torno desse sistema operacional (o Chromebook) para lidar diretamente com todos esses aplicativos que vivem na nuvem virtual?

Essas, porém, seriam metas desafiadoras para uma outra história.

* Tive a grande sorte de trabalhar no Chrome, e até mesmo compartilhar um departamento com Linus Upson, que liderou a equipe de engenharia da equipe. Ao final da jornada de trabalho, eu nunca poderia dizer se Linus havia saído ou não, porque sua mesa estava sempre tão organizada (se uma de suas canetas estivesse virada, eu sabia que algo estava errado). Linus era o maníaco da simplicidade. Ele nos deu a tecnologia de ponta de que precisávamos para tornar o Chrome a experiência perfeita que é hoje.

14

Esforço: A História do YouTube

Susan Wojcicki
CEO

Cristos Goodrow
Vice-presidente de Engenharia

O Google está tão repleto de metas desafiadoras que seria incompleto registrar apenas uma delas. Aqui vai uma segunda: a história do YouTube e como ele cresceu exponencialmente com o superpoder do esforço oriundo do sistema OKR.

Susan Wojcicki, segundo a revista *Time*, é "a mulher mais poderosa da internet". Ela desempenhou um papel central no Google desde o início, antes mesmo de se tornar a funcionária número 16 e a primeira gerente de marketing da empresa. Em setembro de 1998, dias depois que o Google foi constituído, Susan alugou sua garagem em Menlo Park para o primeiro escritório da empresa. Oito anos depois, enquanto os analistas duvidavam de que o YouTube sobreviveria, ela foi a principal voz em convencer o conselho do Google a adquiri-lo. Susan tinha a visão de que o vídeo online estava prestes a acabar com a rede de televisão — para sempre.

Susan Wojcicki e sua garagem em Menlo Park, onde tudo começou.

Em 2012, o YouTube se tornava líder de mercado e uma das maiores plataformas de vídeo do mundo. No entanto, seu ritmo furioso de inovação diminuiu e, uma vez que você freia, não é fácil reacelerar. Nesse ponto, Susan ascendeu ao cargo de vice-presidente sênior do departamento comercial e publicitário, no qual reformulou o Google AdWords e imaginou uma nova maneira de gerar receita com a web através do Google AdSense (ou seja, ela basicamente conduziu o sucesso dos dois principais fluxos de receita do Google). Em 2014, como nova CEO do YouTube, ela herdou um dos objetivos mais agressivos de todos os tempos e de todo o mundo. Em um período de quatro anos, a missão era atingir um bilhão de horas de pessoas assistindo ao YouTube todos os dias, e crescer dez vezes. No entanto, Susan não queria crescer a qualquer custo. Ela queria fazer isso com responsabilidade. Susan e um veterano líder da área de engenharia do YouTube, Cristos Goodrow, tinham um estrada feita sob medida. Eles confiariam nos OKRs a cada passo do caminho.

Metas desafiadoras são revigorantes. Ao se comprometer com uma melhoria radical e qualitativa, uma organização estabelecida pode renovar seu senso de urgência e obter enormes dividendos. O mercado de vídeos na web do YouTube, uma vez em dificuldades, aumentava para mais de um bilhão de usuários. Isso era quase um terço da população total da internet. O site do YouTube pode ser navegado em mais de 70 línguas diferentes, em mais de 80 países. Somente a plataforma móvel do serviço alcança mais pessoas de 18 a 49 anos do que qualquer rede a cabo ou aberta.

Nada disso aconteceu por acaso, ou pela graça de um único insight. Foram anos de execução rigorosa, atenção meticulosa aos detalhes e estrutura e disciplina dos OKRs. E mais uma coisa: antes que o YouTube começasse a perseguir seu objetivo ousado de forma monumental, primeiro era importante descobrir como medir o que importava.

Susan Wojcicki: Quando aluguei minha garagem para Larry e Sergey, eu não tinha interesse no Google como empresa. Só queria que eles pagassem o aluguel. Mas comecei a conhecê-los e como eles pensavam sobre as coisas. Eu tinha ideias para começar minha própria empresa, mas percebi que Larry e Sergey estavam melhor posicionados para executá-las. Então, um belo dia, o serviço da Pesquisa do Google caiu e eu não conseguia terminar um trabalho que estava fazendo. Aí percebi que o Google havia se tornado uma ferramenta indispensável; eu não conseguia viver sem ele. E pensei: *isso será importante para todos.*

Eu estava lá quando John Doerr veio falar conosco sobre os OKRs, no outono de 1999. Neste momento, havíamos crescido além da minha garagem e nos mudamos para o número 2400 em Bayshore, um endereço em Mountain View, em uma antiga fábrica da Sun Microsystems. O edifício inteiro deveria ter aproximadamente 3.900 m^2, e operávamos em menos da metade. Tivemos a reunião sobre o OKR na outra metade, a parte reservada para todos. Lembro-me de John explicando o conceito: "Este é um objetivo. Este é um resultado-chave." E utilizou a analogia do futebol americano para demonstrar como os OKRs foram implementados. Outro dia, vasculhando alguns arquivos, me deparei com a apresentação do John em folhas plásticas para um retroprojetor. Isso já mostra como o negócio era velho.

Larry e Sergey eram bons em ouvir as pessoas que sabiam do que estavam falando. Tenho certeza de que eles discutiam com John, mas, acima de tudo, ouviam. Eles nunca haviam administrado uma empresa, ou até mesmo trabalhado em uma empresa antes. John chegou e disse: "Essa é uma maneira de você administrar seus negócios de forma mensurável e rastreável." O mensurável era algo intuitivo para Larry e Sergey, e eles se impressionaram com o fato de a Intel já ter usado OKRs. Comparando, a Intel era uma empresa muito grande, e nós éramos muito pequenos.

A julgar pela nossa experiência no Google, eu diria que os OKRs são particularmente úteis para empresas jovens que estão começando a construir sua cultura corporativa. Quando você é pequeno, com menos recursos, é de suma importância deixar claro aonde está indo. É como criar filhos. Se você os cria sem estrutura e depois diz a eles, quando forem adolescentes, "Ok, agora aqui estão as regras", bem, as coisas vão ficar difíceis. Se possível, é melhor ter regras desde o início. Ao mesmo tempo, tenho visto empresas maduras darem reviravoltas e mudarem pessoas e processos. Nenhuma empresa é jovem ou velha demais para adotar os OKRs.

OKRs exigem organização. É necessário um líder para abraçar o processo e um tenente para orientar a tropa sobre a classificação e as análises críticas. Quando eu conduzia os OKRs para Larry, participava de reuniões de quatro horas com a equipe de liderança dele, na quais debatíamos todos os objetivos da empresa, esperávamos que as pessoas pudessem defendê-los e precisávamos deixá-los claros. A orientação para os OKRs no Google costumava ser de cima para baixo. No entanto, após muita discussão com especialistas em equipes e compromissos significativos com resultados-chave, adotamos a seguinte filosofia: *esta é a direção que queremos seguir, agora nos diga como chegar lá.* Essas longas reuniões permitiram que Larry enfatizasse as coisas com as quais ele se importava, e também desabafasse frustrações, especialmente em torno da manutenção dos nossos OKRs de produto. Ele falava o seguinte: "Diga-me sua velocidade agora." E logo em seguida: "Por que você não consegue cortar esse número pela metade?"

Ainda realizamos nossa reunião geral dos OKRs primordiais, em todos os níveis, em um videocast especial a cada trimestre. Atualmente, o Google é tão grande e multifacetado que é difícil comunicar tudo o que fazemos a todos. Em uma reunião geral memorável, Salar Kamangar, meu antecessor como CEO do YouTube, fez um trabalho incrível percorrendo toda a lista da OKRs da empresa (Salar conseguia deixar tudo bem simples para todos). No entanto, em geral, as discussões mais detalhadas ocorrem dentro de nossas equipes. Ainda é possível encontrar OKRs publicados na empresa e em páginas de equipes na intranet do Google, atualizadas em tempo real, onde qualquer colaborador possa acessá-las e analisá-las.

Se Não Consegue Vencê-los...

O Google Vídeos, nosso site de compartilhamento de vídeos gratuito, foi lançado em 2005, um mês antes do YouTube. Quando eu o gerenciava, o primeiro clipe que carregamos para os usuários foi um Muppet roxo cantando uma música sem sentido. Sergey e eu não sabíamos o que fazer com aquilo. Mas, então, meus filhos gritaram: "De novo, de novo!" Uma lâmpada acendeu acima da minha cabeça. Vimos uma oportunidade para a próxima geração, uma nova maneira de as pessoas criarem vídeos para distribuição global. Construímos uma interface e tivemos nosso surpreendente primeiro sucesso: dois garotos cantando Backstreet Boys em seu dormitório, com um colega de quarto estudando ao fundo. Também produzimos alguns vídeos profissionais, mas o conteúdo gerado pelo usuário foi melhor.

A principal falha no Google Vídeos era um atraso no nosso processo de upload. Ela representava a quebra de uma regra da empresa para o desenvolvimento de produtos: a velocidade. Os vídeos enviados pelos usuários não estavam imediatamente disponíveis para exibição, enquanto no YouTube eles estavam. Ali morava o problema. No momento em que consertamos, havíamos perdido uma participação significativa no mercado. Enquanto o YouTube publicava três vídeos, publicávamos um. Só que, financeiramente, eles estavam com dificuldades. Atolados pela demanda, eles precisavam urgentemente de capital para construir infraestrutura. Estava claro que venderiam a empresa.

Vi uma oportunidade de combinar os dois serviços. Trabalhei em algumas planilhas para justificar o preço de compra de US$1,65 bilhões para mostrar que o Google poderia recuperar seu dinheiro e convenci Larry e Sergey. No último minuto, os fundadores me pediram para levar minhas planilhas à reunião do conselho. Houve muitas perguntas. O conselho nos deu sinal verde, embora não tivesse comprado totalmente a minha suposição para o crescimento de usuários ano a ano. Engraçado é que crescimento rápido é a única coisa que o YouTube fornece consistentemente até hoje.

As Pedras Grandes

Cristos Goodrow: Em fevereiro de 2011, quando vim do setor da Pesquisa Google, três anos antes de Susan ingressar na equipe, os OKRs do YouTube precisavam ser trabalhados. A empresa, com cerca de 80 pessoas na época, estava produzindo centenas de OKRs a cada trimestre. Uma equipe abria um Google doc e começava a digitar objetivos. O registro acabaria com 30 ou 40 para dez pessoas, e menos da metade seriam cumpridos de fato.

De maneira geral, engenheiros lutam com o estabelecimento de metas de duas maneiras. Eles odeiam eliminar qualquer coisa que considerem ser uma boa ideia e habitualmente subestimam o tempo que levam para fazer as coisas. Vivi isso no departamento da Pesquisa Google, onde insistiam: "Ah, por favor, sou uma pessoa inteligente. Certamente posso fazer mais do que *isso*." Foi preciso disciplina para as pessoas restringirem suas listas a três ou quatro objetivos para sua equipe, e isso fez uma enorme diferença. Nossos OKRs se tornaram mais rigorosos. Todos sabiam o que era mais importante. Depois que assumi a responsabilidade pela busca e pesquisa no YouTube, só fazia sentido fazer a mesma coisa que fazia lá.

Então, Salar Kamangar entregou a liderança do dia a dia ao lado técnico do YouTube: Shishir Mehrotra. Shishir ajudaria a trazer foco a toda a empresa. Ele usou uma metáfora chamada "a teoria das pedras grandes", que se popularizou com Stephen Covey. Digamos que você tenha algumas pedras grandes, um monte de pedras pequenas, uma certa quantidade de areia, e o objetivo seja encaixar o máximo possível de tudo em um jarro de boca larga com aproximadamente 3L. Se você começar com a areia e depois com as pedras pequenas, o jarro ficará sem espaço para todas as pedras. No entanto, se você começa com as pedras grandes, acrescentar as pedras pequenas e guardar a areia para o final, a areia preencherá os espaços entre as rochas. Tudo se encaixa. Em outras palavras, as coisas mais importantes precisam ser feitas primeiro, ou não serão feitas.

E quais eram as "pedras grandes" do YouTube? As pessoas faziam suas próprias coisas e deixavam mil flores desabrocharem, mas ninguém conseguia identificar os OKRs primordiais. Agora, a liderança dizia: "Todas as suas ideias são maravilhosas. Poderíamos, porém, identificar algumas delas como nossas pedras grandes para este trimestre e para o ano?" Depois disso, todos no YouTube conheciam nossas prioridades máximas. Todas as nossas pedras grandes entrariam no jarro.

Esse era um passo gigantesco em direção a um objetivo que engoliu os próximos quatro anos da minha vida.

Uma Métrica Melhor

O YouTube havia percebido como ganhar dinheiro, mas ainda não sabia como aumentar a audiência. Felizmente, para a empresa e para mim, um engenheiro do grupo da Pesquisa Google estava conduzindo nossa equipe. Em uma equipe dedicada chamada Sibyl, Jim McFadden estava construindo um sistema para selecionar as recomendações do recurso "assistir ao próximo", também conhecido como vídeos relacionados ou "sugestões". O recurso tinha um potencial impressionante para impulsionar nossas visões gerais. No entanto, as visualizações de fato eram aquilo que queríamos impulsionar?

Segundo Satya Nadella, CEO da Microsoft: em um mundo onde o poder da computação é quase ilimitado, "a atenção humana é realmente uma commodity cada vez mais escassa". Quando os usuários passam mais de seu tempo valioso assistindo a vídeos do YouTube, eles deveriam ser mais felizes com esses vídeos. É um círculo virtuoso: uma audiência mais satisfeita (tempo de exibição) gera mais publicidade, o que incentiva mais criadores de conteúdo, o que atrai mais visualizações. Nossa moeda real não eram visualizações, nem cliques, mas sim o tempo de exibição.

A lógica era inegável. O YouTube precisava de uma nova métrica principal.

Tempo de Exibição e Apenas Tempo de Exibição

Em setembro de 2011, enviei um e-mail provocativo ao meu chefe e à equipe de liderança do YouTube. Assunto: "Tempo de exibição e apenas tempo de exibição." Era um chamado para repensar como medimos o sucesso: "Se nada de inesperado acontecer, nossa meta será aumentar o tempo de exibição [de vídeo]." Para muitas pessoas no Google, isso cheirava a heresia. A Pesquisa Google foi projetada como uma central telefônica para direcionar o usuário para fora do site e ao seu melhor destino, o mais rápido possível. Maximizar o tempo de exibição era a antítese do propósito da Pesquisa Google. Além disso, o tempo de exibição seria negativo para as visualizações, pois esta era a métrica essencial para usuários e criadores. Por último, mas não menos importante, a otimização do tempo de exibição representaria um golpe significativo nas receitas, pelo menos no início. Como os anúncios do YouTube eram exibidos exclusivamente antes de os vídeos começarem, menos plays significavam menos anúncios. Menos anúncios significavam menos receita.*

Meu argumento era que o Google e o YouTube eram criaturas distintas. Para tornar a dicotomia o mais gritante possível, eu criei um cenário: um usuário acessa o YouTube e digita a consulta "Como amarrar uma gravata borboleta?". Em seguida, obtemos dois vídeos sobre o assunto. O primeiro tem um minuto

* Embora seja um trabalho em andamento, o YouTube agora intercala alguns anúncios no meio do vídeo para corresponder à sua nova definição de valor.

de duração e ensina muito rapidamente e precisamente como amarrar uma gravata borboleta. O segundo tem dez minutos de duração e é cheio de piadas, e é realmente divertido. Eu perguntaria aos meus colegas: qual vídeo deve ser classificado como nosso primeiro no resultado da pesquisa?

Para aqueles da Pesquisa Google, a resposta era fácil: "O primeiro, é claro. Se as pessoas vierem ao YouTube para amarrar uma gravata borboleta, certamente queremos ajudá-las a amarrar uma gravata borboleta."

Então, eu dizia: "Quero mostrar o segundo vídeo."

E o cara da Pesquisa Google protestaria: "Por que você faria isso? Essas pobres pessoas só querem amarrar suas gravatas e chegar ao evento!" (Eles provavelmente estavam pensando: esse cara é maluco.) Só que minha perspectiva era que a missão do YouTube seria fundamentalmente divergente. Tudo bem se os espectadores querem aprender a fazer laços de gravata. Se for *isso* que eles querem, eles escolherão o guia de um minuto. Só que não é disso que o YouTube é feito, na verdade. Nosso trabalho é manter as pessoas envolvidas e engajadas. Por definição, os espectadores são mais felizes assistindo a sete minutos de um vídeo de dez minutos (ou até dois minutos de um vídeo de dez minutos) do que ter *tudo de que precisam* em um vídeo de um minuto. E quando as pessoas estão mais felizes, também ficamos felizes.

Demorou seis meses, mas venci a discussão. Nos idos de março de 2012, lançamos uma versão otimizada para o tempo de exibição do nosso algoritmo de recomendação, com o objetivo de melhorar o envolvimento e a satisfação do usuário. Nosso novo foco tornaria o YouTube uma plataforma mais amigável, principalmente para música, vídeos instrutivos, entretenimento e clipes de programas de comédia noturnos.

Um Número Grande e Redondo

Em novembro de 2012, em nossa conferência anual de liderança do YouTube, em Los Angeles, Shishir reuniu alguns de nós. Ele disse que estava prestes a anunciar uma grande meta desafiadora para iniciar o próximo ano: um bilhão de horas do tempo de visualização diário do usuário (a simplicidade tem poder e números redondos são simples). Ele nos perguntou: "Quando podemos conseguir isso? Em quanto tempo?" Um bilhão de horas representava um aumento de dez vezes, e sabíamos que levaria anos, e não meses. Achávamos que 2015 era cedo demais, e 2017 soou estranho (números primos, em geral, soam estranhos). Pouco antes de Shishir subir ao palco, definimos o prazo para o final de 2016: um OKR de quatro anos, com um conjunto de objetivos anuais e resultados-chave trimestrais e incrementais.

OBJETIVO

Atingir 1 bilhão de horas de tempo de exibição por dia [até 2016] com o crescimento impulsionado por:

RESULTADOS-CHAVE

1. **Equipe da Pesquisa Google + App Principal (+XX%), Departamento *Living Room* (+XX%).**
2. **Aumentar a interação e o tempo de exibição dos jogos (X horas de exibição por dia).**
3. **Lançar a experiência do YouTube em RV e aumentar o catálogo de RV de vídeos em X para Y.**

O Esforço com Princípios

As metas desafiadoras podem ser esmagadoras se as pessoas não acreditarem que são alcançáveis. Aí é que entra a arte do enquadramento. Na condição de um inteligente gerente, Shishir fatiou nossa MAC em pedaços menores. Embora um bilhão de horas diárias parecesse muito, representava menos de 20% do tempo total de exibição de televisão de todo o mundo. Introduzir esse tipo de contexto foi útil e esclarecedor, pelo menos para mim. Não estávamos atirando para o ar de forma arbitrária. Muito pelo contrário. Havia uma coisa lá em cima, muito acima de nós, e estávamos tentando chegar lá.

Ao perseguir nossa missão nos próximos quatro anos, não éramos dez vezes mais absolutistas. Na verdade, nos comprometemos com algumas decisões negativas sobre o tempo de exibição para o benefício de nossos usuários. Adotamos, por exemplo, uma política para parar de recomendar vídeos com cliques. Três semanas depois, o movimento se mostrou negativo para o tempo de exibição em 0,5%. Resolvemos dar um passo atrás com a nossa decisão, pois seria melhor para a experiência do espectador, reduziria a isca dos cliques e refletiria nosso princípio de crescer com responsabilidade. Três meses depois, o tempo de exibição nesse grupo se recuperou e, na verdade, *aumentou*. Quando esse conteúdo ficou menos acessível, as pessoas procuraram um conteúdo mais satisfatório.

Uma vez que a MAC de bilhões de horas foi definida, no entanto, nunca fizemos *coisa alguma* sem antes medir o impacto no tempo de exibição. Se uma mudança pudesse retardar nosso progresso, seríamos detalhistas em estimar o quanto. Então, construiríamos um consenso interno antes de prosseguir com ela.

A Retomada da Alta Velocidade

Susan: A coisa de que Salar Kamangar mais gosta são os estágios iniciais das empresas. Ele gosta de levá-las ao próximo nível e faz isso muito bem. Em 2012, o YouTube havia se tornado uma grande organização, e Salar decidiu seguir em frente. A empresa havia se dividido em dois departamentos: negócios e tecnologia. Era necessário alguém para reuni-los. Depois de liderar o Google AdWords por uma década, eu estava acostumada a ecossistemas complexos. E estava ansiosa para aceitar o desafio de unificar o YouTube.

Quando a liderança do YouTube definiu a meta de tempo de exibição diária de um bilhão de horas, a maior parte do nosso pessoal julgou impossível. Eles pensaram que quebrariam a internet! Só que este me parecia um objetivo tão claro e mensurável que isso energizaria as pessoas. Por isso, aplaudi essa meta.

Em fevereiro de 2014, quando cheguei, o YouTube tinha alcançado um terço do OKR desafiador de quatro anos. Porém, enquanto o objetivo estava bem definido, o ritmo não estava bom. O crescimento do tempo de exibição caiu significativamente abaixo do que precisávamos para cumprir nosso prazo, o que foi uma fonte de desgaste para todos os envolvidos. Embora o Google buscasse uma nota de 0,7 (ou 70% de aproveitamento) em metas desafiadoras agregadas, e há momentos em que as pessoas fracassam por completo, nenhuma equipe entra em um OKR dizendo: "Vamos nos contentar com 70% e considerar isso um sucesso." Todo mundo tenta chegar a 100%, especialmente quando um objetivo parece estar ao alcance. Seguramente, ninguém no YouTube teria ficado satisfeito em atingir 700 milhões de horas diárias de tempo de exibição.

Com toda a honestidade, no entanto, eu não tinha certeza de que atingiríamos o bilhão de horas a tempo. Achava que estaria tudo bem se perdêssemos por pouco, desde que todos permanecessem unidos e alinhados. Já tinha visto objetivos não alcançados no Google. A partir desse momento, renovávamos nosso foco e tocávamos o barco. Em 2007, quando introduzimos o AdSense para monetizar toda a web, o lançamento tomou como base um OKR trimestral. Trabalhamos pesado para lançá-lo no dia prometido, mas acabou atrasando em dois dias. Ninguém sofreu com isso. Talvez a melhor coisa sobre os OKRs é como eles mapeiam o seu progresso até uma meta, especialmente quando se está atrasado. Quando fiz as atualizações do OKR no meio do trimestre, o objetivo era descobrir como consertar as coisas e voltar ao caminho certo. As atualizações eram oportunidades para reunir a equipe de liderança e dizer: "Ok, quero que cada um de vocês cite cinco projetos que possam implementar para nos aproximar da nossa meta." Estenderíamos o OKR e promoveríamos um comportamento positivo. Então, eu não estava muito preocupada em atingir o bilhão de horas antes de o relógio atingir a badalada das 12 horas.

Cristos Goodrow, o guardião do OKR, tinha outra perspectiva. O bilhão de horas diárias haviam se tornado sua obsessão. Pouco tempo depois de ingressar na empresa, em nossa reunião "em alta velocidade", Cristos me apresentou um conjunto de 46 slides. No slide 5, ele havia deixado sua ideia clara: precisávamos de uma retomada.

Cristos: Eu estava muito preocupado. Anualmente, anunciávamos nossos objetivos anuais e áreas de foco. De 2013 a 2016, o OKR do bilhão de horas era a manchete das apresentações. Também tínhamos marcos internos claros para nos manter no caminho certo. Quando me encontrei com Susan pela primeira vez, agradeci por manter a nossa meta das dez vezes. Então, eu disse: "A propósito, estamos muito atrasados. Estou apavorado e espero que você esteja, pelo menos, um pouco assustada. Quando se toma decisões sobre o que priorizar e no que se apoiar, tenha em mente que não vamos cumprir este OKR do tempo de exibição se não fizermos algo a respeito."

Susan: Eu tinha algumas preocupações urgentes. Uma delas foi uma ação de retaguarda com o pessoal das máquinas do Google, para garantir que tivéssemos a infraestrutura para apoiar nosso objetivo. Era necessário uma enxurrada de bytes para proporcionar vídeos do YouTube de nossos data centers para o usuário, muito mais do que o necessário para e-mails ou mídias sociais. O termo técnico para isso é a "largura de banda egressa". Fazemos todo o possível para garantir antecipadamente que o Google sempre tenha servidores suficientes para rotear todos esses bytes a fim de entregar o seu vídeo de gatinho fofo em seu telefone ou notebook.

Depois de anunciar o OKR de bilhões de horas, a equipe de liderança do YouTube lançou uma ofensiva mágica para reservar a largura de banda de que precisaríamos até 2016. Quando tomei as rédeas, o grupo de servidores do Google pediu para renegociar o que parecia ser um gasto exorbitante. Estava em uma situação difícil: era uma novata e estávamos atrasados em nosso uso projetado. Mas, se cortássemos nossas máquinas, eu sabia que a retomada não seria fácil. Então, decidi procrastinar algumas coisas. Disse àquelas pessoas técnicas de alta potência: "Vamos apenas nos ater ao plano, por enquanto, e nos encontramos novamente em três meses." Queria manter nossas reservas até sabermos onde estavam as coisas. Três meses depois, tínhamos mais dados, mais crescimento e um argumento mais fácil de defender.

O OKR do bilhão de horas era um objetivo importante no YouTube e eu queria apoiar esse objetivo. Só que ele era tão preto no branco que temia que pudesse ser prejudicial se não fosse bem administrado. Meu trabalho era ficar de olho no cinza, nas nuances que poderiam passar despercebidas. O tempo de exibição diário é impulsionado por dois fatores: o número médio de espectadores ativos diários (ou DAVs, na sigla em inglês) e o tempo médio que esses espectadores passam assistindo. O YouTube estava fazendo um bom trabalho na segunda variável, mas isso era uma vitória fácil. A expansão de um relacionamento é mais fácil do que começar um novo. Nossa pesquisa mostrava muito mais potencial de crescimento na ampliação da nossa base de usuários do que em fazer com que os usuários existentes assistissem ao YouTube duas vezes mais. Queríamos novos usuários, e nossos anunciantes também.

Suporte Mútuo

Cristos: Sempre que há uma nova liderança, tudo estará disposto à análise crítica. Quando Susan assumiu o YouTube, ela não foi obrigada a ficar atrás do OKR de bilhões de horas. Esse era o objetivo da administração anterior. Ela poderia ter voltado para uma meta de visualizações ou outra mais voltada para a receita. Poderia até mesmo ter mantido o OKR do tempo de exibição, mas agregar três outros com prioridade igual ou maior. Se ela tivesse feito alguma dessas coisas, nunca teríamos alcançado o bilhão de horas a tempo. Teríamos nos distraído e nunca teríamos retomado a velocidade.

Depois que Susan chegou, começamos a colocar os nomes das pessoas ao lado das metas de nossa empresa no YouTube, com barras coloridas indicando o progresso: verde, amarelo ou vermelho. "Cristos" foi listado lado a lado com "um bilhão de horas" em todas as reuniões semanais, trimestre após trimestre, ano após ano. Eu me senti pessoalmente responsável por esse OKR.

Gostava da crença do Google em estabelecer metas arriscadas e agressivas, e considerar algo normal o não cumprimento delas. Eu sabia que algumas coisas boas já haviam acontecido. Desde que estabeleci a MAC, minha equipe havia melhorado as pesquisas e as recomendações de vídeos. Estávamos na ponta da lança dos OKR que elevava o perfil e a estatura do YouTube em todo o Google. O moral da empresa nunca foi tão alto. Ouvia os funcionários do marketing discutindo o tempo de exibição com fervor, algo que eu nunca teria esperado.

Mesmo assim, esse OKR foi diferente tanto para a empresa quanto para mim. Logo no início, disse a Shishir que, se não cumpríssemos nosso prazo de quatro anos, eu me demitiria do Google. E estava falando sério. Sei que isso soa melodramático, mas era meu sentimento a respeito. Talvez fosse essa intensidade com o compromisso que me ajudava a continuar.

No ano-novo de 2016, o início de nossa última volta, estávamos seguindo de acordo com o cronograma, mas apenas por pouco. Foi então que o clima começou a esquentar, pessoas passavam mais tempo na rua e assistiam a menos vídeos. Será que elas voltariam em algum momento? Ainda em julho, nossa taxa de crescimento estava atrasando nossa meta de final de ano. Eu estava muito nervoso para pedir à minha equipe que pensasse em reordenar seus projetos para reacelerar os tempos de exibição.

Em setembro, as pessoas voltaram das suas viagens de verão. À medida que os espectadores antigos retomavam seus hábitos e os novos sintonizavam, todas as melhorias em nossas buscas e recomendações foram amplificadas. Atingir um bilhão de horas era uma questão de detalhes; nossos engenheiros estavam à procura de mudanças que pudessem render ao menos 0,2% a mais de tempo de exibição. Somente em 2016, eles encontrariam cerca de 150 desses minúsculos avanços. Precisaríamos de quase todos eles para alcançar nosso objetivo.

No início de outubro, o tempo de exibição diária estava crescendo bem além de nossa meta de taxa. Foi quando percebi que conseguiríamos. Ainda assim, continuei verificando nosso gráfico de tempo de exibição todos os dias, sete dias por semana. Enquanto estava de férias. Enquanto estava doente. Foi então que, em uma segunda-feira gloriosa naquele outono, verifiquei de novo, e vi que nós havíamos chegado a um bilhão de horas no fim de semana. Tínhamos alcançado o OKR desafiador antes do previsto, e muitos pensaram que era impossível.

No dia seguinte, pela primeira vez em mais de três anos, não verifiquei o gráfico.

Nosso marco OKR teve algumas consequências imprevistas. Com o esforço de quatro anos para atingir a meta do bilhão de horas em tempo de exibição diário, nossas visualizações diárias dispararam em paralelo. Estabelecer OKRs desafiadores tende a colocar forças poderosas em movimento, e você nunca consegue ter certeza de aonde elas vão. Outra grande lição, para mim, foi a importância do apoio dos superiores.

Susan e o resto da liderança do YouTube acreditavam na meta. Eles acreditavam que havíamos escolhido o melhor curso possível e estavam felizes pela meta ser ambiciosa e clara. Porém, quando muitas pessoas no departamento da Pesquisa Google se mostraram céticas em relação ao nosso sistema OKR, a liderança do Google se posicionou e o apoiou, nos dando a autonomia de que precisávamos.

Susan Wojcicki comemorando o décimo aniversário do YouTube em 2015.

O Ato de Pensar Grande

Susan: Metas ambiciosas podem conduzir a redefinição de toda a organização. No nosso caso, elas inspiram iniciativas de infraestrutura em todo o YouTube. As pessoas começaram a dizer: "Se pensarmos *tão* grande, talvez precisemos redesenhar nossa arquitetura. Talvez precisemos reformular nosso armazenamento." Isso se tornou um estímulo para toda a empresa se preparar melhor para o futuro. Todo mundo começou a pensar grande.

Olhando para trás, duvido que poderíamos ter atingido a meta em quatro anos sem o processo, a estrutura e a clareza desse OKR desafiador. Em uma empresa em rápido crescimento, é desafiador fazer com que todos se alinhem e se concentrem em torno do mesmo objetivo. As pessoas precisam de uma referência para saber como estão se saindo. O problema é encontrar o caminho certo. O bilhão de horas em tempo de exibição diário proporcionou ao nosso pessoal de tecnologia uma referência.

Porém nada permanece intocável. Em 2013, a métrica do tempo de exibição foi a melhor maneira de avaliar a qualidade da experiência do YouTube. Agora, estamos analisando outras variáveis, desde vídeos e fotos adicionados pela web até a satisfação do espectador e o foco na responsabilidade social. Se você assistir a dois vídeos por dez minutos cada um, o tempo de exibição é o mesmo. No entanto, qual deles o deixa mais feliz?

Então, quando este livro for publicado, talvez tenhamos encontrado uma nova métrica para crescer. Já em 2015, começamos a avançar além do tempo de exibição, considerando a satisfação do usuário em nossos vídeos recomendados. Através de perguntas aos usuários sobre o conteúdo que eles consideravam mais satisfatório e pela medição de "curtidas" e "não curtidas", poderíamos ter certeza de que eles acham que o tempo no YouTube foi bem gasto. Em 2017, introduzimos uma plataforma de notícias de última hora na página inicial, focada em divulgar o conteúdo mais importante e relevante de notícias confiáveis. Até o momento, estamos trabalhando para incorporar um conjunto mais amplo de novas e significativas sinalizações às nossas recomendações. À medida que nossas operações crescem e o papel do YouTube na sociedade evolui, continuaremos a buscar as métricas certas para nossos serviços e, com elas, os OKRs certos.

PARTE DOIS

O Novo Mundo do Trabalho

15

O Gerenciamento Contínuo de Desempenho: OKRs e CFRs

Uma conversa é capaz de transformar mentes, que
podem transformar comportamentos, que podem transformar
instituições.

— ***Sheryl Sandberg***

Avaliações anuais de desempenho são dispendiosas, exaustivas e, em grande parte, fúteis. Em média, devoram sete horas e meia de cada subordinado direto. No entanto, apenas 12% dos líderes de RH consideram o processo "altamente eficaz" na geração de valor para os negócios. Apenas 6% acham que valem a pena pelo tempo que levam. Com um viés distorcido de recência, sobrecarregado por rankings e curvas em formato de sino, essas avaliações de fim de ano não conseguem ser justas ou bem medidas.

Os líderes empresariais aprenderam muito dolorosamente que pessoas não podem ser reduzidas a números. Até mesmo Peter Drucker, o defensor das metas bem medidas, entendia os limites da calibragem. O "papel primário de um gestor é o pessoal", disse Drucker. "Ele se traduz em relacionamento com as pessoas, desenvolvimento da confiança mútua... a criação de uma comunidade." Segundo Albert Einstein: "Nem tudo que pode ser contado conta, e nem tudo que conta pode ser contado."

Para alcançar objetivos quase além da imaginação, as pessoas exigem gerenciamento em um nível mais alto. Nossos sistemas de comunicação no local de trabalho clamam por uma atualização. Da mesma forma que OKRs trimestrais causaram a obsolescência das metas anuais *pro forma*, precisamos de uma ferramenta equivalente para revolucionar os desatualizados sistemas de gerenciamento de desempenho. Em suma, precisamos de um novo modelo de RH para o novo mundo do trabalho. Esse sistema transformador, a alternativa contemporânea às avaliações anuais, é o *gerenciamento contínuo de desempenho*. Ele é implementado com um instrumento chamado CFR. A sigla significa:

- *Conversas*: Um intercâmbio de ideias autêntico e amplamente detalhado entre o gestor e o colaborador, com foco na melhora do desempenho.
- *Feedback*: Comunicação bidirecional ou em rede entre pares para avaliar o progresso e orientar melhorias futuras.
- *Reconhecimento*: Expressões de apreço a pessoas merecedoras por contribuições de todos os tamanhos.

Da mesma maneira que os OKRs, os CFRs defendem a transparência, a responsabilidade, o empoderamento e o trabalho em equipe em todos os níveis da organização. Já que são estímulos de comunicação, os CFRs iluminam os OKRs e, por consequência, os impulsionam; eles compõem um sistema completo para a avaliação do que importa. Capturam toda a riqueza e o poder do método inovador de Andy Grove. Eles dão aos OKRs uma voz humana.

O melhor de tudo é que os OKRs e os CFRs se fortalecem mutuamente. O CEO da BetterWorks, Doug Dennerline, é o pioneiro em trazer essas duas ferramentas para a nuvem e smartphones, e ajudar centenas de organizações a dominar seus próprios processos. "É o casamento perfeito. Um verdadeiro gol de placa", conta Doug. "Se uma conversa for limitada a uma obtenção ou não de uma meta, o contexto se perde. É necessário um gerenciamento contínuo de desempenho para expor questões fundamentais: a meta ficou mais difícil de alcançar do que você imaginou quando a definiu? Foi a meta certa a ser priorizada? Ela é motivadora? Deveríamos dobrar duas ou três coisas que realmente funcionaram para nós no último trimestre, ou é hora de considerar um suporte?" A extração dessas percepções por toda a organização é fundamental.

"Por outro lado, se não há metas, sobre o que diabos você está falando? O que você já conseguiu e como? Segundo minha experiência, as pessoas mais propensas a se sentirem satisfeitas são aquelas que têm metas claras e alinhadas. Elas não ficam vagando e se perguntando sobre o trabalho, pois conseguem ver como tudo se conecta e ajuda a organização."

Vou arriscar uma outra analogia com futebol americano: digamos que os objetivos sejam as traves da baliza; a meta que se almeja e os resultados-chave sejam os sucessivos marcadores de jardas para se chegar à meta. Para se consolidar como um grupo, jogadores e treinadores precisam de algo mais, algo vital para qualquer empreendimento coletivo. Os CFRs incorporam todas as interações que unem a equipe de um jogo a outro. Eles são as análises por vídeo das segundas-feiras, as reuniões intradepartamentais do meio da semana, os encontros pré-jogo e as celebrações finais para trabalhos bem-feitos.

A Reinvenção do RH

As boas notícias: um frescor de mudança está no ar. Dez por cento das empresas da lista Fortune 500 já abandonaram o antigo sistema de análise de desempenho anual e esse número está crescendo. Várias pequenas startups, menos ligadas à tradição, estão fazendo o mesmo. Estamos no ponto em que quase todo costume da área de RH precisa ser repensado. São as exigências básicas de uma força de trabalho móvel e ágil e um local de trabalho não hierárquico.

Quando as empresas substituem, ou pelo menos aumentam, a avaliação anual por conversas contínuas e feedback em tempo real, são mais capazes de fazer melhorias ao longo do ano. Alinhamento e transparência se tornam obrigações diárias. Quando os funcionários estão com dificuldades, gestores não ficam sentados e esperam pelo juízo final. Eles literalmente entram em discussões difíceis, sem hesitação, tal como bombeiros combatem um incêndio.

Pode parecer fácil demais, mas o gerenciamento contínuo de desempenho elevará as conquistas de todos os indivíduos. Ele eleva o desempenho de baixo para cima. Faz maravilhas para o moral e o desenvolvimento pessoal, tanto para líderes quanto para colaboradores. Quando é somado às metas trimestrais e ao rastreamento inerente dos OKRs, pode ser ainda mais poderoso.

Neste momento de transição, mais organizações estão ampliando suas avaliações com critérios alternativos, como análise de competências e trabalho em equipe. Muitas estão agora percorrendo trilhas paralelas, com avaliações anuais definidas ao lado do gerenciamento contínuo de desempenho e conversas contínuas. Esse equilíbrio entre o pensamento antigo e o novo pode funcionar bem para empresas maiores, em particular, algumas das quais podem ficar felizes em viver neste ambiente para sempre. Outras cortarão o cordão umbilical com o antigo e sairão das classificações e rankings em direção a critérios de análise mais transparentes, colaborativamente desenvolvidos e multidimensionais.

Tabela 15.1: Gerenciamento Anual de Desempenho versus Gerenciamento Contínuo de Desempenho

Gerenciamento Anual de Desempenho	Gerenciamento Contínuo de Desempenho
Feedback anual	Feedback contínuo
Vinculado à remuneração	Desvinculado da remuneração
Direcionador/autocrático	Orientador/democrático
Focado no resultado	Focado no processo
Baseado em pontos fracos	Baseado em pontos fortes
Inclinado ao viés	Direcionado por fatos

Gerenciamento Contínuo de Desempenho na Pact

A Pact, uma organização sem fins lucrativos e de comércio internacional sediada em Washington, D.C., viu em primeira mão a sinergia entre os OKRs e o gerenciamento contínuo de desempenho. Segundo o diretor da Pact, Tim Staffa:

"Nós abraçamos os OKRs porque nosso processo de gerenciamento de desempenho estava se movendo para uma cadência mais frequente. Quando a Pact adotou os OKRs, oficialmente matamos nossa avaliação anual de desempenho. Nós a substituímos por um conjunto de pontos de contato mais frequentes entre gerentes e funcionários. Internamente, apelidamos esse processo de 'propulsor'. Ele consiste em quatro elementos:

O primeiro é um conjunto mensal de conversas individuais entre funcionários e seus gestores sobre como as coisas estão indo.

O segundo é uma análise trimestral do progresso em relação aos nossos OKRs. Sentamos e dizemos o seguinte: 'O que você planejou para realizar neste trimestre? O que você foi capaz de fazer e o que não foi capaz de fazer? Por que sim ou por que não? O que podemos mudar?'

Terceiro, temos uma conversa semestral sobre desenvolvimento profissional. Os funcionários falam sobre sua trajetória de carreira: onde estiveram, onde estão e aonde querem ir. E como seus gestores e a organização podem apoiar sua nova direção.

O quarto elemento é um insight contínuo e autônomo. Estamos constantemente cercados por reforços positivos e feedback, mas muitos de nós não foram capacitados para buscar essa iniciativa. Digamos que você faça uma apresentação para sua equipe. Depois do ocorrido, alguém chega até você e diz: 'Olá! Bom trabalho.' A maioria de nós diria: 'Oh, ótimo, obrigado' e seguiria em frente. Só que o objetivo é investigar um pouco mais: 'Obrigado. Do que você gostou especificamente?' A ideia é capturar um feedback mais específico em tempo real."

Um Divórcio Amigável

Para as empresas que estão migrando para o gerenciamento contínuo de desempenho, o primeiro passo é reto e direto: divorciar a remuneração (aumentos e bônus) dos OKRs. Estas devem ser duas conversas distintas, com cadências e calendários próprios. A primeira é uma avaliação retrospectiva, normalmente realizada no final do ano. A segunda é um diálogo contínuo e prospectivo entre líderes e colaboradores. Ela se centra em cinco questões:

- Em que você está trabalhando?
- Como você está; como estão seus OKRs?
- Há alguma coisa impedindo o seu trabalho?
- O que você precisa de mim para ser (mais) bem-sucedido?
- Como você precisa crescer para alcançar seus objetivos de carreira?

Não estou propondo que avaliações e metas de desempenho possam ou devam ser completamente cortadas. Um resumo orientado por dados de *o que* alguém já conseguiu pode ser um antídoto bem-vindo aos vieses de classificação. Além disso, já que os OKRs refletem o trabalho mais significativo de uma pessoa, eles são uma fonte de feedback confiável para o ciclo que está por vir. Porém, quando se usa e abusa das metas para definir uma remuneração, os funcionários contarão com um nível determinado de esforço. Eles começam a jogar na defensiva e depois param de se esforçar pelo surpreendente. Ficam entediados por falta de desafio. Por fim, a organização sofre mais do que tudo.

Digamos que a colaboradora A defina metas desafiadoras extremas e, de alguma forma, tenha atingido 75% delas. O desempenho superior dela merece 100% de seu bônus, ou mesmo 120%? O colaborador B, em contrapartida, alcança 90% de seus resultados-chave, mas seu gestor sabe que ele não se esforçou e, além do mais, desprezou várias reuniões importantes da equipe. Ele deveria receber um bônus maior que a colaboradora A?

A resposta curta é não, se você quiser preservar a iniciativa e a moral.

No Google, de acordo com Laszlo Bock, os OKRs chegam a um terço ou menos das classificações de desempenho. Eles ficam em segundo plano no feedback de equipes multifuncionais e, acima de tudo, no contexto. "É sempre possível, mesmo com um sistema de estabelecimento de metas, errar os objetivos", conta Laszlo. "Talvez o mercado faça algo maluco ou um cliente abandone o trabalho e, de repente, você tenha que reconstruí-lo do zero. Você tenta considerar tudo isso." O Google tem o cuidado de separar as pontuações brutas de metas das decisões sobre remuneração. Os números OKR são realmente apagados do sistema após cada ciclo!

A fórmula para o complexo comportamento humano ainda não foi inventada, porque é aí que entra o julgamento humano. No local de trabalho de hoje, os OKRs e a remuneração ainda podem ser amigos. Eles nunca perderão totalmente o contato. No entanto, não vivem mais juntos e é mais saudável que seja assim.

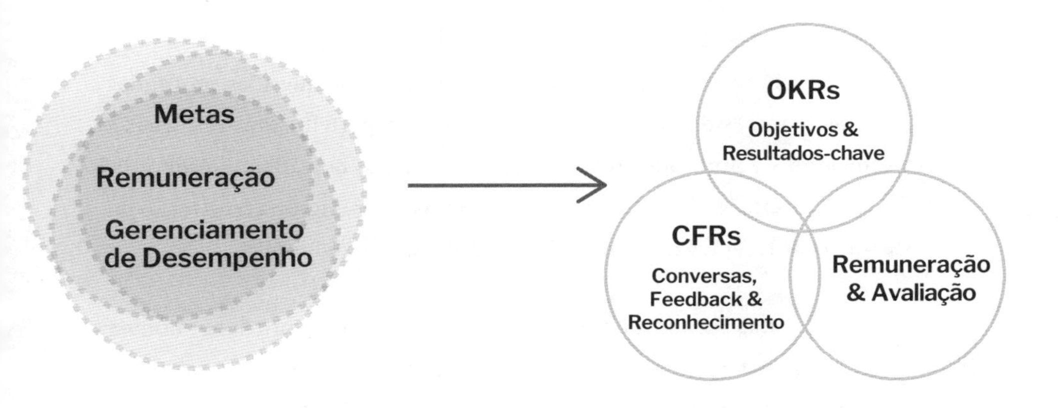

À medida que as empresas mudam para o gerenciamento contínuo de desempenho, os OKRs e CFRs se tornam, em sua maioria, independentes da remuneração e das avaliações formais.

As Conversas

Peter Drucker foi um dos primeiros a enfatizar o valor das conversas tête-à-tête entre os gestores e seus subordinados diretos. Andy Grove estimava que 90 minutos do tempo de um gerente "podem melhorar a qualidade do trabalho do seu subordinado por duas semanas". À frente do seu tempo, como de costume, Andy obrigava as conversas tête-à-tête na Intel. O essencial da conversa, ele escreveu,

> é o aprendizado mútuo e a troca de informações. Ao falar sobre problemas e situações específicas, o supervisor ensina ao subordinado sobre habilidades e know-how, e sugere maneiras de abordar as coisas. Ao mesmo tempo, o subordinado fornece ao supervisor informações detalhadas sobre o que ele está fazendo e sobre o que está preocupado... Um ponto essencial sobre uma conversa tête-à-tête: ela ser considerada como a reunião do subordinado, com agenda e tons estabelecidos por ele... O supervisor está lá para aprender e orientar.*
>
> O supervisor também deve encorajar a discussão de questões profundas durante as reuniões tête-à-tête, pois este é o fórum perfeito para se chegar a problemas sutis e profundos relacionados ao trabalho que afetam o subordinado. Ele está satisfeito com seu próprio desempenho? Alguma frustração ou obstáculo o atormenta? Ele tem dúvidas sobre aonde está indo?

Com ferramentas contemporâneas para acompanhar e coordenar conversas frequentes, os princípios de Grove são mais oportunos do que nunca.† As conversas tête-à-tête eficientes escavam a superfície do trabalho do dia a dia. Elas têm uma cadência definida, de semanal a trimestral, dependendo da necessidade. Com base na experiência da BetterWorks com centenas de empresas, há cinco áreas essenciais da conversa entre o gestor e o colaborador:

> *Definição e reflexão sobre metas*, pelas quais o plano OKR do funcionário é definido para o próximo ciclo. A discussão se concentra na melhor maneira

* Andy acreditava que o "subordinado" deveria conduzir 90% das conversas. Quando tive uma conversa com meu chefe na Intel, ele se concentrou em como *ele* poderia *me* ajudar a alcançar meus resultados-chave.

† De acordo com a Gallup, conversas tête-à-tête mais frequentes aumentam em até três vezes o engajamento dos funcionários.

de alinhar os objetivos e os resultados-chave do indivíduo às prioridades organizacionais.

Atualizações contínuas de progresso, nas quais são realizados check-ins breves e orientados por dados sobre o progresso em tempo real do funcionário com a solução de problemas conforme necessário.*

Coaching bidirecional para ajudar os colaboradores a alcançarem seu potencial e os gestores a realizarem um trabalho melhor.

Evolução de carreira para desenvolver habilidades, identificar oportunidades de crescimento e expandir a visão dos funcionários sobre o futuro na empresa.

Leves avaliações de desempenho, pois é um mecanismo de feedback para coletar insumos e resumir o que o funcionário realizou desde o último encontro, no contexto das necessidades da organização. *(Conforme observado anteriormente, essa conversa é mantida à parte da avaliação anual do funcionários sobre remuneração e bônus.)*

À medida que as conversas no local de trabalho se tornam integradas, os gestores estarão evoluindo de atribuidores de tarefas para professores, coaches e mentores. Digamos que o chefe da área de produtos tenha hesitado sobre uma decisão de projeto, colocando em risco uma data de lançamento de um determinado produto. Antes da próxima reunião da equipe executiva, um CEO/coach eficaz poderia dizer: "Você poderia pensar em como ser mais decisivo nesse cenário? Que tal deixar de lado as duas melhores opções e deixar clara a sua própria preferência? Você acha que poderia fazer isso?" Se o chefe da área de produtos concordar, já há um plano. Ao contrário das críticas negativas, o coaching treina sua visão para melhorias futuras.

O Feedback

No clássico *Faça Acontecer: Mulheres, Trabalho e a Vontade de Liderar*, Sheryl Sandberg observa o seguinte: "O feedback é uma opinião fundamentada em

* As atualizações de progresso envolvem duas questões básicas: *O que está funcionando bem? O que não está funcionando bem?*

observações e experiências, que nos permite saber qual impressão causamos nos outros." Para aproveitar todos os benefícios dos OKRs, o feedback deve obrigatoriamente ser integrado ao processo. Se você não sabe o quão bem você está se saindo, como poderá melhorar?

Os trabalhadores de hoje "querem ser 'empoderados' e 'inspirados', e não que lhes digam o que fazer. Querem fornecer feedback *aos* gestores, e não esperar por um ano para receber feedback *dos* seus gestores. Eles querem discutir os objetivos regularmente, compartilhá-los com os outros e acompanhar o progresso a partir do olhar do outro." OKRs públicos e transparentes acionam boas perguntas de todas as direções: *Essas são as coisas certas para eu/você/nós manter/mantermos o foco? Se eu os concluir, isso será visto como um enorme sucesso? Você tem algum feedback sobre como eu/nós poderia/poderíamos me/nos esforçar ainda mais?*

Um feedback pode ser amplamente construtivo, mas apenas se for específico.

Feedback negativo: "Você iniciou a reunião tarde na semana passada e ficou desorganizado."

Feedback positivo: "Você fez uma ótima apresentação. Realmente chamou a atenção deles com sua piada de abertura e eu adorei como você concluiu com os próximos passos da ação."

Em organizações em desenvolvimento, o feedback é geralmente liderado pelo RH e, muitas vezes, agendado. Em organizações mais maduras, o feedback é local, em tempo real e multidirecional, um diálogo aberto entre pessoas de qualquer lugar da organização. Se podemos avaliar nossos motoristas da Uber (e vice-versa), e até mesmo classificar os avaliadores no Yelp, por que um local de trabalho não pode oferecer um feedback bidirecional entre gestores e funcionários? Aqui está a preciosa oportunidade para as pessoas dizerem aos seus líderes: *O que você precisa de mim para ter sucesso? Agora, deixe-me dizer o que eu preciso de você.*

Há tempos não tão remotos, os funcionários faziam ouvir suas vozes deslizando bilhetes não assinados dentro de uma caixa de sugestões do escritório. Atualmente, as empresas modernas substituíram a caixa por ferramentas ativas e anônimas de feedback, desde pesquisas rápidas com funcionários, redes sociais anônimas, até mesmo aplicativos de classificação para reuniões e organizadores de reuniões.

O feedback entre colegas (P2P ou 360º) é uma lente adicional para o gerenciamento contínuo do desempenho. Ele pode ser anônimo, público ou algo entre os dois. O feedback é projetado para ajudar os funcionários a avançar em suas carreiras? (Se sim, ele é canalizado de forma privada aos indivíduos.) Ele é significativo para revelar as áreas problemáticas de uma organização? (Esse vai direto para o RH.) Tudo é uma questão de contexto e propósito.

Ao fomentar conexões entre equipes, o feedback dos colegas é especialmente valioso em iniciativas multifuncionais. Quando a comunicação horizontal se abre, o trabalho em equipe interdepartamental se torna o novo padrão. Já que os OKRs se combinam com um feedback de 360°, o isolamento será, em breve, uma relíquia do passado.

O Reconhecimento

Aqui está o componente mais subestimado dos CFRs, e o menos bem entendido. Já se foram os dias em que os relógios de ouro eram cobiçados prêmios pela simples longevidade. O reconhecimento moderno é baseado em desempenho e horizontal. Ele coletiviza a meritocracia. Quando a JetBlue instalou um sistema de reconhecimento entre colegas orientado por números e os líderes começaram a perceber que as pessoas estavam bem orientadas por eles, as métricas de satisfação dos funcionários quase dobraram.

O reconhecimento contínuo é um poderoso impulsionador do engajamento: "Tão suave quanto parece, dizer 'obrigado' é uma ferramenta extraordinária para formar uma equipe engajada... As empresas com 'altos níveis de reconhecimento' têm uma rotatividade de funcionários 31% menor do que empresas com culturas fracas de reconhecimento." Aqui vão algumas maneiras de implementá-lo:

- *Institua o reconhecimento entre colegas.* Quando as conquistas dos funcionários são reconhecidas de forma consistente pelos colegas, nasce uma cultura de gratidão. Na Zume Pizza, a reunião dos "destaques" às sextas-feiras termina com uma série de clamores não solicitados e não editados, de qualquer pessoa da organização para qualquer outra pessoa que tenha feito algo notável.

- *Estabeleça critérios claros.* Reconheça pessoas por ações e resultados: a conclusão de projetos especiais, a obtenção de metas da empresa, demonstrações de valores corporativos. Substitua o "funcionário do mês" pela "realização do mês".
- *Compartilhe histórias de reconhecimento.* Boletins informativos ou blogs corporativos podem fornecer a narrativa por trás da realização, dando mais significado ao reconhecimento.
- *Torne o reconhecimento frequente e atingível.* Saúde realizações menores também: aquele esforço extra para cumprir um prazo, aquele polimento especial de uma proposta, pequenas coisas que um gestor pode considerar trivial.
- *Vincule o reconhecimento aos objetivos e às estratégias da empresa.* Atendimento ao cliente, inovação, trabalho em equipe, corte de custos. Qualquer prioridade organizacional pode ser apoiada por um aviso oportuno.

As plataformas OKRs são personalizadas para o reconhecimento entre colegas. Metas trimestrais estabelecem e restabelecem as áreas em que o feedback e o reconhecimento são mais valorizados. OKRs transparentes tornam natural a celebração de grandes vitórias e pequenos triunfos entre os colaboradores. Todos merecem a sua parte do centro das atenções.

Quando as equipes e os departamentos começam a se conectar dessa maneira, mais e mais pessoas embarcam e um mecanismo de reconhecimento acelera toda a empresa. Qualquer um pode elogiar a meta de qualquer outra pessoa, independentemente do título ou do departamento. Por fim, lembre-se do seguinte: cada elogio é um passo em direção à excelência operacional, o propósito primordial dos OKRs e CFRs.

16

O Descarte das Avaliações Anuais de Desempenho: A História da Adobe

Donna Morris

Vice-presidente executiva de Atendimento ao Cliente e ao Funcionário

Há alguns anos, como a maioria das empresas, a empresa de software Adobe estava sobrecarregada com análises de desempenho anuais antiquadas. Os gerentes investiam oito horas por funcionário e desmoralizavam todos os envolvidos. O desgaste voluntário aumentava a cada mês de fevereiro, à medida que as ondas de colaboradores reagiam a avaliações decepcionantes, levando seu talento para outra empresa. Ao todo, a empresa dedicou um total de 80 mil horas dos gerentes, o equivalente a quase 40 contratações em tempo integral, a um processo mecânico que não criava valor discernível. A Adobe estava em plena transição para um modelo de negócios de assinaturas em nuvem virtual, que precisava continuar vencendo. No entanto, mesmo enquanto a empresa transferia seus produtos e relações com clientes para uma operação contemporânea e em tempo real, sua abordagem de RH permanecia algemada ao passado.

COMPULSÕES VIRTUAIS

Adobe descartará as avaliações anuais

Empresa contará com feedback regular para avaliar e recompensar

DEVINA SENGUPTA

BANGALORE

Cerca de 10 mil funcionários da Adobe Systems, incluindo 2 mil na Índia, acabaram de concluir o que seria a última avaliação de desempenho da empresa. A empresa global planeja acabar com a antiga prática de colocar os colegas uns contra os outros e de os patrões avaliá-los uma vez por ano.

"Planejamos abolir o formato da avaliação de desempenho", diz Donna Morris, vice-presidente sênior de RH da empresa. Ainda na fase de planejamento, a ideia é que os gerentes forneçam feedback regular às suas equipes para garantir uma atualização autônoma mais rápida e contínua, em vez de esperar pelo final do ano.

A Adobe tomou a iniciativa depois que entrou no mercado de marketing digital, o que exigiu uma variedade completamente diferente para a base de clientes e de estratégias de marketing, que demandou uma revisão dos processos de RH também.

Avaliações anuais são descartáveis?

POR QUÊ?

Feita uma vez por ano, a avaliação pode tomar como base a primeira lembrança.

O feedback regular pode ajudar a melhorar o desempenho de forma contínua.

Injusto é colocar funcionários uns contra os outros em um exercício anual.

POR QUE NÃO?

Fica difícil monitorar constantemente o trabalho do funcionário, especialmente em equipes virtuais.

Promoções e aumentos podem ficar complicados.

Fica difícil tirar o melhor dos funcionários sem metas e avaliações anuais.

Jaleel Abdul, chefe de RH da filial indiana.

Embora não seja uma prática emprestada, as raízes podem ser atribuídas à teoria do guru da administração, Marshall Goldsmith, sobre como o feedback instantâneo e em tempo real pode impulsionar o desempenho.

"A correção do curso também é mais rápida e imediata", conta Abdul.

As empresas inovam constantemente e ajustam seus sistemas de avaliação.

O salto da Adobe para o futuro, conforme relatado no India Times, em 2012.

Em 2012, durante uma viagem de negócios à Índia, uma executiva da Adobe chamada Donna Morris deu vazão às suas frustrações em relação à gestão de desempenho tradicional. Com a guarda baixada pelo cansaço do fuso horário, ela contou a um repórter que a empresa planejava abolir as avaliações anuais e os rankings em favor de um feedback mais frequente e voltado para o futuro. Foi uma ótima ideia. O problema era que ela ainda não havia discutido isso com sua equipe de RH ou com o CEO da Adobe.

Com energia e persuasão características, Donna se apressou para convencer a empresa. À medida que ela escrevia na intranet da Adobe, o desafio era "avaliar colaborações, recompensar realizações e dar/receber feedback. Eles precisam ser condensados em um processo complicado? Acho que não. Agora é a hora de pensar radicalmente diferente. Se acabássemos com nossa 'análise anual', o que gostaríamos de ver no lugar dela? Como seria inspirar, motivar e valorizar as colaborações de forma mais eficaz?" Sua postagem provocou uma das discussões mais engajadas na história da empresa.

A franqueza de Donna se tornava o catalisador do "Check-in", o novo modo de gerenciamento contínuo de desempenho da Adobe. Em um esforço coletivo para levar a empresa adiante, gerentes, funcionários e colegas participaram de várias conversas de Check-in todo ano. Em vez de recorrer à equipe de RH, os líderes de toda a organização assumem uma responsabilidade proativa no processo.

Leve, flexível e transparente, com estrutura mínima e sem acompanhamento ou papelada, o Check-in apresenta três áreas focais: metas e expectativas trimestrais (o termo da Adobe para OKRs), feedback regular e desenvolvimento e crescimento na carreira. As sessões são convocadas pelos colaboradores e dissociadas da remuneração. Os rankings de distribuição forçada foram substituídos por um Check-in de Recompensas anual. Os gerentes foram treinados para elevar a remuneração conforme o desempenho dos funcionários, o impacto sobre os negócios, a relativa escassez das habilidades destes funcionários e as condições de mercado. Sem diretrizes fixas.

Desde o outono de 2012, quando o Check-in foi implementado, o desgaste voluntário da Adobe caiu drasticamente. Ao implementar o gerenciamento contínuo de desempenho com CFRs, a Adobe revigorou toda a sua operação comercial.*

Donna Morris: A Adobe foi fundada sobre quatro valores principais: *genuinidade, excepcionalidade, inovação* e *envolvimento.* Nosso antigo processo de avaliação anual contradizia todos eles. Então, eu disse ao nosso pessoal: que tal se não houvesse classificações, rankings ou qualquer tipo de formulário? Em vez disso, que tal se todos soubessem as expectativas depositadas em vocês e tivessem a oportunidade de fazer sua carreira crescer na Adobe, onde cada um de vocês fosse valorizado?

O Check-in nos ajudou a respirar os valores da Adobe. Para explicar como o novo processo funcionou, começamos com a primeira de uma série de conferências de treinamento na web, de 30 a 60 minutos. Nós encadeamos o processo para os líderes seniores, gerentes e funcionários (tivemos uma taxa de 90% de participação dos funcionários). A cada trimestre, abordamos uma fase diferente do Check-in, desde definir expectativas até dar e receber feedback.

Também investimos em um centro de recursos para funcionários, que oferece modelos e vídeos para ajudar nossos funcionários a criar seu conjunto de habilidades para um feedback construtivo. A Adobe tem muitos engenheiros que não eram necessariamente experientes com o diálogo aberto. O centro os ajudou a entrar mais facilmente no processo.

Nossos líderes modelaram o Check-in. Eles precisavam mostrar que estavam abertos ao feedback e confortáveis quando questionados sobre a perspectiva que tinham.

Agora tratamos todos os gerentes como líderes do negócio. Para eles, são alocados orçamentos de capital corporativo e de incentivos básicos. Um montante financeiro a ser distribuído conforme eles achem apropriado. Isso é super empoderador, pois os gerentes sabem que são verdadeiramente responsáveis por seus subordinados. Além disso, o processo é também capacitador, pois os

* Para mais informações sobre a nova abordagem da empresa, convido você a explorar o conteúdo aberto dela em wwww.whatmatters.com/adobe (conteúdo em inglês).

funcionários sabem que contribuem para ele. Ao agendar Check-ins regulares ao longo do ano, eles mantêm seus gerentes informados sobre o progresso em relação aos itens de ação e metas das conversas anteriores, juntamente com as necessidades de desenvolvimento e as ideias de como a evolução pode acontecer. Agora que eliminamos os potes fixos da remuneração, os colegas de equipe não são mais concorrentes.

As pessoas querem impulsionar seu próprio sucesso. Elas não querem esperar até o final do ano para serem avaliadas. Querem saber como estão indo enquanto estão fazendo, e também o que precisam fazer de forma diferente. Em nosso novo sistema, nossos colaboradores obtêm feedback de desempenho altamente específico, pelo menos uma vez a cada seis semanas. Mas, na prática, isso acontece toda semana. Todos sabem onde e como estão contribuindo para a empresa. Em vez de medir o passado, o gerenciamento de desempenho conduz para o futuro.

Nosso feedback sob o sistema do Check-in geralmente é de gerente para funcionário, mas pode ser invertido: "Senti que estava em um limbo com o projeto X e precisava de mais apoio". Como a Adobe é amplamente matricial, o feedback também pode ser entre colegas. No meu departamento, por exemplo, tenho um colega da área de comunicação, um do financeiro e um do jurídico. Embora eles se reportem a outras pessoas, há fortes linhas pontilhadas entre nós. Analisamos nossas expectativas e damos feedback uns aos outros quanto ao nosso desempenho.

A partir da experiência da Adobe, eu diria que um sistema de gerenciamento contínuo de desempenho tem três requisitos. O primeiro é o apoio executivo. O segundo é a clareza sobre os objetivos da empresa e como eles se alinham com as prioridades individuais, conforme estabelecido em nossas "metas e expectativas", o que equivale aos OKRs. O terceiro é um investimento em treinamento para equipar os gerentes e líderes para serem mais eficientes. Não enviamos pessoas para cursos. Nós as direcionamos para sessões online de uma hora, em situações simuladas: "Você precisa dar um feedback difícil? Aqui estão os passos."

O feedback corretivo é algo naturalmente difícil para as pessoas. Quando bem feito, porém, é também o maior presente que você pode dar a alguém, pois ele pode mudar a mentalidade das pessoas e modificar seu comportamento da maneira mais positiva e valiosa. Estamos criando um ambiente onde as pessoas dizem: "Sabe de uma coisa? Não há problema em cometer um erro, porque é assim que eu vou crescer mais." Essa é uma parte importante da nossa mudança cultural.

Donna Morris falando no Goal Summit, em 2017.

Como o Check-in deixa claro, os líderes de RH existem para o sucesso do negócio. Nosso papel é dialogar com outros líderes sobre como fazer com que todos os nossos colaboradores tenham sucesso no cumprimento da missão da empresa. O sucesso não é construído por formulários, classificações e notas. Ele não é conduzido por políticas e programas que atrapalham e entram no caminho das pessoas. Os verdadeiros mecanismos para o sucesso são aqueles que criam capacidades e permitem que as pessoas sejam produtivas para a empresa.

Gestão de desempenho na Adobe — Antes e depois

	ANTES: Avaliação anual de desempenho	DEPOIS: Check-in
Definição de prioridades	Prioridades dos funcionários definidas no início do ano e, muitas vezes, não revisitadas.	Prioridades definidas e ajustadas com o gerente regularmente.
Processo de feedback	Processo longo de apresentação das realizações, solicitação de feedback e redação das avaliações.	Processo contínuo de feedback e diálogo sem revisão formal de documentação.
Decisões sobre remuneração	Sessões de feedback inconsistentes e não monitoradas. Aumento na produtividade dos funcionários no final do ano, alinhado com discussões sobre análise de desempenho.	Conversas de feedback esperadas trimestralmente, com o feedback contínuo se tornando a norma. Produtividade consistente dos funcionários com base em discussões e feedbacks contínuos durante todo o ano.
Papel da equipe de RH	A equipe de RH gerenciava a papelada e os processos para garantir que todas as etapas fossem concluídas.	A equipe de RH prepara funcionários e gerentes para conversas construtivas.
Capacitação e recursos	Coaching e recursos gerenciados e vindos dos colegas de RH, que nem sempre podiam alcançar todos.	Um centro de recursos para o funcionário oferece ajuda e respostas sempre que necessário.

Tabela do antes e depois da Adobe

Para uma empresa de serviços, nada é mais valioso do que funcionários engajados que sentem poder fazer a diferença e querem permanecer na organização. A rotatividade de funcionários é custosa. A melhor rotatividade é a interna, na qual as pessoas evoluem suas carreiras dentro da empresa, em vez de se mudarem para outro lugar. As pessoas não estão preparadas para serem nômades. Elas só precisam encontrar um lugar onde sintam que podem causar um impacto real. Na Adobe, o Check-in está fazendo isso acontecer.

17

Uma Fornada Melhor a Cada Dia: A História da Zume Pizza

Julia Collins e Alex Garden
Cofundadores e co-CEOs

Como vimos, os OKRs e CFRs são veículos comprovados de alto desempenho e crescimento exponencial. Eles também têm efeitos cotidianos mais sutis e internos, como na melhor preparação dos executivos ou ao proporcionar aos colaboradores menos expressivos uma oportunidade de brilhar. Na longa e exigente jornada para a excelência operacional, esses recursos ajudam as organizações a melhorar todos os dias. Os líderes se tornam melhores comunicadores e motivadores. Colaboradores tornam-se pensadores mais disciplinados e rigorosos. Quando imbuída de conversas e feedback significativos, a definição estruturada de metas ensina as pessoas a trabalharem dentro de restrições, mesmo quando há pressão. Essa é uma lição especialmente importante para operações menores e dimensionadas.

A história da Zume Pizza ilustra de forma real essas dinâmicas internas. Trata-se de uma startup usando OKRs e CFRs, além de alguns robôs, para enfrentar os gigantes de sua indústria.

Há algum tempo, o mercado de entrega de pizzas dos EUA, avaliado em US$10 bilhões, é controlado por três cadeias norte-americanas: Domino's, Pizza Hut e Papa John's. Não são pizzas que transformam a vida de uma pessoa, mas suas marcas estão bem estabelecidas e têm a grande vantagem da economia de escala. Na primavera de 2016, quando a Zume Pizza abriu, em um bunker de concreto deslocado no Vale do Silício, céticos brotaram aos montes. O termo "pizza artesanal e robotizada" era ridicularizado como se fosse uma engenhoca de quinta. As chances de sucesso pareciam difíceis.

Dois anos depois, a Zume vem superando essas desvantagens, fazendo uma pizza de qualidade internacional a um preço competitivo. A empresa atribui tarefas de rotina a máquinas, liberando seu pessoal para trabalhos criativos que agregam mais valor. Os dólares economizados no trabalho manual são aplicados em ingredientes de melhor qualidade: massa de farinha não transgênica, tomates cultivados organicamente, vegetais de origem local e carnes curadas de forma saudável. O resultado é uma massa muito mais saborosa e que é realmente boa para saúde. Além disso, ela chega ainda quente, apenas cinco minutos depois de você fazer seu pedido.

À medida que as encomendas de aplicativos online ou móveis se ligam à esteira da Zume, os robôs esticam e modelam a massa, aplicam molho e deslizam com segurança as pizzas para um forno a 800 graus. Com a tecnologia robótica em constante amadurecimento, a empresa planeja automatizar todo o processo, desde a adição de queijos e recheios personalizados até o carregamento das pizzas parcialmente assadas na frota de pizza trucks da Zume, todos operados por algoritmos (no futuro, há uma boa chance de que esses veículos rodem sem motorista).

Dentro de três meses do lançamento, a Zume alcançou 10% de participação de mercado em sua área de comércio local. Em 2018, começou a interromper o oligopólio da pizza em toda a Área da Baía de São Francisco. Em breve, será lançada em toda a Costa Oeste e depois por todo o país; em 2019, os fundadores esperam estar no exterior. "Seremos a Amazon da comida", diz o cofundador Alex Garden, que conheceu os OKRs como presidente da Zynga Studios.

Os cofundadores da Zume, Julia Collins e Alex Garden, com o pizza truck.

Quando você é Davi enfrentando Golias, tempo e oportunidade são essenciais. Não há margem para operações fora do foco ou funcionários desalinhados. Como lhes dirão os líderes da Zume, os OKRs ajudaram sua jovem empresa a prosperar de uma forma que não poderiam ter previsto.

Julia Collins: No começo, a Zume vivia nas cabeças de nós dois. Se você fizesse ao Alex e a mim qualquer pergunta, nós lhe daríamos a mesma resposta; passávamos tanto tempo juntos que tudo era entendido. Isso funciona bem com duas pessoas. Depois que nosso diretor-chefe de operações chegou e nos tornamos "os três queijos", este sistema ainda funcionava muito bem. Só que, uma vez adicionado o queijo Parmigiano-Reggiano à mozzarella, ao Romano e ao provolone, algo mudou. No momento em que tínhamos sete pessoas, se você nos perguntasse: "Qual é a principal coisa que precisamos realizar hoje?", bem, receberia oito respostas diferentes.

Um robô da Zume Pizza em ação.

Começamos com o software de gerenciamento de projetos chamado LiquidPlanner, uma metodologia em modo cascata. Isso realmente ajudou a construir nossa cozinha. Primeiro, você derrama o concreto e deixa secar; então coloca o epóxi e deixa secar; aí cobre e instala o refrigerador industrial, certo? Para um processo linear, esse processo é fantástico.

Em junho de 2016, no entanto, enquanto nos preparávamos para a abertura da empresa, a Zume era uma operação mais complexa. Éramos 16 funcionários assalariados, além de mais três dúzias de trabalhadores na cozinha por hora e dos "pilotos", pessoas indispensáveis que entregam nossa pizza. Nos aventurávamos na fabricação em larga escala, além da integração dos robôs, o desenvolvimento de software, a criação de um menu... e a cascata parou de fluir tão suavemente. Muitas coisas estavam acontecendo ao mesmo tempo, com muitas camadas de interdependências. Sabíamos que precisávamos nos manter ágeis, e nossos engenheiros checavam o software de gerenciamento de projetos da JIRA todas as manhãs, para os sprints de duas semanas. Nem o

JIRA, nem o LiquidPlanner, no entanto, conseguiam responder a uma grande questão: *qual é a coisa mais importante a fazer?*

O maior trunfo da Zume é a nossa equipe talentosa e criativa. Largados à sorte dos seus próprios dispositivos, nossos colaboradores faziam o que *eles achavam* mais importante. Suas ideias costumavam ser boas, mas nem sempre estavam em sincronia. Implementamos os OKRs no início de nosso ciclo operacional, três semanas depois que a primeira pizza saiu pela porta, pois queríamos ter certeza de que todos conheciam nossas prioridades. No começo, para garantir que as missões fundamentais fossem cumpridas, Alex e eu definimos um padrão de alinhamento 100% de cima para baixo. Nós dois criamos os objetivos da Zume para nossos dois primeiros ciclos OKR. Seguindo em frente, à medida que a sobrevivência se tornasse menos um problema, relaxaríamos um pouco.

A Realidade Nua e Crua

Alex Garden: É difícil negar o valor explícito dos OKRs, ou seja, como eles ajudam a vincular uma organização às verdadeiras ambições da liderança. Para empresas jovens como a Zume, no entanto, há um valor *implícito* igualmente importante e que é negligenciado. Os OKRs são uma excelente ferramenta de treinamento para executivos e gerentes. Eles ensinam como gerenciar seu negócio dentro dos limites existentes. Um limite é algo importante de ser desafiado, mas ele é uma realidade. *Todos* enfrentam restrições de recursos: tempo, dinheiro, pessoas. Quanto maior uma organização, mais dispersão de energia haverá. Essa é uma lei da termodinâmica. Durante meu tempo como gerente geral do Xbox Live na Microsoft, trabalhei com alguns executivos visionários. Mas lutávamos contra um desalinhamento entre os desejos dos líderes e as capacidades da organização. O "como" fazer e "o que" deveria ser feito também foram deixados para mim e para alguns outros soldados de infantaria do departamento. Nosso trabalho era executar uma ordem estruturada sem praticidade para uma missão superdimensionada. Se tivéssemos um processo de definição de metas bem construído desde o começo, isso poderia ter poupado o sofrimento de todos.

Os modelos de negócios da velha guarda sugerem que seu papel como executivo fica mais abstrato à medida que você sobe na hierarquia. Seus gerentes intermediários o deixam a par do dia a dia operacional, dando-lhe mais liberdade para se concentrar no quadro geral da empresa. Talvez isso funcionasse em uma era mais lenta. Na minha experiência, porém, os OKRs não conseguem ser eficazes a menos que as pessoas no topo sejam incondicionalmente comprometidas, como em um chamado religioso. O proselitismo é duro e ingrato. O pessoal pode não gostar muito de você ao longo da curva de adoção, que pode levar até um ano. Porém, vale a pena.

Uma Disciplina Melhor

Julia: Se estamos falando sobre o valor intrínseco dos OKRs, o que vem antes de qualquer coisa é a disciplina que eles incutem em nós como co-CEOs.

Alex: Eles nos treinam para sermos cuidadosos com o que podemos realmente alcançar e para incutir a mesma perspectiva em nossa equipe executiva e suas equipes. No início de sua carreira, quando você é um colaborador individual, o volume e a qualidade de seu trabalho são avaliados. Então, um dia, de repente, você se torna gerente. Vamos supor que faça tudo certo e suba para gerenciar mais e mais pessoas. Agora, você não é mais pago pela quantidade de trabalho que faz; é pago pela qualidade das decisões que toma. Só que ninguém lhe disse que as regras mudaram. Quando esbarra em um obstáculo no caminho, você pensa: "Simplesmente trabalharei mais. Foi isso que me trouxe até aqui."

O que você *deve* fazer é mais contraintuitivo: pare por um momento e interrompa o ruído de sua mente. Feche os olhos para realmente ver o que está à sua frente e, em seguida, escolha o melhor caminho para você e sua equipe em relação às necessidades da organização. O legal dos OKRs é que eles formalizam a reflexão. Pelo menos uma vez a cada trimestre, eles fazem com que os colaboradores parem para refletir em um lugar tranquilo e considerem como suas decisões se alinham com a empresa. As pessoas começam a pensar de maneira macro. Tornam-se mais aguçadas e precisas, pois não é possível escrever uma dissertação de 90 páginas com OKRs. É necessário escolher de três a cinco coisas e o modo exato como elas devem ser medidas. Então, quando chegar o dia e alguém disser: "Ok, agora você é gerente", você já aprendeu a pensar como um. Isso representa muita coisa.

A maioria das startups não está muito ansiosa para mergulhar na definição de metas estruturadas: *Não precisamos disso. Seguimos em alta velocidade. Simplesmente descobrimos as coisas.* E, muitas vezes, eles descobrem mesmo. No entanto, acho que estão perdendo uma oportunidade de ensinar às pessoas a serem executivos *antes* de a empresa crescer. Se esses hábitos não estão arraigados no início, uma das duas coisas acontece: empresas malsucedidas crescem além da capacidade da equipe de liderança e morrem. Empresas bem-sucedidas crescem além das habilidades da equipe e a equipe é substituída. Esses são dois resultados tristes. A melhor maneira é capacitar pessoas para pensarem como líderes desde o início, quando seus departamentos são equipes de uma pessoa só.

Aqui, então, entram os OKRs para forjar seu pessoal. Eles cunham executivos mais fortes e os ajudam a evitar os erros de um novato. Implementam o rigor e o ritmo de uma empresa muito grande no âmbito de uma empresa muito pequena. Quando implementamos os OKRs na Zume, o beneficiário imediato foi o processo em si. O simples ato de forçar as pessoas a pensarem sobre o negócio de forma ponderada, transparente e interdependente foi um grande acelerador para o desempenho delas.

Um Engajamento Melhor

Alex: Os OKRs eliminam a ambiguidade. Quando se faz isso, algumas pessoas dirão o seguinte: "Isso não é o que eu estava disposto a fazer, então estou fora." Mas outros dirão: "Estou inspirado porque finalmente sei o que estamos tentando fazer." De qualquer forma, há clareza. Para aqueles que ficam, você estabeleceu as bases para o engajamento. Todo mundo comprou a ideia da missão. Esportes coletivos não funcionam, a menos que todo o time jogue junto.

Julia: À medida que as pessoas se familiarizam com o processo OKR, ele naturalmente se torna mais colaborativo. No terceiro trimestre de 2016, Alex e eu estabelecemos os OKRs primordiais da empresa, e os chefes de departamento converteram alguns de nossos resultados-chave nos seus próprios. Acabamos deixando o processo em cascata. No quarto trimestre, nós dois ainda registramos os objetivos da empresa, mas nossa equipe entrou com os resultados-chave. Isso foi ótimo. Eles assumiram um papel mais criativo e os OKRs melhoraram. Nossas metas ainda eram desafiadoras, mas o pessoal achou que eram mais realistas.

A Zume deu o nome de "forno-móvel" à sua tecnologia essencial dos pizza trucks. Foi a partir dela que inovamos no setor e criamos momentos de deleite para nossos clientes. No quarto trimestre, um dos objetivos primordiais da empresa era implantar nossos "garotões": caminhões de aproximadamente 7,60m, com seis fornos ligados a uma logística sofisticada e a um sistema preditivo de pedidos. Eles nos permitem terminar a pizza de forma algorítmica, em menos de cinco minutos após o pedido online, e tê-la pronta e ainda fumegante enquanto nos aproximamos da porta do cliente. Vaibhav Goel, nosso gerente de produtos, tinha um OKR para orientar, coordenar e alimentar a primeira minifrota da nossa frota maior de forno-móveis. Estava tudo hermético. Se Vaibhav atingisse seus três resultados-chave, sabíamos que atingiríamos nosso objetivo.

OBJETIVO

Concluir a frota de pizza trucks
no endereço Polaris, 250 (sede de Mountain View).

RESULTADOS-CHAVE

1. **Entregar 126 fornos totalmente certificados até 30/11.**
2. **Entregar 11 racks totalmente certificados até 30/11.**
3. **Entregar 2 veículos de entrega em formato completo e totalmente certificados até 30/11.**

Toda organização tem pessoas que são mais vocais para se afirmar. Se não chegam ao ponto na primeira vez, sentem-se confortáveis em verbalizar isso novamente. As pessoas mais calmas, porém, podem não ser ouvidas com tanta frequência, e suas necessidades podem ser negligenciadas. O OKR dá voz e peso iguais para cada departamento. Ninguém precisa sofrer em silêncio, sinceramente, pois ninguém tem essa opção. Os objetivos aparecerão na tela, como todos os outros, para comentários e suporte.

Eu acrescentaria que uma empresa realmente boa valoriza opiniões diferentes. Ela explora o dissenso, encontra uma maneira de trazê-lo à superfície e extrai tudo dele. É assim que fomentamos uma meritocracia.

Alex: Antes de desdobrar os OKRs para nossos colaboradores, nós os implementamos por dois trimestres consecutivos no nível executivo. Tivemos que estabelecer a cultura primeiro. O que descobrimos, curiosamente, é que nossos participantes mais ativos são os que inicialmente eram mais céticos.

Joseph Suzuki (diretor de marketing): Eu pensei nele como aquela dieta de sempre: *apenas siga este processo e você será magro e bonito.* Parecia uma contabilidade, ou mais um exercício administrativo qualquer. Os OKRs, porém, tiveram efeito em mim, e isso eu não esperava. Quando eu fazia meus check-ins quinzenais, isso me dava alguns minutos para pensar sobre o que eu estava fazendo e como meus objetivos iam de acordo com o que a empresa precisava no trimestre.

Em uma startup, é possível se perder em minúcias táticas, especialmente no meu departamento, onde somos multiuso. Isso é perigoso, pois você está nadando em mares tumultuosos e é fácil perder a terra de vista. Essas reflexões sobre OKR, no entanto, me ajudaram a redefinir minha bússola: *como eu contribuo para o esquema?* Nesse sentido, o sistema OKR não é apenas outro relatório ou campanha ou evento de campo. Ele se conecta a algo maior e mais significativo.

Uma Transparência Melhor

Julia: Desde o início, o processo nos obrigou a esclarecer quem está encarregado de quê. Quando uma bola é rebatida e voa entre dois jogadores em um jogo de beisebol, há três possibilidades: alguém pega, a bola cai ou ambos os jogadores mergulham e batem um de frente com outro. No início, nossos jogadores eram a área de marketing e de produtos, porém, quem era responsável pelas metas de receita da Zume? Os dois líderes do setor haviam se reunido conosco por um mês cada. Eles não eram apenas novatos para os OKRs, como também eram novatos para a Zume, e a Zume era novata para si própria. Quando Alex e eu vimos sua confusão, quebramos o objetivo em receitas novas (marketing) e receitas repetidas (produto), e os chefes de departamento começaram a trabalhar a partir daí. Essa foi uma conversa importante. Ela não estava ligada a um objetivo em si, mas era absolutamente um subproduto do processo OKR em estágios iniciais. Quando algo não está claramente delineado, aparece imediatamente. Não se pode perder essa oportunidade.

Um Trabalho em Equipe Melhor

Alex: Em oito meses, lançamos uma empresa de alimentos, uma empresa de logística, uma empresa de robótica e uma empresa de fabricação, desde o início. Usamos os OKRs como uma ferramenta de ensino para transmitir uma cultura de consideração. Eles fazem você pensar reflexivamente sobre como o trabalho realizado afeta aqueles que estão à sua volta e como há interdependência entre as pessoas.

Julia: Nossa equipe é muito eclética. Nosso chef executivo, Aaron Butkus, cresceu em meio a restaurantes familiares em Nova York. Nosso gerente de frota, Mike Bessoni, trabalhava na produção de filmes. Temos um estudioso de produtos e um engenheiro de software, e todos vieram falando idiomas diferentes. Os OKRs eram nosso esperanto, nosso vocabulário compartilhado. A equipe de liderança composta de sete membros se reúne durante o almoço toda segunda-feira e a cada duas semanas discutimos nossos OKRs. É possível ouvir as pessoas dizendo coisas como "Quem ganhou o cliente?" ou "Como atingir o resultado-chave para essa meta?" E agora todo mundo sabe exatamente o que significam esses jargões.

A pizza mais deliciosa do mundo não deixará as pessoas felizes se chegar fria. Mike e Aaron têm um objetivo compartilhado em prol da satisfação do cliente. Mike poderia dizer: "Tenho um resultado-chave para expandir nosso raio de entrega e agora ele está em risco." Talvez a equipe de fabricação tenha se atrasado em conseguir um veículo online. Então, agora teremos uma conversa coletiva sobre como a implantação atrasada está afetando nossa área de serviço e o fluxo de receita. O que também nos conecta a Joe Suzuki, nosso líder do departamento de marketing, e seu OKR para aumentar a receita.

Em uma outra vida, Mike poderia ter gritado com a liderança do departamento de fabricação: "Dá para se apressar e tocar isso aí rápido? Eu estou esperando há uma eternidade!" Quando você diz "meu resultado-chave está em risco", é menos carregado e mais construtivo. Já que nossa empresa tem um alinhamento total, toda a equipe já havia concordado com o resultado-chave e a dependência que isso acarreta. Não havia julgamento, apenas um problema a ser resolvido. Adivinha o que mais acontece? Os dois líderes vão advogar *um pelo outro* para obter mais recursos do Alex e de mim.

Aaron Butkus (chef executivo): Se estou criando uma nova pizza da estação, não consigo fazê-la do nada. O marketing precisa saber pelo menos uma semana antes, e os responsáveis pela foto e pelo design precisam tirar fotos. Isso afeta todos os departamentos, o site do gerente de produtos, a equipe de tecnologia e o aplicativo móvel dela. Os OKRs me mantêm centrado e no caminho certo. Eles asseguram que eu receba a receita a tempo para todos que estão esperando por ela. Meu prazo está embutido em um resultado-chave. Consigo ter uma visão mais ampla e mais clara.

É definitivamente um processo de formação de equipes. Ele lembra que você faz parte dessa pequena e estranha comunidade. É fácil se envolver em seus próprios problemas, especialmente quando se está trabalhando na cozinha. Os OKRs, porém, levam as pessoas a pensarem: "Ah sim, estamos trabalhando juntos nisso, estamos trabalhando juntos em tudo."

Conversas Melhores

Alex: A cada duas semanas, cada pessoa na Zume tem uma conversa de uma hora, tête-à-tête, com quem se reporta (Julia e eu conversamos um com o outro). Este é um momento sagrado. Ninguém pode se atrasar, nem cancelar.

Há apenas uma regra: não se conversa sobre trabalho. A pauta é a pessoa, o indivíduo, quais as tentativas de realização pessoal nos próximos dois a três anos, e como isso está sendo desdobrado em um plano a cada duas semanas. Gosto de começar com três perguntas: *O que faz a pessoa muito feliz? O que consome a energia da pessoa? Como a pessoa descreveria o emprego dos sonhos?*

Então, digo: "Olha, quero dizer quais são minhas expectativas. Número um: sempre diga a verdade. Número dois: faça sempre a coisa certa. Se a pessoa atende a essas expectativas, ela receberá incondicionalmente 100% do meu tempo. Eu pessoalmente garanto a ela que o próximo conjunto de metas pessoais e profissionais será garantido nos próximos três anos." E seguimos dali em diante.

As pessoas podem ver isso como altruísmo, mas na verdade é uma maneira poderosa de conectar as pessoas à empresa e evitar que elas se dispersem. Esse processo lhes dá esclarecimentos sobre os obstáculos. Um líder poderia dizer: "Esta meta parece muito importante para você, mas você não progrediu muito nas duas últimas semanas. Por que isso aconteceu?" Pode parecer paradoxal, mas essas conversas de acompanhamento cara a cara, "sem falar de trabalho", são um fórum para feedback de desempenho contínuo. Ao falar sobre a busca por metas pessoais, você acaba aprendendo muito sobre o que as impulsiona, ou as retém, em suas carreiras.

Quando realizamos conversas regulares e mais profundas, percebe-se quando é necessário trocar o disco e dar às pessoas uma chance de carregar suas baterias. Depois que a organização conclui um sprint completo, é possível aumentar o tempo dos colaboradores para as metas de desenvolvimento pessoal (de 5% para 15% ou 20%) no próximo trimestre. Pode soar como um imposto gigantesco, mas esse movimento configurará os dois ou três trimestres de execução da empresa.

Uma Cultura Melhor

Julia: Cultura é a linguagem comum que permite que os indivíduos de uma organização tenham certeza de que todos estão falando sobre a mesma coisa e que há algum significado compartilhado por todos. Além disso, a cultura estabelece uma estrutura comum para a tomada de decisões. Na ausência de uma cultura, as pessoas não sabem como tornar as principais funções replicáveis e escalonáveis.

Nesse sentido, há uma camada mais ambiciosa da cultura: a conversa sobre valores. Quem queremos ser como organização? Como queremos que as pessoas se sintam sobre seu trabalho e sobre nosso produto? Qual é o impacto que queremos causar no mundo?

Alex: Os princípios fundadores da Zume, a nossa missão, são duas coisas que Julia me disse ao telefone quando fomos apresentados pela primeira vez. Eles me impressionaram tanto que os colocamos em um pôster gigante na parede da nossa cozinha. O primeiro era o seguinte: *Servir comida para as pessoas é um voto de confiança sagrado.* O segundo: *Todo norte-americano tem direito a uma comida deliciosa, acessível e saudável.*

Aqui está um OKR que fluía diretamente da nossa missão:

OBJETIVO

Encantar os clientes

DETALHE

Alimentar as pessoas é um voto de confiança sagrado. Para mantermos essa confiança, temos que oferecer o melhor serviço ao cliente e a melhor qualidade de alimentos. Para termos sucesso como negócio, devemos garantir que nossos clientes estejam tão felizes com nosso serviço e produto de modo que não haja escolha a não ser pedir mais pizza e falar sobre a experiência com seus amigos.

RESULTADOS-CHAVE

1. **Pontuação 42 ou melhor no Net Promoter Score.**
2. **Classificação 4,6 em um máximo de 5,0 ou melhor para os pedidos.**
3. **75% dos clientes preferem a Zume ao concorrente no teste às cegas.**

Julia: Há muitas decisões diárias que são regidas pela nossa missão. Seria fácil usar um pouco mais de sal nas nossas pizzas. Até mesmo adicionar um pouco de açúcar ao molho, em vez de andar um pouco mais para encontrar tomates mais frescos. Esses são os pequenos e insidiosos compromissos que podem invadir uma organização e minar quem você é.

Todo novo funcionário passa por um treinamento sobre a missão e valores como parte de sua integração. Alex e eu somos muito claros sobre o que esperamos das pessoas. Além disso, nossa clareza nos força a ser altamente responsáveis, como organização e como indivíduos. Temos uma cultura da melhor ideia, e as pessoas são livres para pedir explicação a todos, incluindo o CEO.

Alex: Especialmente o CEO. Essa é a melhor fonte de esclarecimento de todas. Quando as pessoas nos desafiam em um fórum aberto, sempre paramos e damos muita atenção à importância de a pessoa verbalizar o que pensa. Tentamos exagerar para permitir que as pessoas aceitem esse desafio.

Líderes Melhores

Julia: Eu já trabalhei para alguns dos grandes líderes do meu tempo. Eles eram todos muito diferentes, mas uma coisa que tinham em comum era um foco frio e sóbrio. Se você se sentasse com eles por 20 minutos, seu pensamento era completamente organizado. Eles conseguiam detalhar muito claramente o que precisava ser feito. Quando você está captando recurso, fazendo pizza com robôs e construindo cozinhas, há muita mudança rápida de contexto. Pode parecer um pouco frenético às vezes. No entanto, quando você conhece os objetivos da sua empresa tal como sabe o seu sobrenome, isso traz tranquilidade. Os OKRs me ajudam a ser uma líder focada e clara. Não importa o quanto as coisas fiquem malucas, sempre consigo voltar ao que interessa.

18

Cultura

As pessoas precisam de uma cultura que
valorize ideias simples e inovadoras.
— *Jeff Bezos*

A cultura é fundamentalmente embasada na estratégia. Cultura é a pedra fundamental, pois ela é o que faz o trabalho ter significado. Os líderes são corretamente obcecados por cultura. Os fundadores se perguntam como podem proteger os valores culturais de suas empresas à medida que elas crescem. Os chefes de grandes empresas estão se voltando para OKRs e CFRs como ferramentas para a mudança cultural. Além disso, um número crescente de pessoas à procura de emprego e quem está se desenvolvendo na carreira vêm fazendo escolhas culturais adequadas. Como você pôde ver ao longo deste livro, os OKRs são caminhos claros para as prioridades e as percepções dos líderes. Os CFRs ajudam a garantir que essas prioridades e percepções sejam transmitidas. As metas, no entanto, não podem ser alcançadas no vácuo. Assim como as ondas sonoras, metas precisam de um meio.

Para OKRs e CFRs, o meio é a cultura de uma organização, a expressão viva de seus valores e crenças mais estimados.

Então, vem a questão: como as empresas definem e constroem uma cultura positiva? Embora eu não tenha uma resposta simples, os OKRs e os CFRs proporcionam um plano. Através do alinhamento das equipes para trabalhar em direção a um punhado de objetivos comuns e, posteriormente, da união por meio de comunicações leves e orientadas por metas, OKRs e CFRs criam transparência e responsabilidade, que são os pilares para um alto desempenho sustentável. Uma cultura saudável e a definição de metas estruturadas são interdependentes. Cultura e alinhamento de metas são parceiras naturais na busca pela excelência operacional.

Andy Grove entendeu a importância primordial dessa interação. "De forma simplificada", segundo ele, em *Administração de Alta Performance*, cultura é "um conjunto de valores e crenças, bem como familiaridade com a forma como as coisas são feitas e devem ser feitas em uma empresa. O ponto fundamental é que uma cultura corporativa forte e positiva é absolutamente essencial". Como engenheiro, Grove equiparava cultura à eficiência, um manual para decisões mais rápidas e confiáveis. Quando uma empresa é culturalmente coerente, o caminho a seguir fica entendido:

> Alguém que adere aos valores de uma cultura corporativa, um cidadão corporativo inteligente, se comportará de maneira consistente sob condições semelhantes, o que significa que os gerentes não precisam sofrer as ineficiências geradas por regras, procedimentos e regulamentações formais... A gestão tem que desenvolver e nutrir o conjunto comum de valores, objetivos e métodos essenciais para a existência de confiança. Como fazemos isso? Um primeiro modo é pela articulação, deixando-os bem expressos... O outro caminho, ainda mais importante, é pelo exemplo.

Como executivo, Grove modelou pelo exemplo os mais altos padrões culturais da Intel. Em seus seminários no iOPEC, ele tentou incuti-los nos novos funcionários da empresa. Na página a seguir, você encontrará dois slides originais de 1985, um resumo dos ensinamentos de Andy sobre os sete principais valores culturais da Intel:

intel

Estilo Operacional — Nosso Sistema de Valores

- Foco nas pessoas
  - valorizamos um comprometimento mútuo
  - respeito a todos os tipos de trabalho
  - desafios e oportunidades
- Transparência
  - é esperado que se dê destaque aos problemas e questões
- Resolução de problemas
  - simples e direto ao ponto
  - o confronto precisa ser construtivo
- Resultados
  - orientação à resultados em todos os trabalhos
  - desconsideração da superficialidade
  - recompensar os sucessos com feedback positivo

IOPEC

intel

- Disciplina
  - excelência em um ambiente complexo, altamente competitivo e exigente
- Propensão ao risco
  - uma orientação de alta tecnologia precisa disso
  - pouco medo de falhar e de se expor
  - campeões
- Verdade e integridade

IOPEC

Slides da Intel — Estilo Operacional

As qualidades valorizadas por Andy Grove, responsabilidade coletiva, propensão sem medo ao risco, realizações mensuráveis, também são muito apreciadas no Google. No Projeto Aristóteles, um estudo interno do Google com 180 equipes, o desempenho de destaque se correlacionou com respostas afirmativas a estas cinco perguntas:

1. **Estrutura e clareza:** As metas, funções e planos de execução da nossa equipe estão claros?
2. **Segurança psicológica:** Podemos nos arriscar com esta equipe sem nos sentirmos inseguros ou envergonhados?
3. **Significado do trabalho:** Estamos trabalhando em algo que é pessoalmente importante para cada um de nós?
4. **Confiabilidade:** Podemos contar uns com os outros para fazer um trabalho de alta qualidade e em tempo hábil?
5. **Impacto do trabalho:** Acreditamos fundamentalmente que o trabalho que estamos fazendo é importante?

O primeiro item dessa lista (estrutura e clareza) é a razão de ser dos objetivos e dos resultados-chave. Os outros todos são facetas essenciais de uma cultura saudável no local de trabalho e se vinculam diretamente aos superpoderes de OKR e às ferramentas de comunicação de CFR. Considere a "confiabilidade" entre colegas. Em um ambiente OKR de alta funcionalidade, a transparência e o alinhamento tornam as pessoas mais diligentes no cumprimento de suas obrigações. No Google, as equipes assumem responsabilidade coletiva pela conquista de metas ou pelas falhas. Ao mesmo tempo, os indivíduos são responsáveis por resultados-chave específicos. O desempenho máximo é o produto da colaboração *e da responsabilidade.*

Uma cultura OKR é uma cultura responsável. Não há impulso em direção a uma meta unicamente porque o chefe lhe deu uma ordem. Você faz isso porque todos os OKR são claramente importantes para a empresa e para os colegas que contam com você. Ninguém quer ser visto como aquele que retém o avanço da equipe. Todos se orgulham com o avanço. É um contrato social, porém autorregulado.

Em *O Princípio do Progresso: Como Usar Pequenas Vitórias para Estimular Satisfação, Empenho e Criatividade no Trabalho*, Teresa Amabile e Steven Kramer analisaram 26 equipes de projeto, 238 pessoas e 12 mil registros do diário do funcionário. Culturas de alta motivação, eles concluíram, dependem de uma mistura de dois elementos. *Catalisações* são definidas como "ações que dão suporte ao trabalho" e se parecem muito com os OKRs: "Elas incluem a definição de metas claras, permitindo autonomia, fornecendo recursos e tempo suficientes, ajudando com o trabalho, aprendendo abertamente sobre problemas e sucessos e permitindo uma troca livre de ideias." *Cuidados* são definidos como "ações de apoio interpessoal" e têm uma notável semelhança com os CFRs: "Respeito e reconhecimento, incentivo, conforto emocional e oportunidades de afiliação."

Na mesa de altas apostas das mudanças culturais, os OKRs nos dão propósito e clareza à medida que mergulhamos no novo. Os CFRs fornecem a energia de que precisamos para a jornada. Em um lugar onde as pessoas têm conversas autênticas e obtêm feedback construtivo e reconhecimento por realizações excepcionais, o entusiasmo se torna contagiante. O mesmo vale para o pensamento desafiador e o compromisso com a melhoria diária. As empresas que tratam seus funcionários como parceiros valiosos são aquelas que têm o melhor atendimento ao cliente. Elas possuem também os melhores produtos e o maior crescimento de vendas. E são aquelas que vão vencer.

À medida que o gerenciamento contínuo de desempenho se eleva, as pesquisas de funcionários, uma vez por ano, estão dando espaço para o feedback em tempo real. Uma fronteira é *pulsante*, uma foto online da cultura no local de trabalho. Esses questionários para captação de sinais podem ser agendados semanalmente ou mensalmente pelo RH ou fazer parte de uma campanha contínua de "gotejamento". De qualquer maneira, os pulsos são simples, rápidos e abrangentes. Por exemplo: *Você está dormindo o suficiente? Já se reuniu recentemente com seu gerente para discutir metas e expectativas? Tem uma noção clara da sua carreira? Tem recebido bastante desafio, motivação e energia? Tem se sentido confiante no que faz?*

O feedback é um sistema para se ouvir. No novo mundo do trabalho, os líderes não podem esperar por críticas negativas no Glassdoor, ou que colaboradores de valor saiam para uma outra empresa. Eles precisam ouvir e capturar sinais conforme são emitidos. Que tal se uma plataforma para definição de metas pudesse enviar duas ou três perguntas aos funcionários sempre que eles fizessem login? E se ela mesclasse dados quantitativos sobre o progresso da meta com informações qualitativas de conversas frequentes e feedbacks pulsantes? Não estamos longe de um software que solicitará a um gerente: "Fale com Bob, pois algo está acontecendo com sua equipe."

À medida que os OKRs desenvolvem o músculo do objetivo, os CFRs tornam esses tendões mais flexíveis e responsivos. O pulso mede a saúde da organização em tempo real: corpo e alma, trabalho e cultura.

Na liderança global do ensino superior online, a Coursera implementou o sistema OKR em 2013, apenas um ano após sua fundação. Com as informações oportunas da então presidente Lila Ibrahim, ex-aluna da Intel que reverenciava Andy Grove, a organização tentou algo raro e exemplar. Lila conectou os OKRs de maneira clara aos valores e à elevada declaração de missão da empresa, pois tratava-se de uma expressão clara da cultura: "Vislumbramos um mundo onde qualquer pessoa, em qualquer lugar, possa transformar sua vida ao acessar a melhor experiência de aprendizado do mundo." A Coursera ligava seus objetivos de nível de equipe aos objetivos estratégicos e primordiais da empresa que, por sua vez, se acumulavam em cinco valores principais:

- *Alunos em primeiro lugar.* Engajar e agregar valor para os alunos; estender o alcance a novos alunos.
- *Grandes parceiros.* Ser um grande parceiro para as universidades.

- *Pensar grande e levar a pedagogia adiante.* Desenvolver uma plataforma educacional inovadora e de nível mundial.
- *Cuidar dos companheiros de equipe, ser humano e humilde.* Construir uma organização forte e saudável.
- *Fazer o bem e fazer bem.* Experimentar e desenvolver um modelo de negócio sustentável.

Cada valor principal foi mapeado para um conjunto correspondente de OKRs. Por exemplo, aqui está um OKR para o valor "Alunos em primeiro lugar":

OBJETIVO

Estender o alcance da Coursera a novos alunos.

RESULTADOS-CHAVE

1. Realizar testes A/B, aprender e repetir maneiras de adquirir novos alunos e envolver os alunos existentes.
2. Aumentar os usuários ativos mensais (UAM) na plataforma móvel para 150 mil.
3. Criar ferramentas internas para acompanhar as principais métricas de crescimento.
4. Lançar recursos para permitir que os instrutores criem vídeos mais envolventes.

Equipe Coursera com a ex-presidente e COO Lila Ibrahim (à esquerda), a cofundadora Daphne Kohler (à esquerda de John Doerr) e o cofundador Andrew Ng (na ponta direita), em 2012.

Os OKR pavimentaram o caminho para a missão da Coursera. Eles permitiram que as equipes articulassem seus objetivos, se alinhassem aos objetivos da empresa e aos valores mais amplos. Anos mais tarde, a cultura amigável e inclusiva da empresa continua sendo um contraste bem-vindo à personalidade combativa das muitas empresas iniciantes do Vale do Silício.

Segundo Rick Levin, ex-CEO da Coursera: "Não consigo imaginar onde estaríamos sem os OKRs. A disciplina nos obriga a olhar para trás a cada trimestre e nos manter responsáveis, e olhar para frente a cada trimestre para imaginar como podemos viver melhor nossos valores."

Em 2007, o proeminente filósofo empresarial Dov Seidman publicou um livro inovador sobre cultura chamado *Como – Por que o Como Fazer Algo Significa Tudo... Nos Negócios (e na Vida)*. Dov partiu da premissa de que a cultura guia os comportamentos das pessoas ou como as coisas realmente acontecem em uma organização. Em nosso mundo hiperconectado e de código aberto, o comportamento define uma empresa de maneira mais significativa do que as linhas de produtos ou sua participação de mercado. Conforme Dov me disse recentemente: "Comportamento é a única coisa que não pode ser copiada ou comoditizada."

A grande ideia de Dov é que as empresas que "superam" sua concorrência em termos de comportamento também as superarão em termos de desempenho. Ele identificou um modelo baseado em valor, a "organização autônoma". Este é um lugar onde o legado de longo prazo é mais relevante do que o retorno sobre investimento do próximo trimestre. Essas organizações não se limitam a engajar seus funcionários. Elas os *inspiram*. Substituem as regras por princípios compartilhados; os estímulos e reprimendas são suplantados por um senso comum de propósito. Elas são construídas em torno da confiança, o que permite assumir riscos, estimula a inovação e, por consequência, impulsiona o desempenho e a produtividade.

Dov me disse: "No passado, quando os funcionários precisavam apenas fazer corretamente as próximas tarefas, ou seja, seguir ordens ao pé da letra, a cultura não importava tanto. Agora, estamos vivendo em um mundo onde estamos pedindo às pessoas que façam *as próximas tarefas darem certo*. Um livro de regras pode me dizer o que posso ou não fazer. A cultura precisa me dizer o que *devo* fazer."

Essa era uma ideia majestosa e potencialmente transformadora. No entanto, como Dov já reconheceu, uma coisa é proclamar valores como coragem, compaixão ou criatividade. Outra coisa é multiplicá-los. O escalonamento requer um sistema com métricas. "O que escolhemos avaliar é uma janela para nossos valores e para *o que* valorizamos", diz Dov. "Porque se você avalia alguma coisa, está dizendo às pessoas que isso é importante."

Para validar seu argumento e testar suas observações, Dov precisava de dados, muitos dados. Sua equipe na LRN embarcou em uma análise empírica rigorosa, que foi aperfeiçoada ao longo dos anos e publicada em uma série de relatórios anuais chamados HOW ("COMO", em português).

Enquanto Andy Grove acrescentava metas qualitativas para equilibrar as quantitativas, Dov encontrava uma maneira de quantificar valores aparentemente abstratos, como a confiança. O "índice de confiança" de Dov mede comportamentos específicos. Os "como" diretos da transparência, por exemplo. "Evito perguntar às pessoas sobre suas percepções", disse Dov. "Não pergunto: 'Você acha que sua empresa é honesta com você?' Olho para os fluxos de informação. A empresa acumula informações, faz isso com base na necessidade de saber ou esta informação flui livremente? Se você der uma volta com seu chefe e conversar com alguém de nível sênior, isso será punido ou celebrado?"

A partir de 2016, o relatório HOW cobriu 17 países e mais de 16 mil funcionários. Descobriu-se que as organizações autogovernadas haviam crescido até 8%, acima dos 3% em 2012. Dessas empresas de valor agregado, 96% tiveram alta pontuação em inovação sistemática; 95% tinham um nível elevado de envolvimento e lealdade dos funcionários. O "comportamento fora da caixa" realmente equivale a um desempenho superior; 94% das empresas relataram aumento de participação de mercado.

Quando Dov me disse que não havia força cultural mais poderosa do que uma "transparência ativa", em que "os seres humanos se abrem, compartilham a verdade, se abrem aos outros e são vulneráveis". Consigo imaginar Andy Grove sorrindo ao ler isso. Uma cultura OKR/CFR é acima de tudo uma cultura transparente. Ela remonta às lições que aprendi pela primeira vez na Intel, e já vi várias vezes afirmadas no Google e em dezenas de outras empresas voltadas para o futuro. Uma liderança com visão supera o regime de comando e controle. Quanto mais claro é o organograma, mais ágil é a organização. Quando o gerenciamento de desempenho é uma via de mão dupla em rede, os indivíduos crescem em grandeza.

No final, a questão é como nos costuramos uns aos outros. Como observa Dov, "a própria colaboração — nossa capacidade de *nos conectar* — é um motor de crescimento e inovação".

Dada a oportunidade, os OKRs e CFRs construirão um alinhamento de cima para baixo, trabalho em equipe, autonomia e engajamento de baixo para cima. Esses são os pilares de qualquer cultura vibrante e voltada para o valor. No entanto, em alguns cenários, como você está prestes a ver na história a seguir sobre a Lumeris, a mudança na cultura talvez precise ser iniciada *antes* da implementação dos OKRs. Em outros, como Bono e sua Campanha ONE mostrarão, um carismático CEO/fundador (neste caso, literalmente um astro do rock) pode invocar os OKRs para transformar a cultura a partir do topo. Dessa forma, nossas duas últimas histórias exploram essa rica inter-relação entre mudança da cultura e estabelecimento estruturado de metas.

19

A Mudança de Cultura: A História da Lumeris

Andrew Cole
Diretor de RH/Diretor de desenvolvimento organizacional

Quando uma organização ainda não está pronta para total abertura e responsabilização, uma operação cultural pode ser necessária antes da implementação dos OKRs. No livro *Empresas Feitas para Vencer* (Alta Books), Jim Collins observa que, em primeiro lugar, é preciso "colocar as pessoas certas no ônibus, tirar as pessoas erradas e, por fim, acomodar as pessoas certas nos lugares certos". Só então você gira a chave e pisa no acelerador.

Não faz muito tempo que uma empresa líder na área da saúde e orientada por valores estava em uma encruzilhada. A Lumeris é uma empresa de tecnologia e soluções com sede em St. Louis e fornece software, serviços e know-how a clientes e prestadores de serviços da área de saúde. Sua clientela varia de redes de hospitais universitários a seguradoras tradicionais. A empresa começou em 2006, em parceria com um grupo de 200 médicos da área de St. Louis, através de uma companhia de seguros regulada pelo governo americano, a Essence Healthcare, para atender a 65 mil idosos do Missouri com um plano Advantage do Medicare.

Aproveitando uma grande quantidade de dados de pacientes, a Lumeris ajuda organizações parceiras a converter os "cuidados de doenças" tradicionais, baseados em taxas e volumes, em algo completamente diferente: um sistema de prestação de cuidados de saúde que incentiva a prevenção e desencoraja testes desnecessários ou prejudiciais e as internações hospitalares. Segundo esse modelo baseado em valor, os médicos de cuidados primários assumem a responsabilidade por seus pacientes, do berço ao túmulo. O objetivo é melhorar a qualidade de vida ao mesmo tempo que se conservam recursos e dólares preciosos. Na Lumeris, eles mostraram como esses objetivos podem trabalhar de mãos dadas.

De acordo com o CEO, Mike Long, o objetivo audacioso é racionalizar a cadeia de fornecimento na área da saúde do país: "Em todas as outras indústrias, o sucesso é baseado em custo transparente, qualidade, serviço e disponibilidade de opções. Nenhum desses princípios funciona na área da saúde, porque o sistema é completamente opaco. Os médicos têm dificuldade em saber quais serviços são requisitados em seu nome e, principalmente, quanto eles custam. Nesse sentido, como é possível responsabilizá-los pelos resultados financeiros?" É um desafio de transformação, e a Lumeris, auxiliada pelos OKRs, está na vanguarda dessa mudança.

Dada a sua confiança em dados transparentes, a Lumeris parecia naturalmente adequada para o sistema de estabelecimento de metas de Andy Grove. No entanto, conforme Andrew Cole, o ex-chefe do RH, dirá, a adaptação não foi nada simples. Se as barreiras culturais não tivessem sido abordadas, como Andrew diz, "os anticorpos seriam soltos e o corpo rejeitaria os OKRs". Como um arquiteto experiente em mudanças organizacionais abrangentes, Andrew era a pessoa certa, no lugar certo, para garantir que o transplante do sistema OKR fosse realizado.

Andrew Cole: Quando cheguei à Lumeris, eles estavam trabalhando com OKRs, em tese, há três ciclos trimestrais. Tinham uma excelente taxa de participação dos funcionários, foi o que me disseram. Depois de uma análise profunda, no entanto, percebi que o processo era superficial. Ao final do trimestre, um solitário funcionário do RH andava por aí como um cachorro, mordendo os calcanhares dos gerentes para obter números atualizados antes da reunião do conselho. Os funcionários, no geral, entravam em uma plataforma de software, ajustavam de forma conveniente as métricas de um objetivo e diziam: "Pronto, terminei isso." Jogavam uma data ali de qualquer maneira e marcavam caixas de seleção. Ficava lindo no PowerPoint, mas não era verdadeiro.

Poucas pessoas entendiam a lógica dos negócios por trás dos OKRs. Estávamos perdendo o apoio explícito da liderança executiva. Acima de tudo, ninguém responsabilizava ninguém pelo ajuste do sistema. Quando examinávamos os objetivos das pessoas, eles não estavam conectadas ao trabalho real. Eu ia até os gerentes e perguntava: "Por que isso aparece nos seus OKRs?" Em muitos casos, eles não tinham ideia de como seus objetivos se ligavam ao que estávamos trabalhando para alcançar. Tudo feito para deixar a fachada bonita.

Tento entender uma organização, por partes, antes de chegar cobrando. Mas, dois trimestres depois, eu ainda não tinha certeza se o processo OKR poderia ser salvo. Em uma sessão fechada, perguntei a John Doerr o seguinte: "Se não acho que esta ferramenta é a certa para nós, então não seguimos com ela, certo?" Ele respondeu: "Sem dúvida." Até então, eu havia diagnosticado nosso problema fundamental. Era uma abordagem passivo-agressiva. Ninguém havia respondido a uma pergunta básica que todos da Lumeris estavam perguntando: "O que eu ganho com isso?" Embora o programa OKR tivesse a intenção sincera de melhorar o estabelecimento de metas e a comunicação colaborativa, as pessoas não confiavam nele. A menos que mudássemos o ambiente, ele não conseguiria ser bem-sucedido.

Uma transformação não acontece do dia para a noite. A equipe executiva havia trazido os OKRs para ajudar a integrar duas culturas internas conflitantes. A Essence, uma companhia de planos de saúde formada por um grupo de médicos de St. Louis, era avessa a riscos e cuidadosa tal como o próprio Hipócrates; a Lumeris ia além para encontrar grandes novidades sobre tecnologia e dados. A Essence alimentava um modelo privativo dentro de uma indústria hipercompetitiva; a Lumeris adquiria o aprendizado e o compartilhava com o mundo.

Como a demanda pelos nossos serviços começava a aumentar, essa lacuna entre culturas estava nos desacelerando. Em maio de 2015, 11 semanas após a minha chegada, anunciamos uma reorganização total sob a marca Lumeris (em se tratando de uma empresa, nosso raciocínio foi que ela deveria ter apenas um nome). Eu sabia que os OKRs poderiam eventualmente ser nossa língua comum, uma maneira de conectar os objetivos de todos, mas isso precisaria esperar. Sem um alinhamento cultural, nem a melhor estratégia operacional do mundo daria certo.

A Transformação do RH

As pessoas costumam observar mais as ações do que as palavras ditas. A Lumeris tinha alguns líderes de nível sênior com uma abordagem autocrática e antiquada. Eles não estavam vivendo nossos valores fundamentais: responsabilidade pessoal, conformidade legal, paixão pelo trabalho, lealdade à equipe. Nada mais importaria até que esses líderes saíssem da organização. Nos certificamos de que eles nos deixariam com sua dignidade e respeito intactos, o que é um momento revelador em qualquer projeto de transformação.

Em todas as reuniões sobre cultura corporativa, dissemos aos nossos funcionários: "Você tem o direito, ou melhor, a obrigação de responsabilizar sua equipe executiva pelo que estamos dizendo sobre como nossa cultura corporativa deve ser. Se não estivermos caminhando juntos, sinalize ou envie um e-mail. Ou simplesmente nos aborde no corredor e nos diga o que não estamos conseguindo fazer." Demorou três meses para que alguém aceitasse nosso convite.

Nosso CEO, Mike Long, em um almoço em grupo, disse: "Por que alguém iria querer trabalhar em um ambiente com medo de se responsabilizar?" Esse foi um poderoso ponto de inflexão e as pessoas começaram a acreditar no processo. A mudança cultural, no entanto, pode ser algo muito pessoal. Foi necessária uma conversa de cada vez para convencer nossos funcionários de que a colaboração, a responsabilidade compartilhada e a transparência seriam recompensadas, e para mostrar que não precisavam ter medo da nova Lumeris.

O RH pode ser um vetor potente para a excelência operacional. Ele é também o lugar onde a mudança cultural está cristalizada. No final das contas, a cultura tem relação com as pessoas que você recruta e os valores que elas trazem. Enquanto a Lumeris tinha sua participação de colaboradores de nível A e B na gerência intermediária, havia também colaboradores de nível C e abaixo e que haviam sido contratados com critérios errôneos e entrevistas vagas. Não há ferramenta no mundo, incluindo os OKRs, que funcione com o manual de instruções errado.

O tempo é o inimigo da transformação. Levamos menos de 18 meses para substituir 85% de nossos profissionais de RH. Uma vez que a alta gerência e os funcionários da linha de frente estavam totalmente a bordo, enfrentamos o problema mais difícil: fortalecer a gerência intermediária. Isso normalmente é um processo de três anos, do início à estabilidade. Quando estiver completo, a nova cultura corporativa estará garantida.

OBJETIVO

Instituir uma cultura que atraia e retenha colaboradores de nível A.

RESULTADOS-CHAVE

1. **Focar a contratação de gerentes/líderes de nível A.**
2. **Otimizar a função de recrutamento para atrair talentos de nível A.**
3. **Refazer todas as descrições de cargos.**
4. **Treinar todos os envolvidos no processo de entrevistas.**
5. **Garantir oportunidades de coaching/orientação contínuas.**
6. **Criar uma cultura de aprendizado para o desenvolvimento de novos e antigos funcionários.**

A Ressurreição do OKR

No final de 2015, pedi à minha equipe de RH para estudar detalhadamente a tentativa anterior da empresa com os OKRs. Se tivéssemos de fazer outra coisa, precisaríamos treinar novamente todos na empresa. Isso mesmo. Todos. Não teríamos uma terceira chance.

No mês de abril, relançamos a plataforma com um programa-piloto de 60 dias para 100 funcionários em nosso grupo de operações. Nosso vice-presidente sênior de operações e serviços tinha algumas dúvidas. No entanto, com um treinamento aprimorado, além de melhorias no software, ele se tornou um entusiasta. Em menos de duas semanas, ele estava enviando e-mails para o grupo-piloto: *Por que você escreveu este objetivo dessa maneira? Qual é a métrica aqui? Eu não entendi este OKR. Não é o que estou vendo do feedback do cliente.* E o pessoal dele estava pensando: "Ele está prestando atenção! É melhor eu olhar isso mais de perto."

Ganhar o apoio de nossas tropas aos OKRs não foi fácil ou instantâneo. Longe disso. A transparência é algo assustador. Admitir seus fracassos de forma visível e pública pode ser aterrorizante. Tínhamos que reconectar as pessoas ao modo como elas foram criadas desde o jardim de infância. É como mergulhar pela primeira vez. Quando você submerge dez metros, a adrenalina bomba e você duvida até de si próprio. Mas quando volta à superfície, está em êxtase. Você adquire uma nova visão de como as coisas funcionam embaixo d'água.

O mergulho nos OKRs não é diferente. Quando começamos a ter conversas honestas, vulneráveis e de mão dupla com nossos subordinados diretos, começamos a ver o que os motiva. Seu anseio de se conectar a coisas maiores do que eles próprios é perceptível. Ouvir a necessidade de reconhecimento pela importância do que estão fazendo é parte do processo. Através de uma janela aberta de objetivos e resultados-chave, é possível reconhecer as fraquezas do outro sem se preocupar com ameaças externas (para os gerentes, inclusive, um benefício particular dos OKRs está no auxílio de contratações que possam compensar as próprias limitações gerenciais). Nosso pessoal parou de rodar em torno de seus contratempos. Eles começaram a perceber que não havia vergonha em tentar o seu melhor e falhar, já que os OKRs os ajudam a falhar de maneira inteligente e a falhar rápido.

A maré tinha virado. Começamos a ouvir comentários do tipo: "Eu era um completo opositor, mas agora vejo como isso pode funcionar para mim." Noventa e oito por cento do grupo-piloto se tornaram usuários ativos da nossa plataforma OKR; 72% definiram, pelo menos, um objetivo alinhado aos objetivos da empresa. E 92% do grupo-piloto disseram que agora entendiam "o que meu gerente espera de mim".

Transparência Sem Julgamentos

Neste momento, eu estava trabalhando com Art Glasgow, que chegou na primavera de 2016 como nosso presidente e diretor de operações. Nós dois concordamos que não havia sentido para os OKRs, a menos que fôssemos até o fim. Art se voluntariou para ser o patrocinador executivo. O nosso pastor da definição de metas. Ele se levantou na frente de uma reunião geral e disse: "Os OKRs são como vamos administrar a empresa, e vamos usá-los para medir o desempenho de seus chefes" (esse era o estímulo que compensava o processo). O papel de Art na cruzada não pode ser superestimado. Ele deu o tom para o que ele chama de "transparência brutal sem julgamento". E tornou meu trabalho menos solitário.

No terceiro trimestre, quando os OKRs foram lançados para todos os 800 funcionários da Lumeris, criamos o programa de treinamento de nossos próprios coaches. Durante um período de cinco semanas, nosso departamento de RH reinventado fez horas extras para se reunir com cada gerente, mais de 250 deles, em grupos que cabiam em uma sala de aula. Mantivemos as portas abertas para eles virem e conversarem conosco individualmente, e lhes dissemos que nenhuma pergunta seria considerada estúpida. Essas sessões se tornaram uma oportunidade de ouro. Elas foram fundamentais na construção do engajamento e na motivação das pessoas em prol das expectativas.

A definição de metas é mais uma arte do que uma ciência. Não estávamos apenas ensinando as pessoas a refinar um objetivo ou um resultado-chave mensurável. Nós tínhamos uma agenda cultural.

- *Por que a* transparência é importante? Por que você deseja que pessoas de outros departamentos conheçam suas metas? E por que o que estamos fazendo importa?
- *O que* é responsabilidade? Qual é a diferença entre a responsabilidade com o respeito (em virtude de falhas alheias) e a responsabilidade com a vulnerabilidade (em virtude de nossas próprias falhas)?
- *Como os* OKRs podem ajudar os gerentes a "trabalhar com o suporte de outras pessoas"? (Esse é um fator relevante de escalabilidade em uma empresa em crescimento.) Como podemos envolver outras equipes para adotar o nosso objetivo como uma prioridade e ajudar na garantia de alcançá-lo?
- *Quando* é a hora certa de impor um desafio ao trabalho de uma equipe ou tirar o pé do acelerador? Quando é o momento de deslocar um objetivo para outro membro da equipe, de reescrever uma meta para torná-la mais clara ou retirá-la completamente do jogo? A ocasião oportuna é um elemento fundamental para construir a confiança dos colaboradores.

Não há manual para abordar essas questões. A sabedoria reside em líderes que possuem conexões pessoais com suas equipes, em gerentes que podem mostrar o sucesso e sabem quando declarar a vitória (meu conselho: não faça isso cedo demais).

Nosso investimento em treinamento gerou dividendos. No terceiro trimestre de 2016, o primeiro ciclo completo do nosso sistema, 75% dos colaboradores criaram pelo menos um OKR. Nossos números de retenção começaram a tomar a direção certa. A Lumeris tem menos demissões nos dias de hoje. Estamos contratando as pessoas certas e mantendo quem pode prosperar aqui.

Vermelhidão à Mostra

Pouco depois da sua chegada, Art realizou uma análise completa dos negócios para a equipe de liderança da Lumeris, em um evento de um dia fora do local de trabalho. Essa análise está no calendário mensal da empresa. Quando nossos OKRs primordiais são projetados de maneira evidente, fica claro quais líderes estão cumprindo seus objetivos. Art não gosta de amarelos. Então, todo OKR é verde (no caminho certo) ou vermelho (de risco). Não há ambiguidade nas curvas de análise e nenhum lugar para esconder as feridas.

As avaliações duram três horas, com uma dúzia de executivos seniores tomando sua vez para falar. Pouco tempo é gasto nos OKRs verdes das pessoas. Em vez disso, os colaboradores deixam seus OKRs vermelhos à mostra. A equipe vota nos OKRs de risco mais importantes para a empresa como um todo e, em seguida, faz um brainstorming, o tempo que for necessário para colocar os objetivos de volta nos trilhos. No espírito da solidariedade interdepartamental, os indivíduos se oferecem para "cuidar" das vermelhidões dos colegas. Como Art diz: "Estamos todos aqui para ajudar. Estamos todos no mesmo barco." Até onde sei, o modo de "vermelhidão à mostra" é um uso exclusivo de OKRs e vale a pena ser imitado.

A Lumeris transformada de hoje valoriza a interdependência. Ela premia a coordenação intencional. "Os OKRs fazem você trabalhar *com* a empresa, em vez de apenas trabalhar *na* empresa", conta Jeff Smith, vice-presidente sênior da empresa na área de análise mercadológica nos EUA. "Nossas chefias dos mercados regionais aproveitam as oportunidades de forma coletiva, e não de forma isolada. Estamos migrando da cultura do herói para uma cultura de equipe." Smith ficou surpreso ao descobrir que as equipes de operações e de serviços estavam vinculando seus objetivos diretamente às metas de vendas de Smith. No passado, disse Smith: "Eu ouvia coisas como: 'Estou na área de serviços e você na área de vendas. Então, só faça a porcaria do seu trabalho.' Agora, o clima é de chamar um *wide receiver* para executar uma jogada: 'Estou aqui, me deixe ajudá-lo'. Esse foi um resultado do processo OKR que eu nunca esperei."

Primeiro, a Lumeris precisava nutrir a cultura certa para os OKRs criarem raízes. Então, precisava de OKRs para sustentar e aprofundar essa nova cultura, para ajudar a conquistar os corações e as mentes das pessoas. Essa é uma campanha que nunca termina.

Médicos e líderes da Lumeris em 2017. No fundo: Dra. Susan Adams e Art Glasgow, diretor operacional. Na frente: Dr. Tom Hastings e Mike Long, CEO.

Com base em todas as métricas, o ano de 2017 foi marcante para a Lumeris, agora líder de mercado em cuidados médicos orientados por valor. "O mercado está começando a mudar", disse-me Art Glasgow. "Pela primeira vez, sinto que nosso plano de vendas começa a ficar realista. Agora eu posso, de fato, colocar algumas metas desafiadoras."

No momento em que escrevo este texto, a Lumeris lançou parcerias com clientes, grupos fornecedores e sistemas de saúde em 18 estados dos EUA, respondendo por mais de um milhão de vidas. O potencial é impressionante. Se for adotado em todo o país, o modelo de Missouri da empresa poderia economizar até US$800 bilhões anualmente em gastos médicos dispendiosos. E o melhor: ele aumentaria a qualidade e a quantidade de vidas salvas naquela nação.

Na Lumeris de hoje, os OKRs são parte da mobília. Segundo Andrew Cole, quando os funcionários conseguem enxergar o tesouro submerso de uma nova empresa, ninguém resistirá à tentação do mergulho.

20

Mudança de Cultura: A História da Campanha ONE de Bono

Bono
Cofundador

Nós acabamos de ver como os OKRs podem dar encerramento a uma mudança de cultura local. O estabelecimento de metas estruturadas, conforme a história de Bono demonstra, também pode promover uma reconfiguração cultural enriquecedora.

Por quase duas décadas, o maior astro do rock mundial realizou "um experimento de antiapatia em escala global". A primeira Meta Audaciosa e Cabeluda de Bono veio da iniciativa global Jubilee 2000, que levou a US$100 bilhões em quitação de dívidas dos países mais pobres do mundo. Dois anos depois, com uma doação concedida pela Fundação Bill & Melinda Gates para startups, Bono cofundou a DATA (Dívida, Aids, Transações, África), uma organização global para defender a mudança de políticas públicas. Sua missão declarada era lidar com questões como pobreza, doenças e desenvolvimento na África, em aliança com órgãos governamentais e outras ONGs multinacionais. (Bill Gates diria que foi o melhor milhão de dólares que ele já gastou.) Em 2004, Bono lançou a Campanha ONE para catalisar uma coalizão apartidária, ativista e popular. Ela é o complemento externo para o jogo interno da DATA.

Turnê 360 do U2, em 2009.

Desde o momento em que nos conhecemos, fiquei impressionado com a paixão de Bono pelo "fativismo", ou pelo ativismo baseado em fatos. No ambiente realístico, analítico e orientado para resultados da ONE, os OKRs eram fáceis de vender. Nos últimos dez anos, eles ajudaram a esclarecer as prioridades da organização. Uma tarefa difícil quando sua missão é mudar o mundo. De acordo com David Lane, ex-CEO da organização, "nós precisávamos de um processo disciplinador para nos impedir de tentar fazer tudo".

À medida que a ONE crescia, ela se apoiava em OKRs para alcançar mudanças culturais fundamentais. A campanha está migrando de um trabalho *sobre* a África em direção a um trabalho *na* e *com* a África. Certa vez, David me disse o seguinte: "Houve uma mudança filosófica gigantesca na forma como as pessoas pensam em ajudar o mundo em desenvolvimento a se desenvolver. O foco agora é capacitar esses países a crescerem por conta própria. Os OKRs desempenharam um papel fundamental na forma como fizemos isso."

A fim de melhorar a vida das pessoas mais vulneráveis do mundo, a ONE ajudou a entregar cerca de US$50 bilhões em financiamento para iniciativas históricas na área da saúde. Além disso, ela fez uma pressão social bem-sucedida por regras de transparência para combater a corrupção e canalizar recursos das receitas africanas de petróleo e gás na guerra contra a extrema pobreza. Em 2005, ao lado de Bill e Melinda Gates, Bono foi eleito a personalidade do ano pela revista *Time*.

Bono: Nós tínhamos grandes metas para o U2 desde o começo. (Pode-se dizer que a megalomania surgiu muito cedo.) Edge já era um guitarrista realizado e Larry era um bom baterista, mas eu era um cantor fraco e Adam realmente não tocava baixo bem. Foi o momento em que pensamos o seguinte: não somos tão bons quanto essas outras bandas. Então, é melhor sermos *melhores do que eles*.

Não éramos tão educados ou talentosos quanto as bandas que íamos ver, mas tínhamos química. Isso é o que faz a mágica acontecer. Achávamos que poderíamos explodir o mundo, se não explodíssemos primeiro. Tínhamos a sensação de que iríamos até o fim. As outras bandas tinham tudo, mas nós tínhamos *algo*. Costumávamos repetir esse mantra para nós mesmos.

Como medíamos a eficácia? Bem, no início, fizemos perguntas sobre o nosso lugar no mundo, para além das paradas de sucesso ou dos fã-clubes, tais como: nossa música pode ser *útil*? A arte pode inspirar mudanças políticas? Em 1979, quando tínhamos apenas 18 anos, um dos nossos primeiros trabalhos foi em um show antiapartheid. Um outro foi um show a favor da contracepção. Na Irlanda, isso era uma coisa grande. Mais tarde, aos nossos vinte e poucos anos, nos tornamos, deliberadamente, um incômodo para o que se poderia chamar de grupos terroristas irlandeses e para todas as pessoas que estavam em dúvida sobre eles. Nós nos sentíamos obrigados a dizer que explodir crianças em supermercados não era certo. Medíamos nosso impacto político pelos tomates que voavam em nossa direção.

Então chega a hora em que você quer que suas músicas sejam gravadas. Trabalhamos muito duro para chegar ao sucesso, na verdade. Éramos um fenômeno ao vivo, mas nossos singles não se saíram muito bem. Assim, julgávamos nosso sucesso pela venda de ingressos e, depois, pela venda de álbuns.

A Escolha das Nossas Lutas

Quando fundamos a DATA, nossa organização sem fins lucrativos, fizemos exatamente o mesmo que havíamos feito com o U2. Era uma vez uma banda: Lucy Matthew, Bobby Shriver, Jamie Drummond e eu. Não sabíamos quem era o cantor, o baixista, o baterista ou o guitarrista, mas sabíamos que não éramos um bando de hippies e pensadores esperançosos. Éramos mais punk rock. Abraçávamos as oportunidades e éramos durões. Estávamos trabalhando em uma única ideia: o encerramento da dívida dos países mais pobres. Éramos bons nisso, escolhendo uma luta de cada vez e indo para ela com uma agenda organizada.

Depois, fomos atrás do acesso universal aos medicamentos contra a aids, outra meta clara e, devo dizer, as pessoas riram da nossa cara: "Sua mente não tem a mínima noção. Isso é impossível. Por que lutar contra a doença mais cara de todas quando se pode atacar a malária ou a cegueira dos rios? Ou acabar com a poliomielite?"

Lembro-me de dizer o seguinte: "Não. Estamos contra essa doença porque essas duas pílulas (agora é uma só) são uma representação visual da desigualdade. Se você mora em Dublin ou Palo Alto, tem acesso a elas. Se você mora em Lilongwe, no Malauí, na África, não tem. Então, por causa de um acaso da longitude e da latitude, você vive ou morre. Isso não é certo."

De qualquer forma, eu tinha certeza de que poderíamos vencer essa discussão, porque todos sabiam que tal desigualdade estava errada. Foi assim, bem simples. Isso foi anos antes de usarmos os OKRs, mas mesmo assim eu costumava dizer: "Imagine o Everest. Agora descreva quão difícil é a subida. Em seguida, descreva como vamos chegar ao cume." Assim como o Everest, vencer a aids parecia quase impossível. Primeiro, você precisa ser capaz de descrevê-lo. Só então você pode escalá-lo.

Agora estamos em 2017. Vinte e um milhões de pessoas têm acesso às terapias antirretrovirais. Isso é incrível. E as mortes relacionadas à aids caíram 45% nos últimos dez anos. Novas infecções por HIV em crianças diminuíram em mais da metade. E estamos no ritmo de vencer a luta contra a transmissão de mãe para filho até 2020, para erradicar a doença. Acredito que viveremos para ver um mundo sem aids.

O Crescimento com os OKRs

Nossa banda tipo ONG era empreendedora em espírito e rastreamos nossas metas internamente. Porém, só conseguimos chegar a certo ponto sem processo. Uma vez que começamos a ter um impacto real e um acesso real, a DATA obteve mais dados: procedimentos mais mensuráveis, resultados mais mensuráveis. Depois, reunimos 11 grupos diferentes para formar uma coalizão para dar suporte à Campanha ONE. Tínhamos muitas pessoas brilhantes e talentosas, mas nosso problema era a grande quantidade de metas. Uma revolução verde na África. Educação feminina. Pobreza energética. Aquecimento global. Estávamos em todo lugar.

A DATA e a ONE fundiram duas culturas muito diferentes. Ficou complicado. Percebemos que nós mesmos éramos carentes de transparência. Se você não tiver marcos claros para suas metas, haverá sobreposição e dissonância. Os colaboradores se confundem sobre suas funções. Por um tempo, tínhamos um desacordo real na nossa organização.

Aqui está o motivo: nunca pensávamos pequeno. O desafio estava sempre lá. Só que nossos objetivos eram tão gigantescos que nos esforçávamos demais e deixávamos as pessoas cansadas. Os OKRs nos salvaram, de verdade. Tom Freston, presidente do conselho da ONE, percebeu o valor deles. Então, eles se tornaram parte da operação, e Freston desempenhou um papel muito importante. Os OKRs nos forçaram a pensar com clareza e chegar a um consenso sobre o que poderíamos alcançar com os recursos que tínhamos. Eles nos deram uma moldura para expormos nossa paixão. Essa estrutura é necessária porque, sem ela, seu cérebro fica muito abstrato. Os semáforos da OKR, o código de cores, transformaram nossas reuniões de diretoria. Eles afiaram nossa estratégia, nossa execução, nossos resultados. Eles nos tornaram uma arma mais eficaz na luta contra a extrema pobreza.

A Base

Quando John Doerr chegou à nossa primeira reunião do conselho da ONE, nos fez uma pergunta simples e profunda: "Para quem estamos trabalhando? Quem é o cliente aqui?"

Nós respondemos: "John, estamos trabalhando para os mais pobres e vulneráveis do mundo." John disse: "Bem, então, eles têm um assento à mesa de jantar, certo?"

Respondemos: "Claro. Toda a mesa está lá para eles."

E valeu a pena a persistência de John: "Vocês conseguem visualizar essa pessoa? Não deveríamos pensar nela, fisicamente, sentada aqui ao nosso lado?"

Esse é o pensamento que estruturou a base que eventualmente transformou a nossa ONE. A cutucada de John estava alinhada com uma fala de um homem que conhecemos em Paris uma vez. Ele era do Senegal: "Bono, você conhece o provérbio senegalês? 'Se você quer cortar o cabelo de um homem, não é melhor que ele esteja na sala?'" Ele disse isso de uma forma muito carinhosa, mas não perdemos o toque: *tenha cuidado se você acha que sabe o que nós queremos.* Porque nós sabemos o que queremos. Você não é africano e esse complexo messiânico nem sempre dá muito certo.

Em 2002, no sudeste da África, eu tinha visto pessoas com HIV aguardando a morte. Junto com muitos outros ativistas contra a aids, eu enviava sinalizações dramáticas sobre a escala e a devastação dessa pandemia. Encorajava a todos em nossa organização a nunca dizerem a palavra *aids* sem acrescentar a palavra *emergência.* "A emergência da aids." Em 2009, porém, houve uma reação negativa. Alguns africanos mais endinheirados criticaram a maneira sobre como estávamos caracterizando a aids, embora estivéssemos certos. Uma economista chamada Dambisa Moyo escreveu um livro chamado *Dead Aid* e liderou uma investida entre aqueles que pensavam: "Tome sua ajuda de volta. Não precisamos dela. Isso está fazendo mais mal do que bem. Estamos tentando reformular o continente como um lugar positivo para investir, viver e trabalhar. Você está causando danos a essa reformulação."

Percebi que a credibilidade da ONE estava sob ameaça. Havíamos nos concentrado nos governos do hemisfério norte, porque as decisões em Washington, Londres e em Berlim tiveram grandes consequências para muitos dos países mais pobres. Jamie e outros amigos ativistas, como John Githongo, Ory Okolloh e Rakesh Rajani, nos lembravam da mesma coisa. O futuro da África tinha que ser decidido pelos africanos. Nós demos o nome de ONE para nossa organização, mas éramos apenas metade das pessoas necessárias para resolver esses problemas. Era fantasioso pensar que aqueles ao norte do equador poderiam acabar com a extrema pobreza sem uma parceria completa com aqueles ao sul do equador.

A ONE se comprometeu, então, com mudanças organizacionais e culturais. Mesmo agora, ainda estamos aumentando nosso trabalho colaborativo com os líderes africanos, de base popular, governamental e todos os outros setores. Nós estabelecemos um departamento de desenvolvimento africano em Joanesburgo e em todo o continente. Os OKRs nos mantiveram focados em mudanças concretas que precisávamos fazer: contratar funcionários na África, expandir nosso conselho, reconectar-nos com os antigos parceiros da Jubilee e identificar novas redes de consulta. Acho que nos tornamos melhores ouvintes. E acho que não conseguiríamos ter feito isso sem os objetivos e os resultados-chave.

OBJETIVO

Integrar proativamente uma vasta gama de perspectivas africanas no trabalho da ONE; alinhar-se mais com as prioridades africanas; partilhar e alavancar o capital político da ONE para alcançar mudanças políticas específicas na África e em prol da África.

RESULTADOS-CHAVE

1. **Concluir a contratação de três funcionários africanos até abril e dois membros africanos para o conselho até julho.**
2. **Conselho consultivo africano em vigor até julho e convocado duas vezes até dezembro.**

> 3. **Relacionamentos totalmente desenvolvidos com, no mínimo, dez a quinze pensadores africanos líderes que desafiem e orientem ativa e regularmente as posições políticas e de trabalho externo da ONE.**
>
> 4. **Realizar quatro viagens participativas pela África ao longo de 2010.**

A Avaliação da Paixão

Ter o empresário e filantropo sudanês Mo Ibrahim no nosso conselho foi simplesmente transformador. Na África, ele é quem manda no palco. Ele e sua filha, Hadeel, nos proporcionaram o sinal intelectual no continente que estávamos perdendo, o que era extremamente necessário para sintonizar canais mais fortes. Antes de nos conhecermos, Mo foi apropriadamente duro sobre alguns dos nossos objetivos. Ele nos conduziu à transparência como um objetivo central, não apenas na África, mas na Europa e na América. Nos debruçamos sobre algumas pesquisas e constatamos que a corrupção drena um trilhão de dólares por ano dos países em desenvolvimento. "Isso é mais relevante do que o HIV/aids", Mo nos disse. "Isso vai salvar mais vidas."

Com a iniciativa vinda dos africanos, a mudança na ONE progrediu. Fizemos pressão lado a lado com o coletivo Publish What You Pay. Esse movimento tornou ilegal a prática de qualquer empresa na Bolsa de Valores de Nova York e na UE de esconder o pagamento por direitos de mineração. Ano passado, Aliko Dangote, que eu já ouvi ser chamado de Bill Gates da África, entrou para o conselho.

Tudo bem até então, porém também precisamos ser honestos sobre os fatos. Por exemplo: no mês de dezembro de 2017, a ONE possui 8,9 milhões de membros que realizaram assinaturas online ou participaram de pelo menos uma ação (mais de três milhões deles estão agora na África). Posso até ver Bill Gates revirando os olhos e comentando: "Grande coisa. Signatários online não são membros. São apenas pessoas que assinam alguma coisa." Claro que ele está correto. Mas isso nos levou a uma pergunta: como medimos o envolvimento dos membros? E com qualquer métrica que venhamos a seguir, o número fica estático ou poderia crescer? Precisávamos provar que poderíamos levar pessoas de signatários a membros, ativistas, catalisadores. Foi assim que encontramos maneiras de agradecer e recompensar nossos membros por fazerem mais do que uma ação. Nós inundávamos de pessoas os distritos de certos senadores e congressistas norte-americanos, e isso os irritava. Por exemplo, se você perguntar à Kay Granger, uma congressista texana do Partido Republicano, ela provavelmente se lembrará de pessoas com a camiseta ONE em toda parte, pressionando-a para tomar uma posição. Contudo, não estamos em todo lugar; ela era um dos nossos alvos estratégicos. E realmente agiu conforme a ONE queria.

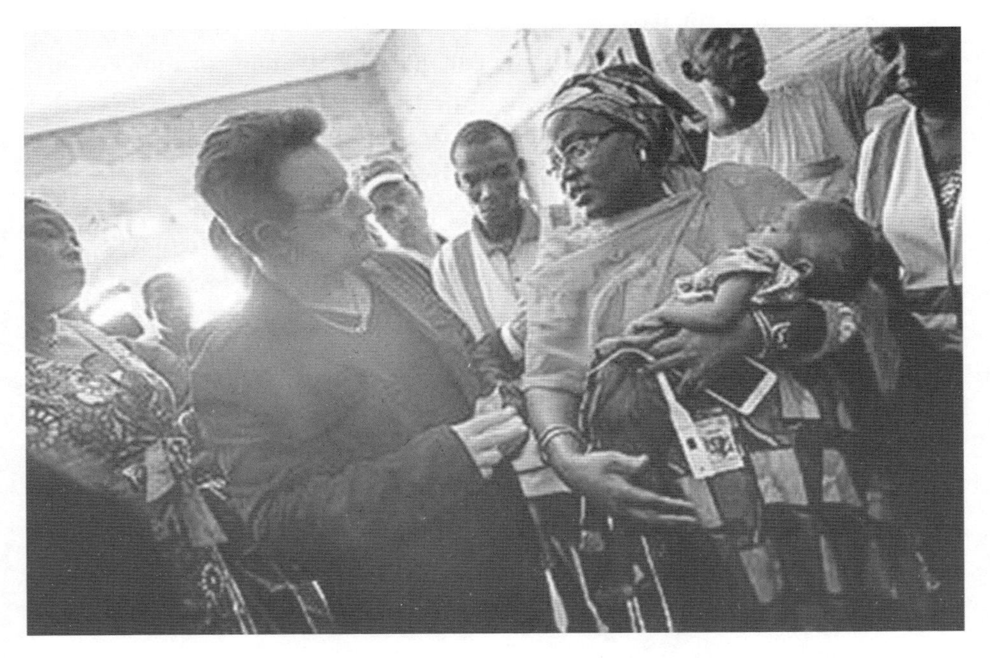

Bono leva a campanha ONE a Dalori, na Nigéria, para visitar os campos de refugiados, em 2016.

Ninguém jamais havia avaliado a paixão dos ativistas. Parece estranho, mas isso é totalmente OKR. Digamos que você seja um apaixonado. Apaixonado *como*? Quais ações sua paixão o leva a fazer? E agora, quando Bill Gates faz perguntas difíceis em nossa reunião do conselho, podemos trazer nossos OKRs e dizer: "Aqui está o que fizemos e esse é o impacto obtido."

Uma Estrutura OKR

Há alguma desvantagem no uso dos OKRs? Bem, se você os ler incorretamente, suponho que possa ficar organizado *demais*. A ONE não pode ser institucional. Temos que nos manter disruptivos. Estou sempre com medo de nos tornarmos corporativos e tentarmos atingir todos os objetivos trimestrais. Precisávamos de John para nos lembrar: "Se tudo estiver no verde, você falhou." Era um movimento antirracional para muitas pessoas, especialmente agora que somos financiados e temos os melhores e mais brilhantes trabalhando por aqui. Porém, John continuava dizendo: "Precisamos de mais vermelhidão!" Ele estava certo. Precisávamos de ambições maiores, porque é nisso que somos bons. Somos menos bons no material incremental.

A ONE não é sustentada pela nossa paixão. Não somos sustentados pela nossa indignação moral. Somos sustentados por uma base construída sobre certos princípios, com paredes e pisos, com uma certa estrutura de pensamento a partir dos OKRs. E por isso, somos muito, muito gratos. É preciso rigor intelectual para efetuar a mudança, e isso requer estratégias muito sérias, de fato. Se o coração não encontrar uma sincronia perfeita com a mente, então sua paixão não significa nada. A estrutura OKR cultiva a loucura. Essa é a química do sistema. Isso nos proporciona um ambiente de risco, de confiança, onde a falha não é uma ofensa passível de castigo, ou seja, um lugar seguro para ser você mesmo. Quando há esse tipo de estrutura e ambiente, e as pessoas certas, a magia logo aparece ali.

E então: Edge era um guitarrista muito talentoso desde o começo, mas eu não era o melhor cantor. Adam não era o melhor baixista. E Larry estava chegando lá como baterista. Tínhamos nossos objetivos, no entanto, e uma ideia aproximada de como alcançá-los. Queríamos ser a melhor banda do mundo.

21

As Metas por Vir

O que me mantém seguindo em frente são as metas.
— ***Muhammad Ali***

Ideias são fáceis; a execução é tudo.

Se você leu até aqui, percebeu como os OKRs e os CFRs ajudam as organizações de todos os tamanhos e tipos a moverem montanhas. Já ouviu relatos em primeira mão de como eles inspiram trabalhadores, desenvolvem líderes e unificam equipes para fazer grandes coisas. Através da avaliação do que importa, os objetivos e os resultados-chave estão ajudando Bono e a Fundação Gates a se mobilizarem contra a pobreza e as doenças na África. Estão impulsionando o Google na audaciosa aventura das dez vezes para tornar as informações do mundo livremente acessíveis a todos. Estão empoderando os especialistas em pizza da Zume para entregar uma pizza artesanal, roboticamente montada, quente e fresca à porta do cliente.

E o melhor está por vir: acho que estamos apenas começando.

Os OKRs podem ser chamados de ferramenta, protocolo ou processo. Minha imagem preferida, porém, é uma plataforma de lançamento, um ponto de partida para a próxima onda de empreendedores e intraempreendedores. Meu sonho é ver a ideia louca de Andy Grove transformando todos os caminhos da vida. Acredito que isso possa ter um enorme impacto no crescimento de PIBs, nos resultados dos serviços de saúde, no sucesso escolar, no desempenho governamental, nos resultados dos negócios e no progresso social. Temos vislumbres desse futuro através de alguns pensadores que pensam à frente, como Orly Friedman, que apresentou os OKRs a todos os alunos do ensino fundamental na Khan Lab School em Mountain View, na Califórnia. Imagine que você tenha cinco ou seis anos e estabeleça suas próprias metas de aprendizado, seus próprios objetivos e resultados-chave à medida que aprende a raciocinar e ler.

Estou convencido de que, se a definição de metas estruturada e a comunicação contínua fossem amplamente implantadas, com rigor e imaginação, poderíamos ver produtividade e inovação exponencialmente maiores em toda a sociedade.

Os OKRs têm um potencial tão grande porque são muito adaptáveis. Não há dogma, nem um jeito certo de usá-los. Organizações diferentes têm necessidades flutuantes, em várias fases de seu ciclo de vida. Para alguns, o simples ato de tornar as metas abertas e transparentes é um grande passo à frente. Para outros, uma cadência de planejamento trimestral mudará o jogo. Cabe a você encontrar seus pontos de ênfase e tornar a ferramenta realmente sua.

Este livro conta um punhado de histórias dos bastidores dos OKRs e CFRs. Outras milhares estão apenas começando ou ainda precisam ser contadas. Seguindo em frente, vamos continuar esta conversa no whatmatters.com (conteúdo em inglês). Venha nos visitar por lá. Você também pode participar da discussão enviando um e-mail para john@whatmatters.com (em inglês).

Meu último OKR desafiador é capacitar as pessoas para alcançar de forma coletiva o aparentemente impossível. Criar culturas duradouras em prol do sucesso *e* da significância. E preparar uma fonte de inspiração em prol de todos os objetivos, especialmente os seus, pois eles são o que mais importa.

DEDICATÓRIA

Este livro é dedicado a duas pessoas extraordinárias que nos deixaram muito cedo, em um período de quatro semanas em 2016. Andy Grove, o brilhante criador do sistema OKR, é lembrado em detalhes nestas páginas. A sabedoria de Bill Campbell, "o Coach", é invocada de forma mais fugaz. Aqui, então, está a nossa oportunidade de celebrar Bill, um homem que proporcionou tanto para muitos. Desde seu dom de comunicação honesta e aberta até seu zelo pela excelência operacional, o Coach incorporou o próprio espírito dos OKRs. Então, é justo que ele esteja sempre por perto.

Naquela clara manhã de abril em Atherton, na Califórnia, foi preciso uma grande tenda para abrigar a missa fúnebre de Bill nos campos esportivos de Sacred Heart. Um lugar onde ele passara tantos sábados treinando alunos do oitavo ano em flag football ou softball. Mais de 3 mil pessoas vieram, desde Larry Page e Jeff Bezos até as gerações dos jovens que haviam jogado com ele. Bill abraçara cada um de nós como um urso desajeitado e sem orientação. E cada um de nós acreditava que Bill era nosso melhor amigo. Sua vida era a maior tenda de todas.

Filho de um professor de Educação Física que trabalhava à noite na usina siderúrgica de Homestead, na Pensilvânia, Bill ganhou seu apelido na década de 1970 como treinador do time de futebol americano na instituição acadêmica da qual foi aluno, a Universidade Columbia.* Só que o treinador se tornaria *o Coach* quando trocou o campo esportivo por uma arena ainda mais competitiva, ou seja, as salas de diretoria e executivas do Vale do Silício. Ele era um ouvinte de nível mundial, um mentor das estrelas e o homem mais sábio que

* Com 75kg e jogando como linebacker, Bill havia liderado o time no único título da equipe na Ivy League, em 1961. Meio século depois, ele presidiu o conselho de administração da universidade.

já conheci. Sua humanidade ambiciosa, atenciosa, responsável, transparente e irreverente construiu a cultura no Google e em dezenas de outras empresas, tal como vemos hoje.

No *The New Yorker*, Ken Auletta registrou o seguinte: "Na capital mundial da engenharia, onde a renda per capita pode parecer inversamente relacionada às habilidades sociais, Campbell foi o homem que ensinou os fundadores a olharem para além de suas telas de computador... Seu obituário não apareceu na frente da maioria dos jornais ou no topo da maioria dos sites de notícias sobre tecnologia, mas deveria."

Nos conhecemos no final dos anos 1980. Eu estava recrutando um CEO para uma das minhas empresas mais famosas, a GO Corporation, uma empresa de computadores com tela adaptável para desenho (Bill brincava que deveríamos chamá-la de "GO, Going, Gone"). Ele foi recomendado por Debra Radabaugh, a principal recrutadora de executivos do Vale do Silício, e por seu antigo chefe de marketing da Apple, Floyd Kvamme, que eu havia contratado para a Kleiner Perkins. O acordo foi selado quando visitei a equipe de Bill na Claris, a subsidiária de software da Apple. Normalmente, sou rápido em julgar se estou pronto para me meter em problemas com um empreendedor, embora possa demorar um pouco mais para persuadi-lo a ter problemas comigo. A Claris tinha um espírito de equipe tão forte e uma estima tão óbvia por Bill, que eu achei fascinante na hora.

Quando a Apple e John Sculley se recusaram a desmembrar a Claris em uma IPO, como havia sido prometido para Bill, ele aceitou o emprego na GO. Embora o nosso modelo de negócio tenha fracassado, o tempo que passamos juntos foi fabuloso. Antes de Bill, a equipe executiva da GO iniciaria cada votação com uma discussão acalorada sobre estratégia, vencedores, perdedores e ressentimentos gerais. Depois que Bill se tornou CEO, tudo isso mudou. Ele se sentava com executivos de maneira individual e perguntava sobre suas famílias, contava uma história ou duas de maneira coloquial, e aos poucos aprendia como eles se sentiam sobre o assunto em questão. Ele tinha uma maneira notável de fazer as pessoas concordarem antes de entrarem na sala de reuniões, e logo não havia mais votações na GO. Para Bill, tudo sempre era sobre a equipe, a empresa. Ele era desprovido de motivos ou agendas particulares. A missão estava acima de tudo.

Bill era um líder mestre que desenvolveu grandes líderes. Cinco de seus subordinados diretos no GO se tornaram CEOs ou diretores gerais de seus próprios empreendimentos. Eu dei suporte a cada um deles e cada um deles gerou lucro. Entre muitas lições, Bill nos ensinou a importância da dignidade de uma equipe, especialmente quando uma empresa falha. Depois que a GO foi vendida para a AT&T, garantimos que aqueles que foram dispensados tivessem ótimas referências e encontrassem bons lares para suas carreiras.

Em 1994, trouxe Bill de volta comigo para a Kleiner Perkins como "executivo residente", instalei-o no escritório de canto ao lado do meu e prometi encontrar outra empresa para ele tocar. Na mesma época, o fundador da Intuit, Scott Cook, decidiu contratar um CEO. Assim que apresentei Bill a Scott, o tempo de uma volta pelo bairro de Bill, em Palo Alto, foi suficiente para que o Coach conseguisse o emprego. Ele e Scott construíram um relacionamento impressionante e uma empresa espetacular.

No início do mandato de quatro anos de Bill, ele enfrentou uma crise. As receitas estavam caindo a um ponto que eles estavam prestes a perder o trimestre. Tínhamos um conselho de diretores visionário que estava pressionando para investir mais capital e energia no período de deficit. Quando o conselho se reuniu em uma sala de um hotel, em Las Vegas, o Coach estava descrente. "Vamos parar com as bobagens", disse ele. "Vamos cortar algumas coisas aqui, demitir algumas pessoas ali. Precisamos ficar mais enxutos, porque precisamos apresentar números. Faz parte da disciplina e da cultura que eu quero." Bill sentia muito o peso da entrega de resultados para os acionistas, mas também para a equipe e os clientes.

Bill Campbell com sua bebida característica para sessões de coaching executivo, em 2010.

No momento em que questionamos a sala, no entanto, mais e mais diretores quiseram entender melhor o que estava acontecendo. Bill parecia cada vez mais perturbado. Quando o conselho me consultou, eu disse: "Olha, eu acho que devemos seguir o Coach." Eu não tinha certeza se ele estava certo ou errado, mas achei sua decisão era justa. Minha posição virou a maré. Mais tarde, Bill me contou o quanto o que eu disse significava para ele, e que ele poderia ter deixado o cargo se o conselho tivesse seguido por outro caminho.

Daquele ponto em diante, tínhamos estabelecido um laço inquebrantável. Podíamos discordar e dizer algumas coisas muito duras um ao outro, mas no dia seguinte um dos dois ligaria para pedir desculpas. Nós dois entendíamos que nossa lealdade às relações humanas e à equipe superavam quaisquer diferenças.

Bill ainda estava na Intuit quando o recrutei para a diretoria da Netscape. Ele era meu primeiro contato sempre que eu apoiava um novo empreendedor. Se tornou nosso *modus operandi*: a Kleiner investe, Doerr patrocina, Doerr convoca Campbell, e Campbell treina a equipe. Tocamos esta tática de jogo uma vez atrás da outra.

Em 1997, Steve Jobs retornou à Apple na mais incrível compra não hostil de uma empresa pública, sem gastar um centavo. Steve demitiu todos, exceto um dos diretores da Apple, e então ligou para Bill Campbell para se juntar ao novo conselho. O Coach se recusou a ser pago por esse cargo; ele queria devolver o que o Vale havia feito por ele. Quando algumas empresas o convenceram a aceitar ações como pagamento, ele canalizou os lucros para sua organização filantrópica.

Em 2001, depois de ajudar a persuadir os fundadores do Google a contratar Eric Schmidt como seu CEO, aconselhei que Eric precisava de Bill como seu coach. Eric era um homem legitimamente orgulhoso, que já havia atuado como CEO e presidente da Novell, e minha sugestão o ofendeu: "Eu sei bem o que estou fazendo", ele disse. Então, não foi amor à primeira vista entre ele e Bill. Em menos de um ano, no entanto, a autoanálise de Eric mostra até onde ele conseguiu chegar: "Bill Campbell tem sido muito útil como coach para todos nós. Olhando para trás, seu papel foi fundamental desde o início. Eu deveria ter incentivado essa estrutura mais cedo, de preferência no momento em que comecei no Google."

Bill considerava seu período no Google como indeterminado. Ele orientou Larry Page e Sergey Brin, além de Susan Wojcicki, Sheryl Sandberg, Jonathan Rosenberg e toda a equipe executiva do Google. Fazia isso em seu estilo característico: zen por um lado e regado à cerveja pelo outro. Bill dava pouco direcionamento. Ele fazia algumas poucas perguntas, invariavelmente as corretas. Ouvia, acima de tudo. Sabia que, na maioria das vezes, no mundo dos negócios, havia várias respostas certas, e o trabalho do líder era escolher uma. "Basta tomar uma decisão", ele dizia. Ou: "Você está indo para frente? Você está rompendo laços? Vamos deixar rolar."

Quando se tratava dos OKRs do Google, Bill prestava mais atenção aos objetivos menos glamorosos e "comprometidos" (um pedaço favorito do coaching executivo dele, servido com um pouco de pimenta: "Vocês tem que fazer a p**** da roda girar na hora certa"). Como lembra o CEO do Google, Sundar Pichai, "ele se preocupava com a excelência operacional todos os dias". Isso retoma o lema enganadoramente modesto de Bill: "Seja melhor a cada dia." Não há nada mais desafiador ou mais completo do que isso.

O Coach era o poder paralelo nas reuniões executivas do Google das segundas-feiras. Ele era nosso presidente não oficial do conselho, se você quer saber a verdade. Ao mesmo tempo, atuou como diretor executivo da Apple, o que, para qualquer outra pessoa, poderia ter sido um conflito. Isso deixou Steve Jobs doido, especialmente depois que o Android surgiu para desafiar o iPhone. Steve tentou convencer Bill a escolher a Apple e a deixar o Google, mas o Coach recusou: "Steve, eu não estou ajudando o Google com a tecnologia deles. Eu mal sei soletrar HTML. Estou apenas os ajudando a realizarem negócios melhores todos os dias." Quando Steve persistia, o Coach dizia: "Não me faça escolher. Você não vai gostar da escolha que vou fazer." Steve sempre recuava, porque o Coach era seu verdadeiro confidente (ele "mantinha Steve Jobs na linha", conforme Eric Schmidt contou à *Forbes*. Bill era "o mentor de Steve, seu amigo. Ele era o protetor, a inspiração. Steve confiava nele mais do que confiava em qualquer outra pessoa").

Embora o Coach soubesse mais sobre tecnologia do que demonstrava, ele nunca desautorizava engenheiros ou desenvolvedores de produto. Seus soberbos insights eram sobre liderança, sobre o que fazer para que as equipes de negócios e as pessoas trabalhassem, e como proteger os colaboradores de serem esmagados pelos processos. Se ele visse alguém sendo tratado de forma injusta, pegaria o telefone, ligaria para o CEO e diria: "Isso foi um erro do processo." E ele o consertaria.

De maneira geral, as pessoas são desencorajadas a trazer amor para os negócios, mas o amor era o traço mais característico de Bill. Ainda consigo relembrar o rosto de todos quando ele entrava em uma reunião da Intuit. Às vezes, era um amor pela zoeira. (Se alguém viesse trabalhar com um suéter feio, ele perguntava à pessoa: "Você pegou essa roupa ali largada no banheiro, por acaso?") Sempre se soube, porém, que o Coach se importava. Sempre se soube que ele estava ali de suporte. Sempre se soube que ele estava lá para a equipe. Não é fácil encontrar muitos líderes que possam juntar amor e feedback sem medo ao mesmo tempo. Bill Campbell era um orientador duro, mas sempre foi um orientador voltado para a equipe.

Mais do que a maioria dos nossos círculos, ele *tinha* uma família. Ele era absolutamente feliz quando treinava sua filha Maggie (e minha filha Mary) no softball. Estaria no campo às 15h20 em ponto, não importando o tamanho da reunião que estivesse começando em outro lugar. E você nunca encontraria o Coach verificando distraidamente o celular no meio de alguma coisa importante. Ele estava completamente presente. Brilhava naquele cenário. Mesmo depois que ficou doente, Bill nunca parou de realizar seu coaching executivo. O conselho dele teve um peso muito grande quando decidi assumir a presidência da Kleiner Perkins. Com minhas duas filhas na faculdade, era a hora certa. O Coach sabia que eu não estaria desacelerando ou indo para um "andar acima". Eu aceitaria o trabalho para acelerar o que amava: encontrar e financiar os melhores empreendedores e ajudá-los a construir grandes equipes à medida que elas evoluíam. Era a minha chance de me tornar um coach executivo da próxima geração de líderes e parceiros. Para seguir o exemplo do mestre Bill.

Alguns meses antes de morrer, em um podcast com meu colega da Kleiner, Randy Komisar, o Coach explicou que "sempre quis fazer parte da solução... As pessoas são os elementos mais importantes daquilo que fazemos. Temos que tentar melhorá-las."

Bill se foi para um lugar melhor, mas, para suas muitas centenas de discípulos, todos os executivos que ele capacitou durante todos esses anos, o trabalho do mestre continua. Ainda estamos tentando melhorar a cada dia.

Sinto sua falta, Coach. Todos nós sentimos.

John Doerr.

Abril de 2018.

Bill Campbell, o Coach, em 2013.

RECURSO 1

Playbook OKR do Google

Ninguém tem mais experiência coletiva na implementação de OKRs do que o Google. Como a empresa evolui (e evoluiu) de forma escalável, ela tem diretrizes e modelos de OKR publicados periodicamente. Os exemplos a seguir são extraídos principalmente de fontes internas e reimpressos com a permissão do Google. (Observação: esta é a abordagem do Google para os OKRs. Sua abordagem pode e deve ser diferente.)

No Google, gostamos de pensar grande. Usamos um processo chamado objetivos e resultados-chave (os OKRs) para nos ajudar a comunicar, medir e atingir essas metas elevadas.

Nossas ações determinam o futuro do Google. Como vimos de forma recorrente na Pesquisa Google, no Chrome, no Android, uma equipe composta de um pequeno percentual da força de trabalho da empresa, atuando de acordo com uma meta comum ambiciosa, pode mudar toda uma indústria madura em menos de dois anos. Assim, é crucial que, como funcionários e gerentes do Google, façamos escolhas conscientes, cuidadosas e informadas sobre como alocamos nosso tempo e nossa energia, como indivíduos e como membros de equipes. Os OKRs são a manifestação dessas escolhas cuidadosas e os meios pelos quais coordenamos as ações dos indivíduos para alcançar grandes metas coletivas.

Usamos os OKRs para planejar o que as pessoas vão produzir, acompanhar seu progresso versus o plano e coordenar prioridades e marcos entre pessoas e equipes. Também usamos os OKRs para ajudar as pessoas a manterem o foco nos objetivos mais importantes e ajudá-las a evitar a distração por metas urgentes, porém menos importantes.

Os OKRs são grandes, não incrementais e não esperamos atingir todos eles. Se o fizermos, não os estamos definindo de forma agressiva o suficiente. Classificamos os OKRs com uma escala de cores para medir o quão bem nos saímos:

0,0 a 0,3 é vermelho

0,4 a 0,6 é amarelo

0,7 a 1,0 é verde

O Estabelecimento de OKRs Eficientes

OKRs mal feitos ou gerenciados são uma perda de tempo, um gesto vazio de gestão. OKRs bem feitos são uma ferramenta de gerenciamento motivacional, que ajudam a deixar claro para as equipes o que é importante, o que otimizar e quais concessões fazer durante o seu trabalho diário.

O registro de bons OKRs não é fácil, mas também não é impossível. Preste atenção às regras simples apresentadas a seguir:

Os objetivos são "o que" se quer alcançar. Eles:

- expressam metas e intenções;
- são agressivos, porém realistas;
- precisam ser tangíveis, diretos e sem ambiguidade; devem ser óbvios para um observador racional, se um objetivo já foi atingido ou não;
- a realização bem-sucedida de um objetivo deve obrigatoriamente agregar um valor claro para o Google.

Os resultados-chave refletem o modo "como" alcançar o(s) objetivo(s). Eles:

- expressam marcos mensuráveis que, se alcançados, auxiliarão no alcance do(s) objetivo(s) de uma maneira útil;
- precisam obrigatoriamente descrever resultados, e não atividades. Se seus KRs incluem palavras como "consultar", "ajudar", "analisar" ou "participar", eles descrevem atividades. Em vez disso, descreva o impacto do usuário final sobre as atividades: "publicar medições de latência média e caudal de seis células Colossus até 7 de março", em vez de "avaliar a latência da Colossus";
- deve obrigatoriamente incluir evidências de conclusão. Essa evidência precisa estar disponível, ser confiável e facilmente detectável. Exemplos de evidências incluem listas de alterações, links para documentos, notas e relatórios de métricas publicados.

Os OKRs Entre Equipes

Muitos projetos importantes no Google exigem a contribuição de diferentes grupos. Os OKRs são ideais para se comprometer com essa coordenação. Os OKRs entre equipes devem incluir todos os grupos que precisam participar materialmente dos OKR, e os OKRs que exigem a contribuição de cada grupo devem aparecer de forma clara nos OKRs dos referidos grupos. Por exemplo, se os departamentos de desenvolvimento, de engenharia e de redes do Google Ads precisam oferecer suporte a um novo serviço de anúncios, as três equipes deverão ter OKRs que descrevam o compromisso de entregar as partes respectivas do projeto.

OKRs Compromissados versus OKRs Ambiciosos

Os OKRs têm duas variantes e é importante diferenciá-las:

Os OKRs compromissados são aqueles que concordamos que serão alcançados, e estaremos dispostos a ajustar cronogramas e recursos para garantir que sejam entregues.

- A pontuação esperada para um OKR compromissado é 1,0; um escore menor que 1,0 exige uma explicação para a falha, pois mostra erros no planejamento e/ou execução.

Por outro lado, os OKRs ambiciosos expressam como gostaríamos que o mundo fosse, embora não tenhamos uma ideia clara de como chegar lá e/ou dos recursos necessários para isso.

- Os OKRs ambiciosos têm uma pontuação média esperada de 0,7, com alta variância.

Armadilhas e Erros Clássicos no Estabelecimento de OKRs

ARMADILHA N° 1: Problemas em diferenciar OKRs compromissados e OKRs ambiciosos.

- A não diferenciação entre OKRs acordados e OKRs ambiciosos aumenta a chance de falha. As equipes podem não levar o sistema a sério e podem não querer mudar suas outras prioridades para se concentrar no cumprimento dos OKRs.

- Por outro lado, estabelecer um OKR ambicioso como um OKR compromissado cria um sentimento defensivo em equipes que não conseguem encontrar uma maneira de cumprir com o OKR. Além disso, promove a inversão de prioridades, pois os OKRs compromissados são deixados de lado para que se foque no OKR ambicioso.

ARMADILHA N° 2: OKRs padronizados e regulares.

- Estes são OKRs geralmente escritos especialmente com base no que a equipe acredita que pode conseguir sem mudar nada do que está fazendo, ao contrário do que a equipe ou seus clientes realmente desejam.

ARMADILHA N° 3: Falta de ousadia nos OKRs ambiciosos.

- OKRs ambiciosos muitas vezes partem do estado atual e efetivamente perguntam: "O que poderíamos fazer se tivéssemos pessoal extra e um pouco de sorte?" Uma abordagem alternativa melhor é começar com: "Como seria o meu mundo (ou dos meus clientes) daqui a alguns anos se fôssemos libertados da maioria das restrições?" Por definição, você não saberá como alcançar esse estado quando o OKR for formulado pela primeira vez. Por isso que ele é um OKR ambicioso. No entanto, sem entender e articular o estado final desejado, isso é garantia de que você não será capaz de alcançá-lo.

- O teste definitivo: se você perguntar a seus clientes o que eles realmente querem, seu objetivo desafiador atende ou excede essa demanda?

ARMADILHA N° 4: A subestimativa

- Os OKRs compromissados de uma equipe devem consumir com credibilidade, porém não completamente, os recursos disponíveis. Seus OKRs compromissados e os desafiadores devem consumir com credibilidade um pouco mais do que os recursos disponíveis. Caso contrário, eles serão efetivamente compromissados.

- As equipes que conseguem atender a todos os seus OKRs sem precisar de todo o efetivo/investimento etc. dão a impressão que estejam acumulando recursos, ou não forçando os limites, ou ambos. Essa é uma dica para a alta gerência realocar funcionários e outros recursos em grupos que farão uso mais eficiente deles.

ARMADILHA N° 5: Objetivos de baixo valor (também conhecidos como OKRs "abandonados"). Os OKRs precisam entregar um valor comercial claro. Caso contrário, não há razão para gastar recursos fazendo isso. Os objetivos de baixo valor (OBVs) são aqueles que, mesmo se cumpridos com um 1,0, ninguém notará ou dará a mínima.

- Um clássico (e sedutor) exemplo de OBV: "Aumentar a utilização da CPU em 3%." Esse objetivo por si só não ajuda os usuários, nem o Google diretamente. No entanto, a meta (presumivelmente relacionada), "Diminuir a quantidade de núcleos necessários para atender às consultas de pico em 3% sem alterar a qualidade/latência etc e devolver o excesso de núcleos resultante ao pool livre" tem um valor claro. Esse é um objetivo de nível superior.

- Eis um teste definitivo: o OKR poderia obter um 1,0 em circunstâncias razoáveis sem afetar o usuário final direto ou sem gerar benefício econômico? Em caso afirmativo, reformule o OKR para se concentrar em um benefício tangível. Um exemplo clássico: "lançar o produto X" sem critérios tangíveis para o sucesso. Uma solução melhor: "Duplicar Y em toda a sua extensão, lançando X para mais de 90% das células borg."

ARMADILHA Nº 6: Resultados-chave insuficientes para os objetivos compromissados.

- Os OKRs são divididos entre resultado desejado (o objetivo) e os passos mensuráveis necessários para alcançar esse resultado (os resultados-chave). É fundamental que os KRs sejam estabelecidos de tal forma que a pontuação de 1,0 em todos os resultados-chave gere uma pontuação de 1,0 para o objetivo.

- Um erro comum é estabelecer os resultados-chave que são *necessários, mas não suficientes* para cumprir coletivamente com o objetivo. O erro é tentador porque permite que uma equipe evite compromissos difíceis (recursos/prioridades/riscos) e necessários para entregar resultados-chave "difíceis".

- Esta armadilha é particularmente perniciosa, porque atrasa a descoberta dos requisitos de recursos para o objetivo e a constatação de que o objetivo não será concluído no prazo.

- O teste definitivo: é razoavelmente possível obter um escore de 1,0 em todos os resultados-chave, mas ainda assim não atingir a intenção do objetivo? Em caso afirmativo, adicione ou refaça os resultados-chave até que sua conclusão bem-sucedida garanta que o objetivo também seja concluído com êxito.

Leitura, Interpretação e Operação com os OKRs

Para OKRs compromissados

- Espera-se que as equipes rearranjem suas outras prioridades para garantir um escore de 1,0.
- As equipes que não podem prometer com credibilidade entregar 1,0 em um OKR compromissado precisam escalar a questão imediatamente. *Este é um ponto fundamental*: a escalabilidade nesta situação (comum) não é apenas parte do processo, mas obrigatória. Se a questão surgiu devido à discordância sobre o OKR, desacordo sobre sua prioridade ou incapacidade de alocar tempo/pessoas/recursos suficientes, a escalabilidade é positiva. Ele permite que a gerência da equipe desenvolva opções e resolva conflitos.

  A consequência é que cada novo OKR provavelmente envolverá escalar em alguma intensidade, já que exige uma mudança nas prioridades e nos compromissos existentes. Um OKR que não exige mudanças nas atividades de grupo algum é um OKR regular e padronizado. É improvável que essas atividades sejam novas, embora elas possam não ter sido estabelecidas anteriormente.

- Um OKR compromissado que não consegue atingir 1,0 até a data-limite exige uma análise detalhada. A intenção não é punir as equipes. Pretende-se, sim, entender o que ocorreu no planejamento e/ou execução do OKR para que as equipes possam melhorar sua capacidade de atingir com confiabilidade 1,0 nos OKRs compromissados.
- Os OKRs compromissados, por exemplo, garantirão que um contrato tenha seu nível de serviço atendido no trimestre, entregarão um recurso ou melhoria definida a um sistema de infraestrutura em uma data estipulada, ou fabricarão e entregarão uma quantidade de servidores a um determinado custo.

OKRs desafiadores

- O conjunto de OKRs desafiadores excederá, por definição, a capacidade operacional da equipe em um determinado trimestre. A prioridade dos OKRs deve orientar as decisões dos membros da equipe sobre como gastar o tempo restante após o cumprimento dos compromissos do grupo. Em geral, os OKRs com prioridade mais alta devem ser concluídos antes dos OKRs com prioridade mais baixa.

- Os OKRs desafiadores e suas prioridades associadas devem permanecer na lista de OKR de uma equipe até que sejam concluídas e devem ser levadas adiante trimestre a trimestre, caso necessário. Tirá-los da lista de OKRs devido à falta de progresso é um erro, pois disfarça problemas persistentes de priorização, disponibilidade de recursos ou falta de compreensão do problema/solução.

  A consequência: a transferência de um OKR desafiador para uma equipe diferente é algo positivo, se essa equipe tiver tanto a expertise quanto a objetividade necessária para realizar o OKR mais efetivamente do que a equipe de origem.

- É esperado que os gerentes de equipe avaliem os recursos necessários para realizar os OKRs desafiadores e *demandem tais recursos* a cada trimestre, cumprindo seu dever de expressar a demanda conhecida do negócio. Os gerentes não devem esperar receber todos os recursos necessários, a menos que seus OKRs desafiadores sejam os objetivos primordiais na empresa após os OKRs compromissados.

Mais Testes Definitivos

São apresentados a seguir alguns testes simples para checar se os OKRs estão bons:

- Se você os escreveu em cinco minutos, provavelmente não estão bons. Pense bem.
- Se o seu objetivo não cabe em uma linha, provavelmente ele não será suficientemente nítido.
- Se os resultados-chave forem expressos em termos internos da equipe ("Lançar o Foo 4.1"), eles provavelmente não serão bons. O que importa não é o lançamento, mas seu impacto. Por que o Foo 4.1 é importante? Uma solução melhor: "Lançar o Foo 4.1 para melhorar as inscrições em 25%." Ou simplesmente: "Melhorar as inscrições em 25%."
- Use datas verdadeiras. Se todo resultado-chave acontecer no último dia do trimestre, você provavelmente não tem um plano autêntico.
- Certifique-se de que seus resultados-chave sejam mensuráveis: é necessário atribuir objetivamente uma nota no final do trimestre. "Melhorar as inscrições" não é um bom resultado-chave. Uma solução melhor: "Melhorar as inscrições diárias em 25% até 1º de maio."
- Certifique-se de que as métricas não sejam ambíguas. Se você disser "1 milhão de usuários", isso significa os usuários de todas as horas ou os usuários ativos por sete dias?
- Se houver atividades importantes na sua equipe (ou uma fração significativa de seu esforço) que não sejam cobertas por OKRs, adicione mais OKRs.

- Para grupos maiores, construa uma hierarquia de OKRs. Tenha OKRs de alto nível para toda a equipe e mais detalhados para as equipes específicas. Certifique-se de que os OKRs "horizontais" (projetos que exigem a contribuição de várias equipes) tenham os resultados-chave de suporte em cada equipe específica.

RECURSO 2

Um ciclo típico de OKRs

Consideremos que você esteja estabelecendo os OKRs nos níveis da empresa, da equipe e dos colaboradores (empresas maiores poderão ter níveis adicionais).

4 a 6 semanas antes do trimestre	**Brainstorming anual e OKRs do primeiro trimestre da empresa** Os líderes de nível sênior iniciam o brainstorming dos OKRs de nível superior da empresa. Caso esteja estabelecendo os OKRs para o primeiro trimestre, este será o momento de traçar seu plano anual também, o qual poderá ser um guia no direcionamento da empresa.
2 semanas antes do trimestre	**Divulgação dos OKRs gerais da empresa para o ano por vir e o primeiro trimestre** Conclua a concepção dos OKRs da empresa e divulgue-os para todos.
Início do trimestre	**Divulgação dos OKRs do primeiro trimestre das equipes** Com base nos OKRs da empresa, as equipes desenvolvem seus próprios OKRs e os compartilham com todos durante as reuniões.
1 semana após o início do trimestre	**Compartilhamento dos OKRs de primeiro trimestre dos funcionários** Uma semana após a divulgação dos OKRs das equipes, os colaboradores compartilham os próprios OKRs principais. Talvez isso exija negociação entre os referidos colaboradores e seus gestores, normalmente por meio de conversas individualizadas.
Ao longo do trimestre	**Funcionários acompanham seus progressos e realizam check-ins** Ao longo do trimestre, os funcionários medem e compartilham seus progressos, realizando check-ins regulares com seus gerentes. Periodicamente ao longo do trimestre, os colaboradores avaliam a possibilidade de alcançarem plenamente seus OKRs. Se o sucesso parecer improvável, esses OKRs poderão ser recalibrados.

Próximo a o fim do trimestre

Funcionários refletem e atribuem pontuações aos OKRs do primeiro trimestre

Quase no fim do trimestre, os colaboradores atribuem pontuações aos seus OKRs, realizam uma autoavaliação e refletem sobre o que conseguiram realizar.

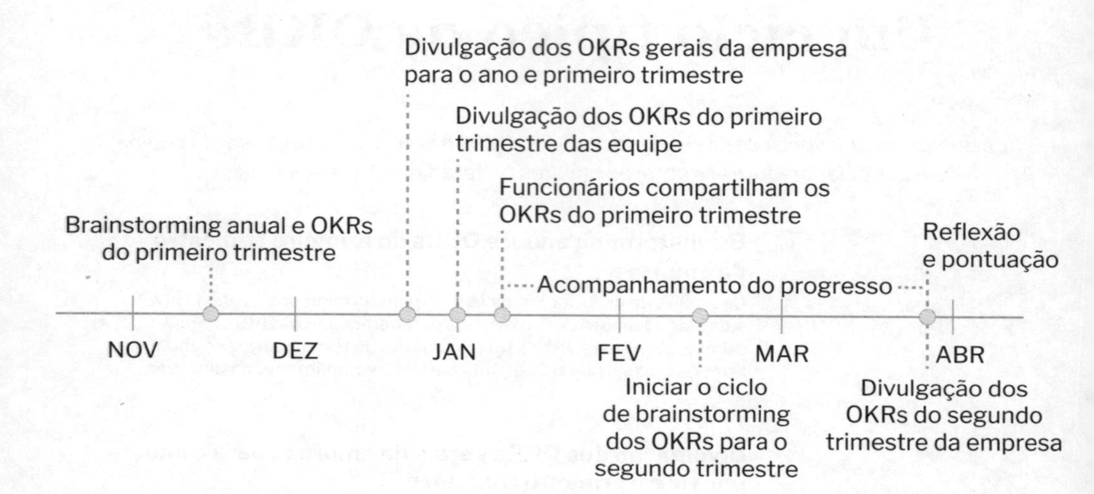

RECURSO 3

Papo Solto: Conversas sobre Desempenho

O gerenciamento contínuo de desempenho é um processo entrelaçado de duas partes. A primeira consiste em definir os OKRs; a segunda envolve conversas regulares, contínuas e adaptadas às necessidades da operação.

Reflexão e Planejamento de Metas

Para ajudar a facilitar esta conversa, um gerente pode perguntar a um colaborador o seguinte:

- Em quais OKRs você planeja se concentrar para gerar mais valor para sua função, equipe e/ou empresa?
- Qual destes OKRs se alinham às iniciativas principais da organização?

Atualizações Sobre o Progresso

Para que o colaborador comece a falar, um gerente pode fazer as seguintes perguntas:

- Como estão seus OKRs?
- De quais capacidades essenciais você precisa para ser bem-sucedido?
- Há alguma coisa que o impeça de atingir os objetivos?
- Quais OKRs precisam ser ajustados, adicionados ou eliminados, à luz das mudanças de prioridades?

Coaching Orientado pelo Gerente

Para se preparar para essa conversa, o gerente deve considerar as seguintes questões:

- Quais comportamentos ou valores eu desejo que meu subordinado continue apresentando?
- Quais comportamentos ou valores eu quero que meu subordinado comece ou pare de apresentar?
- Qual tipo de coaching posso fornecer para ajudar o subordinado a realizar plenamente o seu potencial?

Durante a conversa, o líder pode perguntar:

- Qual parte do trabalho mais o anima?
- Qual (se houver) aspecto da sua função você gostaria de mudar?

Feedback Inverso

Para obter informações francas de um colaborador, o gerente pode perguntar o seguinte:

- O que estou lhe fazendo de útil no trabalho?
- O que estou fazendo que impede sua capacidade de ser eficiente?
- O que eu poderia fazer por você para ajudá-lo a ter mais sucesso?

Crescimento Profissional

Para extrair as ambições profissionais de um colaborador, um gerente pode perguntar o seguinte:

- Quais habilidades ou capacidades que você gostaria de desenvolver para melhorar sua função atual?
- Em quais áreas você deseja se desenvolver para alcançar seus objetivos de carreira?
- Quais habilidades ou capacidades você gostaria de desenvolver para um cargo futuro?
- Do ponto de vista de aprendizado, crescimento e desenvolvimento, como eu e a empresa podemos ajudá-lo a chegar lá?

Preparação para as Conversas sobre Desempenho

Antes de iniciar uma conversa de desempenho com um colaborador, um certo trabalho de preparação deve estar na ordem do dia. Em especial, os líderes devem considerar o seguinte:

- Quais foram os principais objetivos e responsabilidades do colaborador no período em questão?
- Como foi o desempenho do colaborador?
- Se o colaborador estiver com desempenho insatisfatório, como ele deve corrigi-lo?
- Se o colaborador apresentar um bom desempenho ou exceder as expectativas, o que posso fazer para manter um alto nível de desempenho sem desgastes?
- Quando o colaborador está mais engajado?
- Quando o colaborador está menos engajado?
- Quais forças o colaborador traz ao trabalho?
- Que tipo de experiência de aprendizado pode beneficiar este colaborador?
- Qual deve ser o foco do colaborador nos próximos seis meses? Atender às expectativas em sua função atual? Maximizar as contribuições em sua função atual? Ou se preparar para a próxima oportunidade, seja um novo projeto, uma responsabilidade ampliada ou uma nova função?

Os colaboradores também devem se preparar para as conversas sobre desempenho. Em especial, eles podem se perguntar o seguinte:

- Estou no caminho certo para atingir meus objetivos?
- Já identifiquei áreas de oportunidade?
- Entendo como meu trabalho se conecta a marcos mais amplos?
- Qual feedback posso dar ao meu gerente?

RECURSO 4

Resumo Geral

Os quatro superpoderes dos OKRs

1. Foco e compromisso com as prioridades
2. Alinhamento e conexão em prol do trabalho em equipe
3. O acompanhamento da responsabilidade
4. O esforço pelo surpreendente

Gerenciamento Contínuo de Desempenho

A Importância da Cultura

Foco e Compromisso com as Prioridades

- Defina a cadência apropriada para o seu ciclo OKR. Recomendo um acompanhamento duplo, com OKRs trimestrais (para metas de curto prazo) e OKRs anuais (associado a estratégias de longo prazo) implementadas em paralelo.

- Para resolver os problemas de implementação e fortalecer o comprometimento dos líderes, faça o lançamento dos OKRs com a alta administração primeiro. Permita que o processo ganhe força antes de inscrever colaboradores individuais para participarem dele.

- Designe um "pastor de OKRs" para se certificar de que cada indivíduo dedique tempo em cada ciclo para escolher o que mais importa.

- Comprometa-se com três a cinco objetivos principais: *o que* você precisa alcançar a cada ciclo. OKRs demais diluem e dispersam os esforços das pessoas. Expanda sua capacidade efetiva decidindo o que *não* fazer, e descarte, adie ou diminua a ênfase conforme for apropriado.

- Ao escolher os OKRs, foque objetivos com a maior capacidade de alavancar um desempenho de excelência.

- Encontre a matéria-prima para os OKRs de topo na declaração de missão da organização, no plano estratégico ou em um tema amplo escolhido pela liderança.

- Para enfatizar um objetivo departamental e obter apoio lateral, posicione tal objetivo ao nível de OKR da empresa.

- Para cada objetivo, estabeleça não mais do que cinco resultados-chave mensuráveis, não ambíguos e vinculados a tempo. Eles refletirão o modo *como* o objetivo será atingido. Por definição, a conclusão de todos os resultados-chave obrigatoriamente resultam no cumprimento do objetivo.

- Para equilíbrio e controle de qualidade, associe os resultados-chave qualitativos e quantitativos.

- Quando um resultado-chave exige uma atenção extra, coloque-o em um objetivo por um ou mais ciclos.

- O elemento mais importante para o sucesso do OKR é a convicção e a aceitação do sistema por parte dos líderes da organização.

Alinhamento e Conexão em Prol do Trabalho em Equipe

- Incentive os funcionários mostrando como seus objetivos se relacionam com a visão do líder e as prioridades da empresa. O caminho expresso para a excelência operacional se alinha com metas transparentes e públicas até o CEO.

- Use as reuniões gerais para explicar por que um OKR é importante para a organização. Em seguida, continue repetindo a mensagem até que você mesmo esteja cansado de ouvi-la.

- Ao implementar os OKRs em cascata, com objetivos dirigidos a partir do topo, seja receptivo aos resultados-chave dos colaboradores da linha de frente. A inovação reside menos no centro de uma empresa e mais em suas bordas.

- Incentive uma proporção saudável de OKRs de baixo para cima. Aproximadamente a metade.

- Elimine as barreiras nos departamentos conectando as equipes através de OKRs compartilhados horizontalmente. As operações interfuncionais possibilitam decisões rápidas e coordenadas e são uma base para aproveitar uma vantagem competitiva.

- Estabeleça de forma clara todas as dependências horizontais e interfuncionais.

- Quando um OKR for revisado ou descartado, certifique-se de que todas as partes interessadas saibam isso.

O Acompanhamento da Responsabilidade

- A fim de criar uma cultura de responsabilidade, instale uma reavaliação contínua e uma classificação honesta e objetiva, e comece pelo topo. Quando os líderes admitem abertamente seus erros, os colaboradores se sentem mais à vontade para assumir riscos saudáveis.

- Motive os colaboradores, usando menos recompensas extrínsecas e usando mais medições abertas e tangíveis das realizações.

- Para manter os OKRs relevantes e em tempo hábil, faça com que o grupo designado passe por check-ins regulares e atualizações do seu progresso. Check-ins frequentes permitem que equipes e indivíduos corrijam o rumo com agilidade, ou falhem rápido.

- Para sustentar o alto desempenho, incentive reuniões tête-à-tête semanais sobre OKRs entre colaboradores e gestores, além de reuniões mensais do departamento.

- À medida que as condições mudam, sinta-se à vontade para revisar, adicionar ou excluir OKRs conforme apropriado, mesmo no meio do ciclo. Metas não são eternas. É contraproducente ater-se teimosamente a objetivos que não são mais relevantes ou alcançáveis.

- Ao final do ciclo, use as classificações do OKR com as autoavaliações subjetivas para avaliar o desempenho passado, celebre as conquistas, planeje e melhore o futuro.

- Antes de avançar para o próximo ciclo, reserve um momento para refletir e saborear o que foi realizado no anterior.

- Para manter os OKRs atualizados e prontos, invista em uma plataforma dedicada, automatizada e baseada em nuvem. Os sistemas para estabelecimento de metas funcionam melhor quando são colaborativos, públicos e em tempo real.

O Esforço pelo Surpreendente

- Ao início de cada ciclo, faça uma distinção entre os objetivos que devem ser atingidos 100% (OKRs compromissados) e os que exigem esforços para uma Meta Audaciosa e Cabeluda (uma MAC ou OKR desafiador).

- Estabeleça um ambiente em que os indivíduos fiquem à vontade para falhar sem julgamentos.

- Para estimular a solução de problemas e estimular as pessoas a obterem maiores realizações, estabeleça metas ambiciosas, mesmo que isso signifique que algumas metas trimestrais serão perdidas. Não estabeleça, porém, um padrão tão alto de modo que um OKR seja obviamente irreal. O moral sofre quando as pessoas sabem que não serão bem-sucedidas.

- Para se obter saltos em produtividade ou inovação, siga a "Religião das Dez Vezes" do Google e substitua os OKRs incrementais por exponenciais. Desse modo é que mercados são transformados e categorias reinventadas.

- Projete os OKRs desafiadores para se adequarem à cultura da organização. O "desafio" ideal de uma empresa pode variar em longo do tempo, dependendo das necessidades operacionais do próximo ciclo.

- Quando uma equipe falha em atingir um OKR desafiador, considere passar o objetivo para o próximo ciclo, supondo que a meta ainda seja relevante.

Gerenciamento Contínuo de Desempenho

- Para resolver questões antes que elas se tornem problemas e dar aos colaboradores em dificuldades o suporte de que precisam, migre do gerenciamento anual de desempenho para o gerenciamento *contínuo* de desempenho.
- Use definição de metas desafiadoras, migrando das avaliações anuais retrospectivas para OKRs prospectivos. O cumprimento de metas alinhado com bonificações financeiras incentivará o comportamento abaixo da capacidade e aversão a riscos.
- Substitua classificações e rankings competitivos por critérios transparentes, baseados em pontos fortes e multidimensionais para as avaliações de desempenho. Além dos números, considere o trabalho em equipe, a comunicação e a ambição de um colaborador na definição de metas.
- Priorize as motivações intrínsecas (trabalho com propósito e oportunidades de crescimento) aos incentivos financeiros. Elas são muito mais poderosas.
- A fim de impulsionar resultados comerciais positivos, implemente os CFRs (conversas, feedback e reconhecimento) em conjunto com a definição estruturada de metas. OKRs transparentes tornam o coaching mais concreto e útil. CFRs

contínuos mantêm o trabalho do dia a dia na linha e a colaboração genuína.

- Em conversas de desempenho entre gerentes e colaboradores, permita que o colaborador defina a pauta. O papel do gerente é aprender e orientar.

- Faça com que o feedback sobre desempenho seja de duas vias, localizado e multidirecional, sem restrições em virtude do organograma.

- Use as pesquisas anônimas ("o pulso") para obter feedback em tempo real sobre operações específicas ou o moral geral.

- Fortaleça as conexões entre equipes/departamentos e com o feedback entre colegas em conjunto com os OKRs interfuncionais.

- Empregue o reconhecimento entre colegas para aumentar o engajamento e o desempenho dos funcionários. Para que se obtenha o máximo impacto, o reconhecimento deve ser frequente, específico, altamente visível e vinculado aos OKRs de topo da empresa.

A Importância da Cultura

- Alinhe os OKRs de topo da empresa com a visão, a missão e a referência dela.

- Transmita valores culturais pelas palavras, mas acima de tudo pelas ações.

- Promova o desempenho máximo com colaboração e responsabilidade. Quando os OKRs forem coletivos, atribua os resultados-chave aos indivíduos e os responsabilize.

- Para desenvolver uma cultura de alta motivação, equilibre as "catalisações" dos OKRs, ou seja, as ações que apoiam o trabalho, com os "cuidados" dos CFRs, ações de apoio interpessoal ou até mesmo atos aleatórios de gentileza.

- Use os OKRs para promover uma orientação geral, transparência, clareza e finalidade. Implemente os CFRs para gerar positividade, entusiasmo, pensamento de esforço e aprimoramento diário.

- *Antes* de implementar os OKRs, esteja alerta à necessidade de abordar barreiras culturais, especialmente questões de responsabilidade e confiança.

RECURSO 5

Leituras Adicionais

Andy Grove e Intel

- *Administração de Alta Performance*, de Andrew S. Grove.
- *Andy Grove: As Lições de Vida e de Gestão do Lendário Líder da Intel*, de Richard S. Tedlow.
- *The Intel Trinity: How Robert Noyce, Gordon Moore, and Andy Grove Built the World's Most Important Company*, de Michael Malone.

Cultura

- *HOW (Como): Por que o COMO Fazer Algo Significa Tudo nos Negócios (e na Vida)*, de Dov Seidman.
- *Faça Acontecer: Mulheres, Trabalho e a Vontade de Liderar*, de Sheryl Sandberg.
- *Radical Candor: Be a KickAss Boss Without Losing Your Humanity*, de Kim Scott.

Jim Collins

- *Empresas Feitas para Vencer: Por que Algumas Empresas Alcançam a Excelência... E Outras Não.*
- *Vencedoras por Opção: Incerteza, Caos e Acaso — Por que Algumas Empresas Prosperam Apesar de Tudo.*

Bill Campbell e coaching

- *Playbook: The Coach—Lessons Learned from Bill Campbell*, obra de Eric Schmidt, Jonathan Rosenberg e Alan Eagle.
- *Straight Talk for Startups: 100 Insider Rules for Beating the Odds*, de Randy Komisar.

Google

- *Como o Google Funciona*, de Eric Schmidt e Jonathan Rosenberg.
- *Um Novo Jeito de Trabalhar: O que o Google Faz de Diferente para Ser uma das Empresas Mais Criativas e Bem-sucedidas do Mundo*, de Laszlo Bock.
- *Google a Biografia — Como o Google, Pensa, Trabalha e Molda Nossas Vida*, de Steven Levy.

OKRs

- www.whatmatters.com (conteúdo em inglês).
- *Radical Focus: Achieving Your Most Important Goals with Objectives and Key Results*, de Christina Wodtke.

AGRADECIMENTOS

Sinto uma gratidão imensa ao finalizar esta edição de *Avalie o que Importa*. Primeiro, tive a sorte de herdar o sistema de Andy Grove para ampliar o potencial humano. Logo depois, comecei a observar empreendedores, líderes e equipes inspiradores o adaptarem a fim de alcançar sonhos. Também sou grato pelo meu grande país, Estados Unidos, que recompensa a propensão aos riscos, algo que nunca posso deixar de dar valor.

Acima de tudo, agradeço a vocês, meus leitores, por sua atenção, engajamento e feedback. Aguardo ansiosamente por suas mensagens em john@whatmatters.com (em inglês).

O surgimento deste livro confirma meu mantra de que a vitória sempre exige uma equipe. Desde o início até o produto final, agradeço à equipe da Portfolio/Penguin, que tornou tudo isso possível: meu editor, Adrian Zackheim, que previu o potencial do livro; minha excelente editora, Stephanie Frerich, que percorreu tantos quilômetros adicionais e de alguma forma mantinha sempre o bom humor; e também Tara Gilbride, Olivia Peluso e Will Weisser. Também sou grato ao meu agente, Myrsini Stephanides, e ao meu advogado, Peter Moldave. Um agradecimento também ao habilidoso e versátil Ryan Panchadsaram, cujos insights e julgamentos se provaram indispensáveis.

Agradeço especialmente às pessoas que reservaram um tempo de seus horários super ocupados para ler o material e oferecer o feedback que tornou o livro muito melhor:

A Bing Gordon, que também me apresentou à Debra Radabaugh e que, por fim, me apresentou ao Coach Campbell.

Agradeço a Jonathan Rosenberg, que forneceu muitas observações perspicazes sobre o modo de usar os OKRs do Google e me orientou em nossos estudos de casos dos "desafios".

Agradeço a Laszlo Bock, um brilhante líder de metas, de gestão contínua de desempenho e de cultura corporativa. E a Dov Seidman, o grande filósofo empresarial, por sua sabedoria em cultura e valores.

Agradeço a Tom Friedman, Laurene Powell Jobs, Al Gore, Randy Komisar e Sheryl Sandberg, amigos com grandes mentes e corações que compartilharam seus valores únicos e sabedoria na construção de equipes e instituições.

Agradeço a Jim Collins, meu autor de negócios favorito, cujo pensamento cristalino e direcionado por dados desafiou e esclareceu meus propósitos. Eu não poderia ter escrito este livro se Jim não tivesse apontado o caminho a seguir em seu trabalho inovador.

Agradeço também a Walter Isaacson, um extraordinário biógrafo, cujos bons conselhos foram essenciais para a presente obra começar a tomar forma.

Gostaria de agradecer também aos meus companheiros da Kleiner Perkins, cujo compromisso com os empreendedores me levanta todos os dias: Mike Abbott, Brook Byers, Eric Feng, Bing Gordon, Mamoon Hamid, Wen Hsieh, Noah Knauf, Randy Komisar, Mary Meeker, Mood Rowghani, Ted Schlein e Beth Seidenberg. Também deixo meus agradecimentos a Sue Biglieri, Alix Burns, Juliet DeBaubigny, Amanda Duckworth, Rouz Jazayeri e Scott Ryles. Um agradecimento especial a Rae Nell Rhodes, Cindy Chang e Noelle Miraglia, pelo apoio inabalável, e à Tina Case, que encontrou as fotografias que deram vida a este livro.

Os quatro superpoderes dos OKRs, que têm suporte e se tornam significativos com os CFRs, são as bases essenciais para o presente livro. No entanto, ele seria vazio sem as nossas histórias internas para descrever OKRs e CFRs na vida real e em tempo real. Aqui deixo então um agradecimento especial aos contadores das histórias que compartilharam tão generosamente suas experiências.

Quero começar com a equipe da Fundação Gates, do passado e do presente, que é especialmente inspiradora por iniciativas de tirar o fôlego e pelo impacto salvador de vidas. Obrigado, Bill e Melinda, Patty Stone Sifer, Larry Cohen, Arnold Bridgitt, Sylvia Mathews Burwell, Susan Desmond Hellman, Mark Suzman e Ankur Vora. As realizações da Fundação tornarão o futuro livro de vocês épico e mal posso esperar para lê-lo.

Agradeço ao nosso astro do rock irlandês favorito, que desenvolveu uma cruzada global para combater doenças, a pobreza e a corrupção. Agradeço ao Bono e à equipe, composta por Jamie Drummond, David Lane, Lucy Matthew, Bobby Shriver, Gayle Smith e Ken Weber pela criação da ONE.

E agora, uma menção especial a essa turma do Google. Sim, Larry Page, Sergey Brin e Eric Schmidt fizeram do Google o protótipo do século XXI para o estabelecimento de metas estruturadas. A determinação e os resultados deles com os OKRs impressionaram até Andy Grove. Eu seria negligente em não reconhecer, no entanto, também os 100 mil funcionários e ex-funcionários do Google que espalharam a religião das metas mundo afora. Agradeço particularmente a Sundar Pichai, Susan Wojcicki, Jonathan Rosenberg e Cristos Goodrow. E agradeço a Tim Armstrong, Raja Ayyagari, Shona Brown, Chris Dale, Beth Dowd, Salar Kamangar, Rei Winnie, Rick Klau, Shishir Mehrotra, Eileen Naughton, Ruth Porat, Brian Rakowski, Prasad Setty, Ram Shriram, Esther Sun, Matt Susskind, Astro Teller e Kent Walker.

Os líderes do passado e do presente da Intel foram magnânimos com suas percepções. Obrigado Gordon Moore, Les Vadasz, Eva Grove, Bill Davidow, Dane Elliott, Jim Lally e Casey Powell. Agradeço também ao CEO Brian Krzanich, Steve Rodgers, Kelly Kelly e a Terry Murphy, assistente executivo de longa data de Andy Grove.

Da Remind: Brett Kopf, David Kopf e Brian Gray.

Da Nuna: Jini Kim, David Chen, Katja Gussman, Nick Sung e Sanjey Sivanesan.

Do MyFitnessPal: Mike Lee e David Lee.

Da Intuit: Atticus Tysen, Scott Cook, Brad Smith, Sherry Whiteley e Olga Braylovskliy.

Da Adobe: Donna Morris, Shantanu Narayen e Dan Rosensweig.

De Zume: Julia Collins e Alex Garden.

Da Coursera: Lila Ibrahim, Daphne Koller, Andrew Ng, Rick Levin e Jeff Maggioncalda.

Da Lumeris: Andrew Cole, Art Glasgow e Mike Long.

Da Schneider Electric: Hervé Coureil e Sharon Abraham.

Do Walmart: John Brothers, Becky Schmitt e Angela Christman.

Da Khan Academy: Orly Friedman e Sal Khan.

Sinto-me honrado em reconhecer os especialistas que emprestaram seus insights e muitas contribuições ao movimento OKR e a este livro: Alex Barnett, Tracy Beltrane, Ethan Bernstein, Josh Bersin, Ben Brookes, John Brothers, Aaron Butkus, Ivy Choy, John Chu, Roger Corn, Angus Davis, Chris Deptula, Patrick Foley, Uwe Higgen, Arnold Hur, General Tom Kolditz, Cory Kreeck, Jonathan Lesser, Aaron Levie, Kevin Louie, Denise Lyle, Chris Mason, Amelia Merrill, Deep Nishar, Bill Pence, Stephanie Pimmel, Philip Potloff, Aurelie Richard, Dr. David Rock, Timo Salzsieder, Jake Schmidt, Erin Sharp, Jeff Smith, Tim Staffa, Joseph Suzuki, Chris Villar, Jeff Weiner, Christina Wodtke e Jessica Woodall.

Agradeço especialmente ao CEO Doug Dennerline e à equipe orientada por metas da BetterWorks, que está promovendo OKRs e CFRs como ninguém, enquanto trabalha melhor todos os dias.

Não menos importante, gostaria de agradecer a algumas pessoas especiais com quem tive o privilégio de trabalhar ao longo dos anos e cujas vidas são exemplares de excelência. Entre os notáveis, estão os seguintes: Jim Barksdale, Andy Bechtolsheim, Jeff Bezos, Scott Cook, John Chambers, Bill Joy e KR Sridhar. Além de Andy Grove, Bill Campbell e Steve Jobs, que partiram do nosso mundo, mas nunca serão esquecidos.

Agradeço de coração a Jeff Coplon, que esteve no centro da equipe que fez isso acontecer, e que provou mais uma vez que a execução é tudo.

Muito antes de eu encontrar os OKRs, meu pai e herói, Lou Doerr, me ensinou o valor do foco, do compromisso, dos padrões elevados e das aspirações mais altas (e da AMP — a Atitude Mental Positiva). Minha mãe, Rosemary Doerr, me deu apoio incondicional para colocar essas lições em prática.

Finalmente, ofereço minha eterna gratidão à minha esposa, Ann, e às minhas filhas, Mary e Esther, cuja paciência, incentivo e amor me apoiaram em meio a esse longo e desafiador projeto. A existência delas me mostra, a cada dia, o que mais importa na vida.

NOTAS

CAPÍTULO 1: Google, Apresento-lhes os OKRs

8 **Como a aluna premiada Marissa Mayer:** Steven Levy, *In the Plex: How Google Thinks, Works, and Shapes Our Lives* (Nova York: Simon & Schuster, 2011). Em alguns casos, o resultado-chave é binário, ou seja, cumprido ou não: "Concluir o manual de integração para novas contratações."

9 **"Goals Gone Wild":** Lisa D. Ordóñez, Maurice E. Schweitzer, Adam D. Galinsky, e Max H. Bazerman, "Goals Gone Wild: The Systematic Side Effects of Overprescribing Goal Setting", *Academy of Management Perspectives*; consulta em 1° de fevereiro de 2009.

9 **"Metas podem causar":** Ibid.

10 **disse Edwin Locke, "metas difíceis":** Edwin Locke, "Toward a Theory of Task Motivation and Incentives", *Organizational Behavior and Human Performance*; maio de 1968.

10 **"uma das ideias mais testadas":** "The Quantified Serf", *The Economist*; consulta em 7 de março de 2015.

10 **"envolvidos, entusiasmados":** Annamarie Mann e Jim Harter, "The Worldwide Employee Engagement Crisis" gallup.com; consulta em 7 de janeiro de 2016. Em todo o mundo, apenas 13% dos funcionários são considerados engajados. Além disso, segundo a Deloitte, esse cenário não está melhorando; os níveis de engajamento não são mais altos hoje do que há dez anos.

10 **No setor de tecnologia:** Dice Tech Salary Survey, 2014, http://market ing. dice.com/pdf/Dice_TechSalarySurvey_2015.pdf.

10 Grupos de trabalho mais engajados: Annamarie Mann e Ryan Darby, "Should Managers Focus on Performance or Engagement?", *Gallup Business Journal*; consulta em 5 de agosto de 2014.

10 "retenção e engajamento": *Global Human Capital Trends 2014,* Deloitte University Press.

10 "metas claramente definidas": "Becoming Irresistible: A New Model for Employee Engagement," *Deloitte Review,* Issue 16; consulta em 26 de janeiro de 2015.

10 "Quando as pessoas têm prioridades conflitantes": Teresa Amabile e Steven Kramer, *The Progress Principle: Using Small Wins to Ignite Joy, Engagement, and Creativity at Work* (Boston: Harvard Business Review Press, 2011).

11 as metas "são capazes de inspirar funcionários": Ordóñez, Schweitzer, Galinsky e Bazerman, "Goals Gone Wild".

12 Conforme Eric : Levy, *In the Plex.*

13 os OKRs se tornaram a "ferramenta simples": Eric Schmidt e Jonathan Rosenberg, *How Google Works* (Nova York: Grand Central Publishing, 2014).

14 Em 2008, um OKR de toda a empresa: Levy, *In the Plex.*

14 Quando Jonathan Rosenberg liderou: Schmidt e Rosenberg, *How Google Works.*

15 Em 2017, pelo sexto ano consecutivo: *Fortune*; consulta em 15 de março de 2017.

Capítulo 2: O Pai dos OKRs

21 **No período:** Embora não haja registro da sessão da qual participei, fizemos uma gravação em vídeo de um seminário similar que Grove fez três anos depois. As observações atribuídas são originadas dessa gravação e estão em www.whatmatters.com (conteúdo em inglês).

23 **A administração científica, escreveu Taylor,:** Frederick Winslow Taylor, *The Principles of Scielntific Management* (Nova York e Londres: Harper & Brothers, 1911).

24 **"nítidos e hierárquicos":** Andrew S. Grove, *High Output Management* (Nova York: Random House, 1983).

24 **"um princípio de gestão":** Peter F. Drucker, *The Practice of Management* (Nova York: Harper & Row, 1954).

24 **Em uma metanálise:** Robert Rodgers e John E. Hunter, "Impact of Management by Objectives on Organizational Productivity", *Journal of the American Psychological Association;* abril de 1991.

25 **"apenas mais uma ferramenta":** "Management by Objectives", *The Economist*; 21 de outubro de 2009.

25 **Ele procurou "criar":** Grove, *High Output Management.*

26 **Andy recrutava os "introvertidos agressivos":** Andrew S. Grove, Seminário iOPEC; 1978. Como um exemplo contemporâneo, Larry Page é um tipo introvertido agressivo.

29 **Como observou um historiador da Intel:** Tim Jackson, *Inside Intel: The Story of Andrew Grove and the Rise of the World's Most Powerful Chip Company* (Nova York: Dutton, 1997).

30 **Como contou uma vez:** *New York Times*; edição de 23 de dezembro de 1980.

32 **"mais aclamadas":** *New York Times*; edição de 21 de março de 2016.

32 **"principal responsável":** *Time*; edição de 29 de dezembro de 1997.

Capítulo 3: Operação Crush: Uma História da Intel

36 **"Há apenas uma empresa":** Tim Jackson, *Inside Intel: The Story of Andrew Grove and the Rise of the World's Most Powerful Chip Company* (Nova York: Dutton, 1997).

37 **os veteranos da Operação Crush lembraram:** "Intel Crush Oral History Panel", Museu da História do Computador; 14 de outubro de 2013.

Capítulo 4: Superpoder nº 1: Foco e Compromisso com as Prioridades

49 **valores não podem ser transmitidos:** Andrew S. Grove, *High Output Management* (Nova York: Random House, 1983).

49 **"Quando você é o CEO":** "Lessons from Bill Campbell, Silicon Valley's Secret Executive Coach", podcast com Randy Komisar, soundcloud.com; acesso em 2 de fevereiro de 2016, https://soundcloud.com/venturedpodcast/bill_campbell.

49 **duas em cada três empresas:** Stacia Sherman Garr, "High Impact Performance Management: Using Goals to Focus the 21stCentury Workforce", Bersin by Deloitte; dezembro de 2014.

50 **Em uma pesquisa:** Donald Sull e Rebecca Homkes, "Why Senior Managers Can't Name Their Firms' Top Priorities", London Business School; consulta em 7 de dezembro de 2015.

50 **"deve ser capaz de medir":** Peter F. Drucker, *The Practice of Management* (Nova York: Harper & Row, 1954).

51 **"Para que o feedback":** Grove, *High Output Management.*

52 **"com mão de ferro":** Mark Dowie, "Pinto Madness", *Mother Jones*; setembro/outubro de 1977.

52 **Segurança não estava na lista:** Ibid. Como Iacocca gostava de dizer: "Segurança não convence ninguém."

53 **"As metas específicas e desafiadoras":** Lisa D. Ordóñez, Maurice E. Schweitzer, Adam D. Galinsky e Max H. Bazerman, "Goals Gone Wild: The Systematic Side Effects of Overprescribing Goal Setting," Harvard Business School working paper; 11 de fevereiro de 2009; www.hbs.edu/faculty/Publication%20Files/09083.pdf.

53 **a filha adolescente de uma gerente:** Stacy Cowley e Jennifer A. Kingson, "Wells Fargo Says 2 ExLeaders Owe $75 Million More", *New York Times*; consulta em 11 de abril de 2017.

53 **"as contrapartes alinhadas":** Grove, *High Output Management*.

56 **"A única coisa":** Ibid.

57 **"A *arte* da gestão":** Ibid.

Capítulo 5: Foco: a História da Remind

59 **A participação nas aulas aumentava:** Matthew Kraft, "The Effect of TeacherFamily Communication on Student Engagement: Evidence from a Randomized Field Experiment", *Journal of Research on Educational Effectiveness*; junho de 2013.

Capítulo 6: Compromisso: A História da Nuna

75 **Andrew M. Slavitt:** Steve Lohr, "Medicaid's Data Gets an InternetEra Makeover", *New York Times*; consulta em 9 de janeiro de 2017.

Capítulo 7: Superpoder nº 2: Alinhamento e Conexão em Prol do Trabalho em Equipe

77 **Pesquisas mostram que as metas públicas:** com base na análise de 100 mil metas da BetterWorks.

78 **Em uma pesquisa recente:** Wakefield Research; novembro de 2016.

79 **O termo para essa conexão:** De acordo com a *Harvard Business Review*, as empresas com funcionários altamente alinhados têm duas vezes mais probabilidade de atingir melhores desempenhos do que as empresas concorrentes; "How Employee Alignment Boosts the Bottom Line", *Harvard Business Review*; 16 de junho de 2016).

79 **Estudos sugerem que:** Robert S. Kaplan e David P. Norton, *The Strategy Focused Organization: How Balanced Scorecard Companies Thrive in the New Business Environment* (Boston: Harvard Business School Press, 2001).

79 **uma pesquisa feita com CEOs ao redor do mundo:** Donald Sull, "Closing the Gap Between Strategy and Execution", *MIT Sloan Management Review*; 1° de julho de 2007.

79 **"Temos muitas":** Entrevista com Amelia Merrill, líder de estratégias de pessoal na RMS.

87 **"Ter objetivos melhora o desempenho":** Laszlo Bock, *Work Rules!: In sights from Inside Google That Will Transform How You Live and Lead* (Nova York: Grand Central Publishing; 2015).

87 **"As pessoas nas trincheiras":** Andrew S. Grove, *Only the Paranoid Survive: How to Identify and Exploit the Crisis Points That Challenge Every Business* (Nova York: Doubleday Business, 1996).

88 **O "funcionário profissional":** Peter Drucker, *The Practice of Management* (Nova York: Harper & Row, 1954).

88 **visão negativa da "interferência gerencial":** Andrew S. Grove, *High Output Management* (Nova York: Random House, 1983).

88 **"Quanto maiores as metas":** Edwin Locke e Gary Latham, "Building a Practically Useful Theory of Goal Setting and Task Motivation: A 35 Year Odyssey", *American Psychologist*; setembro de 2002.

89 **"As pessoas de toda a organização":** Entrevista com Laszlo Bock, ex-chefe de operações de pessoal do Google.

Capítulo 9: Conexão: A História da Intuit

103 **por 14 anos consecutivos:** http://beta.fortune.com/worldsmostad miredcompanies/intuit100000.

103 **"Sempre que a Intuit faz":** Vindu Goel, "Intel Sheds Its PC Roots and Rises as a Cloud Software Company", *New York Times*; 10 de abril de 2016.

Capítulo 10: Superpoder nº 3: O Acompanhamento da Responsabilidade

119 **A pesquisa sugere:** Teresa Amabile e Steven Kramer, *The Progress Principle: Using Small Wins to Ignite Joy, Engagement, and Creativity at Work* (Boston: Harvard Business Review Press, 2011).

119 **"O maior e mais simples motivador do mundo":** Daniel H. Pink, *Drive: The Surprising Truth About What Motivates Us* (Nova York: Riverhead Books, 2009).

119 **"Sem um plano de ação":** Peter Drucker, *The Effective Executive: The Definitive Guide to Getting the Right Things Done* (Nova York: Harper & Row, 1967).

119 **Em um estudo na Califórnia:** Pesquisa de Gail Matthews; Dominican University of California, www.dominican.edu/dominicannews/studyhighlights-strategiesforachievinggoals.

120 **"Se a escada não está":** Stephen R. Covey, *The 7 Habits of Highly Effective People* (Nova York: Simon & Schuster, 1989).

120 "as pessoas são capazes de aprender com o fracasso": "Don't Be Modest: Decrypting Google", *The Economist*; 27 de setembro de 2014.

126 aprender "a partir da experiência direta": Giada Di Stefano, Francesca Gino, Gary Pisano e Bradley Staats, "Learning by Thinking: How Reflection Improves Performance", Harvard Business School working paper; 11 de abril de 2014.

127 "Não aprendemos": Ibid.

Capítulo 12: Superpoder nº 4: O Esforço pelo Surpreendente

137 Para as empresas que buscam: Steve Kerr, "Stretch Goals: The Dark Side of Asking for Miracles", *Fortune*; 13 de novembro de 1995.

137 Bill Campbell gostava de dizer o seguinte: Podcast com Randy Komisar em soundcloud.com (em inglês); 2 de fevereiro de 2016.

138 "Uma MAC é uma meta gigante": Jim Collins, *Good to Great: Why Some Companies Make the Leap... and Others Don't* (Nova York: HarperCollins, 2001).

138 os resultados eram "inequívocos": Edwin Locke, "Toward a Theory of Task Motivation and Incentives", *Organizational Behavior and Human Performance 3*; 1968.

138 "Estabelecer metas desafiadoras específicas": Edwin A. Locke e Gary P. Latham, "Building a Practically Useful Theory of Goal Setting and Task Motivation: A 35 Year Odyssey", *American Psychologist*; setembro de 2002.

139 metas de esforço podem aguçar: Andrew S. Grove, *High Output Management* (Nova York: Random House, 1983).

141 "Esta é a Intel": "Intel Crush Oral History Panel" Museu da História do Computador; 14 de outubro de 2013.

142 No terceiro trimestre: William H. Davidow, *Marketing High Technology: An Insider's View* (Nova York: Free Press, 1986).

142 “a religião das dez vezes”: Steven Levy, “Big Ideas: Google’s Larry Page and the Gospel of 10x,” *Wired*, March 30, 2013.

143 “tende a supor”: Eric Schmidt e Jonathan Rosenberg, *How Google Works* (Nova York: Grand Central Publishing; 2014).

143 “Segundo Page”: Levy, “Big Ideas”.

144 início do período: Entrevista com Bock.

145 Na busca de metas de alto risco e alto esforço: Locke e Latham, “Building a Practically Use ful Theory of Goal Setting and Task Motivation”.

146 “Em nossos negócios”: Seminário iOPEC; 1992.

Capítulo 13: O Esforço: A História do Google Chrome

147 “Caso queira que seu carro”: Laszlo Bock, *Work Rules!: Insights from Inside Google That Will Transform How You Live and Lead* (Nova York: Grand Central Publishing; 2015).

148 “Se você definir um objetivo louco”: Ibid.

153 “Querida Sophie”: https://whatmatters.com/sophie (em inglês).

Capítulo 14: O Esforço: A história do YouTube

157 “a mulher mais poderosa”: Belinda Luscombe, “Meet YouTube’s View master”, *Time*; 27 de agosto de 2015.

163 “uma commodity cada vez mais escassa”: Satya Nadella. E-mail corporativo para os funcionários da Microsoft; 25 de junho de 2015.

Capítulo 15: O Gerenciamento Contínuo de Desempenho: OKRs e CFRs

175 No entanto, apenas 12%: "Performance Management: The Secret Ingredient", Deloitte University Press; 27 de fevereiro de 2015.

175 Apenas 6% acham que valem a pena: "Global Human Capital Trends 2014: Engaging the 21st Century Workforce", Bersin by Deloitte.

176 papel primário de um gestor: www.druckerinstitute.com/2013/07/measurementmyopia (em inglês).

179 Tabela 15.1: Gerenciamento anual de desempenho: Josh Bersin e Better Works, "How Goals Are Driving a New Approach to Performance Management", Human Capital Institute; 4 de abril de 2016.

182 Andy Grove estimava: Andrew S. Grove, *High Output Management* (Nova York: Random House, 1983).

183n Andy acreditava que o "subordinado": "Former Intel CEO Andy Grove Dies at 79", *Wall Street Journal*; 22 de março de 2016. Quando fazia uma reunião com meu chefe na Intel, não era para ele inspecionar meu trabalho, mas sim para descobrir como ele poderia me ajudar a alcançar meus resultados-chave.

183n De acordo com a Gallup: Annamarie Mann e Ryan Darby, "Should Managers Focus on Performance or Engagement?", *Gallup Business Journal*; consulta em 5 de agosto de 2014.

184 "O feedback é uma opinião": Sheryl Sandberg, *Lean In: Women, Work, and the Will to Lead* (Nova York: Knopf, 2013).

184 "querem ser 'empoderados'": Josh Bersin, "Feedback Is the Killer App: A New Market and Management Model Emerges", *Forbes*; 26 de agosto de 2015.

185 Atualmente, as empresas modernas: Josh Bersin, "A New Market Is Born: Employee Engagement, Feedback, and Culture Apps", joshbersin.com (em inglês); 19 de setembro de 2015.

186 "Tão suave quanto parece": "Becoming Irresistible: A New Model for Employee Engagement", *Deloitte Review*, Número 16.

Capítulo 18: Cultura

214 estas cinco perguntas: https://rework.withgoogle.com/blog/five-keys-to--a-successful-google-team (em inglês).

215 Culturas de alta motivação, eles concluíram: Teresa Amabile e Steven Kramer, "The Power of Small Wins", *Harvard Business Review*; maio de 2011.

219 Sua equipe na LRN: O estudo foi conduzido pelo Boston Research Group, pelo Center for Effective Organizations da University of Southern California e pela Research Data Technology, Inc.

Dedicatória

246 No The New Yorker, Ken Auletta registrou: Ken Auletta, "Postscript: Bill Campbell, 1940- 2016", *The New Yorker*; 19 de abril de 2016.

249 "Bill Campbell tem sido": Eric Schmidt e Jonathan Rosenberg, *How Google Works* (Nova York: Grand Central Publishing; 2014).

250 Ele "mantinha Steve Jobs na linha": Miguel Helft, "Bill Campbell, 'Coach' to Silicon Valley Luminaries Like Jobs, Page, Has Died", *Forbes*; 18 de abril de 2016.

251 "sempre quis fazer parte": Podcast com Randy Komisar em soundcloud.com; 2 de fevereiro de 2016.

ÍNDICE

CONHEÇA OUTROS LIVROS DA ALTA BOOKS

Negócios - Nacionais - Comunicação - Guias de Viagem - Interesse Geral - Informática - Idiomas

Todas as imagens são meramente ilustrativas.

SEJA AUTOR DA ALTA BOOKS!

Envie a sua proposta para: autoria@altabooks.com.br

Visite também nosso site e nossas redes sociais para conhecer lançamentos e futuras publicações!

www.altabooks.com.br

Rua Álvaro Seixas, 165
Engenho Novo - Rio de Janeiro
Tels.: (21) 2201-2089 / 8898
E-mail: rotaplanrio@gmail.com